LA COLONISATION DANS LA LITTERATURE AFRICAINE

ESSAI DE RECONSTRUCTION D'UNE REALITE SOCIALE

Dans la collection *Critiques Littéraires*

Dernières parutions :

NAUMANN M., *Regards sur l'autre à travers les romans des cinq continents.*

JOUANNY R. (sous la direction de), *Lecture de l'oeuvre d'Hampaté Bâ.*

NNE ONYEOZIRI G., *La parole poétique d'Aimé Césaire. Essai de sémantique littéraire.*

HOUYOUX S., *Quand Césaire écrit, Lumumba parle.*

LARONDE M., *Autour du roman beur.*

NGANDU NKASHAMA P., *Théâtres et scènes de spectacle.* (Etudes sur les dramaturgies et les arts gestuels.)

HUANNOU A., *La critique et l'enseignement de la littérature africaine aux Etats-Unis d'Amérique.*

NGANDU NKASHAMA P., *Négritude et poétique. Une lecture de l'oeuvre critique de Léopold Sédar Senghor.*

HOUNTONDJI V.M., *Le* Cahier d'Aimé Césaire. *Evénement littéraire et facteur de révolution. (Essai).*

GONTARD M., *Le Moi étrange. Littérature marocaine de langue française.*

VENTRESQUE R., *Les Antilles de Saint-John Perse. Itinéraire intellectuel d'un poète.*

BLACHERE J.C., *Négritures. Les écrivains d'Afrique noire et la langue française.*

SHELTON M.D., *Image de la société dans le roman haïtien.*

LECOMTE N., *Le roman négro-africain des années 50 à 60, Temps et acculturation.*

MEMMES A., *Abdelkebir Khatibi, l'écriture de la dualité.*

DESPLANQUES F. et FUCHS A., (textes recueillis par), *Écritures d'ailleurs, autres écritures* (Afrique, Inde, Antilles).

CHAULET-ACHOUR C., (avec la collaboration de S. Rezzoug), *Jamel-Eddine Bencheikh.*

DEVÉSA J.M., (sous la direction de), *Magie et écriture au Congo.*

TOSO-RODINIS G., *Fêtes et défaites d'Eros dans l'œuvre de Rachid Boudjedra.*

NGAL G., *Création et rupture en littérature africaine.*

L'HARMATTAN, 1994

ISBN : 2-7384-2807-X

Ulrike **SCHUERKENS**

LA COLONISATION DANS LA LITTERATURE AFRICAINE

ESSAI DE RECONSTRUCTION D'UNE REALITE SOCIALE

Editions l'Harmattan
5-7, rue de l'Ecole Polytechnique
75005 PARIS

A Colette et Edouard,
dont les conseils et l'expérience ont
enrichi ces pages

AVANT-PROPOS

Cet ouvrage est l'aboutissement de recherches menées entre 1987 et 1992. Il reflète notre souci de cerner la signification de la colonisation pour les groupes autochtones africains et présente une contribution à l'anthropologie du développement et à l'anthropologie historique.

Dans l'introduction théorique, nous présenterons et discuterons les éléments qui nous ont guidé dans le choix des objets/sujets et le cadre théorique qui nous a semblé le mieux adapté pour entreprendre ce genre de recherche. L'introduction nous semblait, de plus, être l'endroit le mieux approprié pour discuter des aspects méthodologiques. Le lecteur y trouvera les éléments indispensables pour une bonne compréhension de ce livre. Ces aspects constituent le fil conducteur d'un processus de recherche qui a débuté par une première réflexion sur la problématique de l'évolution sociale en Afrique et qui s'est heurté, surtout, à la problématique de l'explication du changement social, aux multiples approches de celui-ci, dont nous sentions l'impossibilité d'expliquer le changement ayant eu lieu en Afrique depuis les premiers contacts qui s'inscrivaient dans la logique de la colonisation jusqu'à aujourd'hui. Ce changement fut défini dès le début comme résultant d'une interaction entre les différentes puissances coloniales et les populations autochtones. Ainsi, l'explication des transformations en Afrique n'est pas aussi simple que les approches de la modernisation, de la dépendance ou encore du développement endogène nous le font croire. Ces processus de transformation, - qui ont obligé les pays africains, et nous nous limitons à l'Afrique noire, à affronter des pays dont la culture, l'économie et le domaine politique étaient tout à fait différents - nous essayerons de les définir dans différents domaines. Tout ceci montre que l'oeuvre coloniale avait des implications d'une étendue immense sur ces sociétés. Dans un laps de temps de quarante à soixante ans, elles ont dû apprendre à agir dans un monde international que beaucoup d'entre elles ignoraient encore complètement au début de ce siècle. L'affrontement de deux conceptions de sociétés, de deux systèmes de valeurs très différents signifiait, pour la plupart d'entre elles, qu'elles exposaient leurs systèmes sociaux aux influences des puissances coloniales, et ceci, pas dans le cadre d'un simple contact superficiel, mais dans celui d'une assimilation d'une autre culture et d'une association plus ou moins visible à un autre système de valeurs qui menait souvent à une restructuration des systèmes sociaux autochtones.

Ce livre qui constitue la deuxième partie d'une thèse en anthropologie sociale et ethnologie légèrement remaniée, analyse le point de vue des acteurs concernés, et ceci, à partir des romans décrivant le phénomène colonial, et, en particulier, d'ouvrages réalisés par des écrivains de l'Afrique francophone et par l'écrivain anglophone Chinua Achebe. Cette littérature révèle le vécu quotidien sous le régime colonial, les particularités dont seuls les Africains peuvent témoigner. L'analyse des romans nous permet de montrer que la spécificité de l'approche coloniale se reflète, d'une manière ou d'une autre, dans les descriptions littéraires. Les événements décrits ou les personnages relatant leur histoire personnelle font revivre ce vécu quotidien et retracent les caractéristiques des différentes administrations coloniales. Les écrivains francophones tentent de décrire les situations auxquelles les Africains étaient confrontés ; l'auteur anglophone, Chinua Achebe, dont nous avons sélectionné trois romans, relate les événements liés à la colonisation, de manière différente : il les décrit à partir du changement que certains individus appartenant à son groupe d'origine ont vécu. Achebe évoque ainsi cette particularité de la politique coloniale anglaise de se limiter au changement des institutions politiques des sociétés autochtones, contrairement à l'approche française qui appréhendait sa mission de *civilisation* comme un ensemble incluant les dimensions culturelles, politiques et économiques.

Cette reconstitution d'une interaction particulière à l'Afrique démontre que la problématique du développement doit être considérée sous un autre angle : il ne suffit plus de simplement constater des frictions, des ruptures, des tensions. Nous sommes appelés à en chercher les causes, à établir - si cela s'avère possible - une cohérence au niveau d'un système social qui est, certes, différent d'un pays à l'autre, et ceci, à cause des particularités locales, mais dont la cohérence est nécessaire pour la création de rapports sociaux plus adaptés aux contextes locaux et aux exigences qu'un système international impose de plus en plus à ces sociétés. Les problématiques se retrouvent autant au sein des sociétés autochtones que dans des facteurs venant d'un système mondial d'inégalité. Ainsi, cet ouvrage - nous l'espérons - aura, d'une part, contribué à discuter certains aspects-clefs de l'anthropologie actuelle, et, d'autre part, montré une approche du développement des sociétés autochtones en Afrique qui nous permettra, dans un deuxième temps, d'agir de manière différente dans ce que nous appelons la problématique du développement.

CHAPITRE I

LA LITTERATURE EN TANT QUE MOYEN DE DESCRIPTION DE LA REALITE COLONIALE

1. LA LITTERATURE EN TANT QUE MOYEN DE DESCRIPTION DE LA REALITE COLONIALE

La littérature africaine de langue française et anglaise, quand elle traite de la colonisation, est une description de la réalité sociale, même si ces oeuvres constituent la plupart du temps des romans relevant du domaine de la fiction. Les ouvrages que nous analyserons, ont été écrits pour la plupart d'entre eux, dans les années 50, même s'ils ont été publiés seulement après l'accès à l'indépendance de ces pays. Les choix que nous avons effectués ont été faits en fonction du critère de la description de cette réalité coloniale.

Les textes présentent l'oeuvre coloniale selon le point de vue du **colonisé**, et ainsi des opinions relatives à ce passé récent. Il s'agit de témoignages que les écrivains de différentes nationalités nous apportent en nous communiquant leurs appréciations du passé colonial et des aspects divers qu'ils ont choisis de traiter. Ces auteurs, par le fait qu'ils appartiennent à une élite intellectuelle, étaient capables d'exprimer dans leurs livres le vécu quotidien africain pendant l'administration coloniale. Les phénomènes qu'ils traitent, nous offrent une vision complémentaire de la réalité sociale que nous avons décrite ailleurs.[1] La différence entre l'approche du *colonisateur* et celle du *colonisé* se trouve dans le fait qu'il s'agit dorénavant de textes établis par des Africains et exprimant maints aspects du phénomène colonial dont l'administration était la plupart du temps soucieuse de ne montrer que des traits qui contribuaient à stabiliser et à maintenir son système de domination. Bien que l'analyse de l'approche du *colonisateur* nous ait permis de déceler des rapports sociaux caractéristiques pour l'époque coloniale et qui se trouvent de façon plus ou moins identifiable dans de nombreux textes administratifs, nous avons dû constater que le témoignage de l'Africain, du *colonisé* n'était exprimé que rarement. Or, le développement et la transformation des rapports sociaux introduits par la colonisation, faisaient ressentir cette absence de la voix autochtone de telle sorte qu'une analyse spécifique de ces aspects s'imposait.

L'analyse de la transformation introduite par les différentes puissances coloniales, et, ceci du point de vue du **colonisé**, pouvait être faite selon différentes voies : au début de ces recherches, nous avons choisi de déceler la perception de cet aspect du changement de la part de l'Africain par une analyse ethnographique sur le terrain. Cependant, pour des questions d'ordre méthodologique, nous nous sommes sentie obligée de recourir dans un premier temps à l'analyse des documents écrits. L'intérêt pour la littérature se manifesta lors de l'analyse d'un cas spécifique où nous étudiions la question des rapports interculturels à l'époque coloniale.[2] Cette analyse nous encourageait à entreprendre une première investigation de la littérature africaine traitant le sujet de la colonisation. Nous nous aperçûmes que cette littérature existait, mais qu'elle n'était que rarement l'objet d'une analyse systématique en tant qu'expression et témoignage de cette transformation globale qui s'effectuait pendant l'époque coloniale. Les différentes recherches traitent ce sujet, de façon plus ou moins apparente, comme l'expression d'une dualité entre, d'une part, la modernité, et, d'autre part, la tradition, deux des aspects bien connus des africanistes.[3] Or, cette première analyse d'un roman africain nous révélait qu'il ne s'agissait pas seulement d'un manque d'appréciation des chercheurs en ce qui concerne cette problématique, mais que cette approche exigeait des connaissances particulières que ceux-ci, en recourant la plupart du temps - tant en ce qui concerne les anglophones que les francophones - aux méthodes de la critique littéraire,[4] et en insistant plus sur le style et la forme que sur l'analyse d'une description d'une réalité socio-économique, ne possédaient pas. Les analyses effectuées par des chercheurs appartenant aux disciplines littéraires n'utilisent que rarement des approches analytiques tenant compte du contexte socio-politique de cette littérature, et en recourant peu à de méthodes que la sociologie de la littérature[5] ou l'ethnologie de la littérature orale[6] africaine avaient développées. Un exemple parmi d'autres de ce genre d'analyse nous est fourni par les travaux de Kesteloot qui, dès les années 60, utilisait des approches tenant compte de la réalité socio-politique des oeuvres littéraires africaines.[7] C'est ainsi que la littérature africaine restait, en général, le champ privilégié des critiques littéraires.[8] Il faut néanmoins reconnaître que le nombre de chercheurs intéressés par cette problématique était relativement restreint jusqu'à une période récente. De plus, le fait qu'il s'agit d'une littérature récente, contribue à ce que les analyses de ces ouvrages soient relativement limitées. Il existe quelques rares exceptions pour certains auteurs, tant du côté des francophones que du côté des anglophones.

En ce qui concerne les analyses utilisant des procédures plus ou moins empruntées à l'anthropologie et à la sociologie, nous en trouvons des exemples dans quelques articles, dans des contributions à des conférences ou bien des thèses.[9] Nous pouvons classer dans cette catégorie par exemple l'ouvrage de Chemain qui retrace l'évolution de la ville dans la littérature africaine et qui utilise une approche qu'il caractérise comme politico-historique, et ceci, dans le but de montrer que le développement du roman en Afrique est étroitement lié à la transformation des villes. C'est ainsi que l'auteur analyse une trentaine de romans traitant de la période d'entre les deux guerres jusqu'à l'époque des indépendances. Cette analyse lui permet de cerner l'évolution de la ville et de décrire des endroits privilégiés, comme le commissariat de police, l'école, l'hôpital ou bien le marché. Le livre de Mérand qui essaie - en se fondant uniquement sur la littérature africaine - de retracer un panorama de la vie quotidienne en Afrique, représente un autre exemple de ce genre d'analyse.[10] L'auteur croit échapper à une vision "européenne" en utilisant comme source unique de son analyse des oeuvres littéraires africaines représentant pour lui "l'authenticité" de la réalité sociale africaine. Mérand qui enseigne la littérature africaine néglige cependant le fait que ces écrivains ont été profondément influencés par la culture française et l'ensemble littéraire occidental, qui leur servaient de référence au moment de la création de cette littérature qui se situait dans des univers socio-culturels qui, la plupart du temps, ne connaissaient qu'une transmission culturelle orale. De plus, il faut admettre que même si ces écrivains soulignent l'originalité de leur littérature, ils ne se rendent pas toujours compte qu'une partie très étendue de leur discours est de façon immanente liée à l'héritage occidental qu'ils ont reçus à l'école ou en tant qu'autodidacte comme S. Ousmane. La démarche de Mouralis qui traite dans son livre "Littérature et développement. Essai sur le statut, la fonction et la représentation de la littérature négro-africaine d'expression française" la signification de l'oeuvre coloniale, et, notamment, de l'enseignement européen pour la création intellectuelle dans les pays africains ressemble à notre approche. Il se pose la question de savoir "(...) si, sur le plan culturel, le fait colonial peut être considéré comme la rencontre de deux cultures, la culture africaine et la culture européenne, avec toutes les conséquences susceptibles d'en découler ou si, au contraire, elle correspond à un tout autre processus." (1984 - p. 11) L'auteur conclut que la colonisation est à concevoir comme un processus historique ayant pour objet la mise en place d'une culture coloniale qu'il définit en se référant à des anthropologues comme Malinowski et Balandier.[11] Mouralis introduit ainsi la notion de "sous-culture" qui, selon lui, indique que la littérature africaine est influencée par la culture française.[12]

La littérature anglophone a incité plusieurs auteurs à tenter des analyses liant des aspects socio-anthropologiques et littéraires, et ceci dès les années 70. Souvent, il s'agit de thèses non-publiées dans lesquelles l'approche coloniale caractéristique de ces oeuvres fut analysée de manière plus ou moins réussie.[13] L'oeuvre d'Achebe fut encore récemment étudiée par Coussy de manière approfondie, en utilisant une approche tenant compte de la réalité sociale que l'auteur décrit.[14] Or, Coussy est influencée par la culture française et figure parmi les rares chercheurs français qui ont traité ces ouvrages en utilisant des procédures respectant le contexte socio-politique. Sans doute, le contexte littéraire des années 80 et l'importance de cet écrivain ont poussé d'autres chercheurs à entreprendre des investigations.[15] Pourtant, si l'on analyse cette littérature anglophone consacrée à Achebe, il est étonnant de constater, à quel point, cet auteur a pu être l'objet d'analyses utilisant des procédures relevant de la critique littéraire.[16] James Ngugi, également un auteur anglophone - pour n'évoquer que le plus célèbre - a connu le même traitement. D'autres ont fait l'objet d'articles qui portent sur la description de la problématique coloniale dans leurs oeuvres littéraires.[17]

Il convient de problématiser les origines de cet état de la recherche. Il nous semble que ce phénomène doit être considéré sous différents angles. En premier lieu, jusqu'à une époque encore récente, les universitaires africains étaient peu nombreux, et encore moindres étaient ceux qui traitaient de la littérature africaine. Par ailleurs, il faut tenir compte que les approches qui visent la réalité sociale dans l'oeuvre littéraire n'ont été développées que récemment et que les chercheurs africains n'ont pas toujours accès à l'ensemble de la littérature traitant des aspects théoriques, ou encore à des ouvrages qui utilisent ce genre d'approche pour analyser une oeuvre littéraire. Il existe un obstacle supplémentaire : une compréhension véritable de cette littérature africaine est difficile pour le chercheur occidental si celui-ci n'a pas de connaissances approfondies de la culture africaine et de ses aspects particuliers. Le chercheur européen qui interroge cette littérature selon des critères socio-politiques doit être familiarisé avec l'Afrique. Une double compétence est donc exigée de lui : d'une part, il doit connaître sa propre culture, et, d'autre part, il doit être familiarisé avec la réalité africaine. Or, ces qualités ne se trouvent que rarement. Et ceci explique probablement la multitude d'analyses relevant de la critique littéraire, qui trop souvent jugent cette littérature africaine en méconnaissant les aspects relevant d'une tradition proprement africaine.[18]

Notre analyse d'un roman d'Oyono mentionnée ci-dessus a pu révéler qu'une grande partie du discours de l'auteur ne peut être comprise que par celui qui est initié à la culture africaine, soit par ses recherches, soit par des séjours fréquents en Afrique, et, de ce fait, au seul chercheur qui connaît les **deux mondes** de façon approfondie. Une analyse socio-anthropologique exige donc une connaissance intime de l'Afrique que l'Européen ne peut acquérir que par un contact prolongé avec ce continent et avec les problématiques qui s'y posent. L'analyste de cette littérature doit connaître, afin d'être apte à appréhender sa portée, la réalité sociale africaine **et** la réalité sociale de la culture européenne, et ceci, parce que cette création artistique est constituée d'oeuvres d'auteurs influencés par la culture européenne et la culture africaine. La plupart du temps, au moins en ce qui concerne le genre du roman, l'ouvrage est vu comme appartenant à la catégorie de la littérature africaine "engagée". Ceci signifie que l'auteur, de manière plus ou moins consciente, reflète des problématiques particulières à la société à laquelle il appartient ; société qui, depuis le début de ce siècle, est entrée dans une interaction de plus en plus intense avec un système international, et, en ce qui concerne l'Afrique, surtout avec l'Europe. Dans ce sens, les romans que nous analyserons, révèlent le point de vue du **colonisé** sur les multiples problématiques liées à la colonisation. Ils doivent être considérés non pas comme l'expression d'un conflit de culture, mais comme l'expression d'une transformation due à l'interaction avec un modèle européen et introduite à un moment donné de l'histoire coloniale par une administration confrontée à une réalité africaine, qui, la plupart du temps, au moins en ce qui concerne l'Afrique noire, n'avait jusqu'alors que peu de contacts avec le monde extérieur. Nous ne relèverons ainsi aucune sorte de dualité que d'autres ont déjà essayé de trouver dans ces romans, et notamment Kane, qui les a étudiés sous l'angle d'une représentation de la tradition.[19]

Notre but ici est d'analyser des romans qui traitent la problématique de la colonisation, et, ceci, dans le sens exprimé dans les avant-propos : en tant que témoignage d'une époque révolue. Notre objectif est de faire parler et de comprendre cette description d'une réalité sociale à partir d'un corpus de romans choisi en fonction de critères inhérents à notre problématique. Nous avons renoncé à analyser l'ensemble de la création romanesque qui traite des conflits apparus à la suite de l'introduction de l'enseignement européen dans les différents pays africains.[20] Il en est de même pour les oeuvres ayant pour sujet la problématique des activités des missionnaires. D'autres romans faisant apparaître les rapports difficiles entre l'Occident et l'Afrique où une partie des actions décrites se déroulait en Europe, n'ont pas non plus fait l'objet d'une investigation détaillée, car du point de vue de notre thématique, il n'existait aucune raison de les inclure dans notre choix de romans. Nous avons, de plus, constaté un phénomène tout à fait particulier : certains romans n'ont pas été retenus parce qu'écrits récemment et traitant la problématique de la colonisation de façon plutôt imaginaire qu'en tant que description littéraire d'une réalité sociale, comme par exemple, le roman de F. Bebey "Le roi Albert d'Effidi".

Le nombre des romans traités est ainsi relativement limité, mais notre choix se révélera pertinent dans la mesure où ces romans couvrent la problématique de la colonisation de manière à fournir et représenter des témoignages du passé colonial de l'Afrique établis par des Africains, des *colonisés*. L'analyse que nous effectuerons, montrera que ces textes révèlent une logique interne qui correspond de manière significative aux résultats de notre analyse de la transformation vue sous l'angle de l'administration coloniale.[21]

Notre procédure d'analyse était la suivante : après une première sélection de romans, des éléments nous paraissant dignes d'intérêt pour l'analyse de notre problématique ont été retenus dans l'ensemble du texte que chaque roman présentait. Ensuite, ces différents éléments ont été analysés en fonction du texte lui-même. Nous avons ainsi effectué une analyse immanente des textes pour comprendre la logique particulière de l'auteur en question. Dans une deuxième phase, les textes ont été analysés en fonction des aspects de la réalité coloniale qu'ils décrivent. Ensuite, ils ont été confrontés aux résultats provenant des analyses concernant les processus de transformation en Afrique pendant l'époque coloniale.

Le texte que nous présenterons dans les chapitres qui suivront, traite la problématique de la colonisation dans la création romanesque de l'Afrique francophone et dans l'oeuvre de l'écrivain anglophone Achebe. Cette analyse révèle, d'une part, la logique spécifique de chaque auteur, et, d'autre part, situe ce point de vue singulier dans l'ensemble du vécu sous l'administration coloniale tel qu'il a été appréhendé par les Africains eux-mêmes. Nous ferons apparaître une sorte de conscience collective africaine.[22] Ainsi, les romans que nous analyserons constituent - et ceci à l'exception de l'oeuvre d'Achebe - des ouvrages qui véhiculent une conscience de groupe, non pas dans le sens d'une reconstruction d'une unité cohérente, mais d'une tendance probable du phénomène colonial dans un univers littéraire.

Le fait, que les romans que nous analyserons, proviennent d'auteurs appartenant à différents pays africains souligne que ces romans sont l'expression d'une expérience commune, celle de la colonisation à laquelle les cultures autochtones furent confrontées. Notre intérêt à déceler la perception du phénomène de la colonisation de la part de l'Africain révèle, en effet, l'unité relative de cette confrontation à des puissances étrangères.

21

Certes, les traditions locales varient. Selon les auteurs, ils sont décrits avec plus ou moins de détails, mais ceci ne relève pas du domaine de notre analyse.

En ce qui concerne la colonisation anglaise, nous avons dû constater qu'un nombre beaucoup plus réduit d'auteurs, par rapport à ceux des territoires francophones, ont choisi de traiter la problématique de la colonisation. Nous avons montré à un autre endroit[23] que l'approche anglaise de la colonisation se différenciait selon maints aspects de l'approche française. La colonisation anglaise, notamment, ne favorisait jamais une transformation des cultures autochtones. Certes, les cultures des groupes autochtones furent étudiées, mais la plupart du temps, les Anglais insistaient sur le principe de ne pas toucher au domaine des coutumes, et, négligeaient ainsi tout un ensemble culturel intéressant la politique coloniale française. Il nous semble probable que cette approche particulière contribua à ce que les écrivains de l'Afrique anglophone ne se soient que rarement intéressés à une description de la colonisation anglaise, car le caractère obligatoire pour l'écrivain africain francophone de se situer par rapport à cette problématique n'existait pas.[24] De plus, étant donné que l'aspect que les Anglais soulignaient le plus dans leur approche de la réalité coloniale était constitué par la vie politique et ses transformations, il s'avère que l'autochtone moyen n'était pas autant concerné par le phénomène colonial que l'Africain des territoires francophones.

L'auteur le plus connu, à part Achebe, est certainement le Kényen James Ngugi Wa Thiong'o. Pourtant, l'analyse de son oeuvre nous semble peu pertinente pour notre objet, car cet auteur traite des particularités liées à la réalité sociale du Kenya et de l'Afrique de l'Est, et, notamment, la problématique des rapports entre les Africains, les Européens et les Asiatiques. D'autres auteurs comme Armah[25] et Head[26] ont traité une problématique ressemblant à celle-ci. Or, l'oeuvre d'Achebe constitue déjà, en elle-même, un corpus qui mérite une analyse détaillée. Les trois romans que nous avons choisis, décrivent l'histoire d'une famille africaine dès les premiers contacts avec la puissance coloniale jusqu'à l'indépendance du Nigéria. Ces romans nous fournissent un corpus abondant pour une compréhension de la perception de la colonisation anglaise de la part d'un Africain, et, notamment, d'un écrivain influencé par celle-ci. La particularité de cet auteur, son engagement politique et ses activités universitaires nous permettent d'affirmer qu'Achebe discute dans son oeuvre la spécificité de l'approche coloniale anglaise et l'interroge. Le but de l'auteur est de démontrer le déroulement de cette interaction particulière, et, il nous en fournit, lui-même, le meilleur exemple. Les auteurs que nous avons retenus en ce qui concerne l'Afrique francophone présentent tous un intérêt, notamment, celui de témoigner de la colonisation, mais aucun d'entre eux ne nous fournit un panorama aussi abondant que celui du Nigérian Achebe.

Notre objectif est évidemment d'analyser une littérature qui révèle le caractère africain de la colonisation, le vécu quotidien sous l'administration coloniale des premiers contacts à l'indépendance. Nous confronterons les résultats de nos recherches à ceux déjà obtenus et nous les comparerons aux différentes problématiques traitées. Notre choix n'est certainement pas exhaustif, mais il permet de présenter la perception de la colonisation française et anglaise de la part de l'Africain, et, en le comparant à la transformation générale que l'Afrique a connue lors de ce siècle, il révèle des aspects complémentaires et différents qui permettent de décrire ce vécu social africain caractéristique de la période coloniale.

Les problématiques méthodologiques liées à l'analyse de la description littéraire d'une réalité sociale sont de différents ordres. L'objet par lui-même demande des procédures d'investigation et des méthodes qui ne relèvent pas seulement de l'analyse du contenu, mais des instruments développés par l'anthropologie[27] et la sociologie de la littérature. Dans ce sens, il s'avère nécessaire de définir la relation spécifique de l'oeuvre littéraire à une analyse d'une réalité sociale donnée.[28]

Selon le sociologue américain, Grana, l'oeuvre littéraire décrit une réalité qui intègre le point de vue de l'auteur en tant qu'être humain capable d'exprimer ces rapports sociaux.[29] Les écrivains doués arrivent, selon Grana, à mieux comprendre une réalité sociale que la majorité de la population.[30] Leurs ouvrages ont ainsi pour objet la description d'une culture, d'un groupe social, d'un événement important, d'une période historique déterminée ou bien de vies humaines exemplaires.[31] A travers son oeuvre,

23

l'auteur exprime sa vision de cette réalité sociale.[32] Il dépeint le vécu social dans le but de faire part de sa compréhension de cette situation. Mieux que la majorité de la population, l'écrivain arrive à évoquer la vie quotidienne ; il peut faire comprendre et connaître des aspects de la réalité sociale que l'acteur moyen ne saisit guère. L'artiste, tout en étant impliqué par sa vie même dans une situation sociale, en témoigne[33] ; il est capable d'exprimer sa perception de manière à ce que son public arrive à revivre des situations humaines qu'il ne comprend qu'à travers la voix d'un écrivain capable de le fasciner, de le troubler et d'éveiller son intérêt.[34]

Dans le cas qui nous intéresse ici, ce sont des écrivains africains qui essaient, par leurs témoignages, d'exprimer la situation coloniale, de faire comprendre à un public - à l'époque de la publication de cette littérature surtout composé d'Européens - une réalité sociale qui lui était incompréhensible. Le *choc* de la reconnaissance d'une situation réelle à travers l'oeuvre littéraire, nous révèle ainsi des aspects que d'autres personnes à l'époque où ces romans furent écrits ne pouvaient ni exprimer, ni communiquer. Or, cette peinture sociale, ces témoignages et donc l'ensemble de cette littérature sont souvent restés incompris au moment de leurs publications. La signification littéraire et socio-politique que ces auteurs voulaient transmettre échappait au public. L'auteur, d'une sensibilité aiguë face à une situation sociale, et, notamment, celle de la colonisation, était souvent le seul à l'apprécier à sa juste valeur.[35] Cette incompréhension concerne également des chercheurs ayant essayé d'analyser cette littérature.

Certes, cette réalité sociale devient plus facilement compréhensible grâce à une distance temporelle par rapport aux événements vécus, et ceci, pour ceux qui se rendent compte de la spécificité des transformations ayant eu lieu pendant la colonisation, et qui, par conséquent, sont des personnes capables d'apprécier cette réalité sociale coloniale exprimée dans les romans. Ces témoignages relevant du domaine de la fiction nécessitent une analyse approfondie en ce qui concerne leur signification, le sens que l'auteur donnait à des événements, des actions, des personnages ou bien des descriptions des situations ayant valeur historique. Une première lecture de ces textes fait

24

difficilement apparaître les différents aspects de cette réalité africaine. La description littéraire exige des analyses et des commentaires. Seule l'étude détaillée de différents aspects traités, tout en respectant notre objectif - à savoir, l'analyse du genre de transformation, comme elle était perçue de la part du *colonisé* ou de celui à qui on présentait une civilisation européenne et ainsi une culture différente -, permettra de faire apparaître le sens social de ces textes. Le genre de changement qui s'y révèle, nécessite des explications et une mise en forme selon des critères anthropologiques qui essaient de trouver à l'intérieur du roman même, cette forme particulière du changement comme elle a été perçue et connue par la population autochtone lors de l'époque coloniale.

Nous discuterons de problématiques comme la description des premières rencontres entre les groupes autochtones et les différentes nations européennes, les rapports entre les Africains et les Européens tout au long de la colonisation de ce siècle, la perception de l'administration coloniale et de ses différentes institutions, comme la chefferie, la justice, le travail salarié, en allant jusqu'à l'appréciation des similitudes ou des différences entre plusieurs administrations coloniales. Les écrivains dont nous avons choisi l'oeuvre s'estiment à juste titre les témoins d'une époque révolue. Or, notre analyse ne représente pas une recherche anthropologique dans le sens classique. L'étude de cette littérature nous sert à laisser parler la voix inconnue **de l'autre**, de l'Africain face à la colonisation européenne, la perception d'une réalité que seule la population africaine autochtone peut connaître et faire comprendre au public. Les écrivains se situent donc à l'intérieur de cette époque coloniale et au milieu des groupes autochtones. Ils s'entendent comme leurs porte-paroles[36] qui, face à l'ensemble institutionnel que représentait cette administration européenne, n'arrivent que difficilement à exprimer leur perception de la réalité sociale.

L'accès aux différents textes fut relativement facile. Une analyse de cette thématique sur le terrain aurait demandé plusieurs années de recherche. Or, nous estimons que l'analyse - comme nous venons de la décrire - nous permet de faire apparaître le caractère autochtone de la transformation sous l'administration coloniale, exprimé par la population africaine. Les témoignages de ces auteurs - appartenant tous, en ce qui concerne les francophones, à la région de l'ancienne Afrique Occidentale Française et de l'Afrique Equatoriale Française, et, dans le cas des trois auteurs camerounais, à une région sous mandat de la Société des Nations, et, ensuite, sous tutelle des Nations Unies -, nous fournissent la description d'un changement tel qu'il s'effectua lors de la colonisation, vu du point de vue de la population locale, et des effets qu'impliquait ce contact venant de l'extérieur avec les groupes autochtones.

Les auteurs, bien que leurs romans se situent la plupart du temps dans un contexte spatial restreint, ne se limitent pas à la seule expression d'une réalité coloniale liée à un endroit particulier ; ils se posent la plupart du temps comme des porte-paroles d'une population plus vaste : s'il ne s'agit pas de l'Humanité entière, comme dans l'oeuvre de S. Ousmane, ils s'affirment comme témoins de la colonisation française ou anglaise en Afrique noire. Les connotations locales font apparaître - au moins en ce qui concerne l'Afrique francophone - des points de vue que l'on retrouve lors de la lecture des textes administratifs de l'époque. Les témoignages de ces auteurs montrent que la réalité de cette administration quotidienne qu'ils décrivent, ne s'éloigne pas de façon significative de l'approche coloniale du développement que nous avons démontrée à un autre endroit.[37] Etant donné que notre objet d'investigation est l'étude de l'interaction entre la population autochtone et la population européenne, les particularités locales, comme certaines coutumes décrites dans ces romans, ne nous intéressent guère. Si l'on analyse donc ce thème en fonction des approches coloniales allemande, française ou anglaise en Afrique noire, notre étude suggère des similitudes à travers l'Afrique noire de l'époque. Les sujets administratifs et les objectifs de ces administrations coloniales se rejoignent, malgré certaines particularités locales, selon des buts communs à l'ensemble du territoire couvert par une administration coloniale spécifique, et, de ce fait, soulignent la cohérence relative d'une politique coloniale nationale.[38] Or, ce que l'analyse de ces romans fait apparaître est, en partie, cette même politique coloniale : des aspects souvent non-décrits par l'administration coloniale, et, des phénomènes directement liés à ce genre de colonisation. C'est ainsi que nous montrerons la logique interne de ce discours africain sur la colonisation qui est, en même temps, imprégné par les idéologies coloniales respectives que les différents auteurs étaient souvent les premiers à apprendre dans les écoles de la colonie. Leurs oeuvres nous font découvrir ce mélange spécifique, cette fusion entre deux mondes, qui s'opérait au niveau de la population autochtone, d'une culture africaine d'origine et d'une culture étrangère acquise par l'enseignement européen.

La séparation que nous introduirons dans les chapitres suivants a été choisie, d'une part, en fonction de la thématique, et, d'autre part, en fonction du genre de transformation dont ces auteurs nous parlent. Nous présenterons d'abord les oeuvres traitant les premiers contacts entre les deux groupes jusqu'aux années 40 de ce siècle. Ensuite, nous décrirons la deuxième phase de la colonisation, celle qui sur un plan social, politique et économique contribua le plus à transformer les rapports sociaux existants. Ce schème temporel sera également appliqué dans l'analyse de l'oeuvre de l'auteur anglophone, Chinua Achebe.

NOTES

[1]Cf. par exemple "Le travail au Togo sous mandat de la France, 1919-1940". *Revue française d'Histoire d'Outre-Mer*, LXXIX, 295, 1992, 227-240; "L'administration française au Togo et l'utilisation de la notion de coutume". *Droit et cultures*, 23, 1992, 213-230.

[2]Cf. Schuerkens-1991 : "La problématique de la communication interculturelle : "Chemin d'Europe" de F. Oyono".

[3]Cf. par exemple l'ouvrage de Kane-1983 sur le roman africain. L'auteur retrace dans ce livre l'évolution du roman africain en tenant compte d'un aspect commun à ces oeuvres, et, notamment, celui de la tradition.

[4]Cf. par exemple l'ouvrage de Melone sur Mongo Beti, ou bien le chapitre IX de Mateso-1986 intitulé "Les critiques africains face aux écoles occidentales : les méthodes traditionnelles".

[5]Cf. Goldmann-1986 qui compte parmi les fondateurs de cette approche.

[6]Cf., comme exemple d'une telle analyse, Görög-Karady-1976. Görög-1981 a établi, en plus, une bibliographie analytique de la littérature orale d'Afrique noire. Elle démontre que les disciplines comme l'ethnologie, la linguistique et l'histoire fournissent la majorité de ces travaux : 27% avant 1921, 24% entre 1921/40, 17% entre 1941/60, 15% de 1960 à 1970, et 9% jusqu'en 1980 (393). Elle nous donne aussi des informations sur le genre littéraire que traitent ces contributions. La majorité analyse des récits courts comme des contes et mythes. Les récits historiques ne constituent que 7% des travaux, sur l'ensemble de la période couverte par cette bibliographie (389).

[7]Cf. Kesteloot-1988 et également Mouralis-1969, 1981 ainsi que 1984.

[8]Cf. pour de plus amples détails concernant la critique africaine de cette littérature, Mateso-1986.

[9]Cf. en ce qui concerne Chinua Achebe, par exemple, Fiebach-1976 et Klooss-1986.

[10]Cf. Mérand-1988. L'objectif de l'auteur est certainement justifié. Cependant, une lecture de l'ouvrage fait apparaître les lacunes de cette approche d'un point de vue anthropologique, sociologique ou historique.

[11]Cf. Mouralis-1984-44/50 et 51/57.

[12]Mouralis analyse plusieurs phénomènes caractéristiques de la littérature africaine comme le caractère particulier des textes par rapport à la littérature orale africaine, l'héritage littéraire occidental, le statut social de l'écrivain africain, l'enseignement colonial et d'autres.

[13]Cf. par exemple Mowelle-1976, Babindamana1979 et M'Bakia-1983.

[14]Cf. Coussy-1985.

[15]Cf. Innes/Lindfors-1978 et Innes-1990.

[16]Cf. Battestini et al.-1964 en ce qui concerne Beti, Bhêly-Quénum et Dadié ou bien Melone-1971 et 1973 en ce qui concerne Beti et Achebe.

[17]Cf. par exemple Abrahams-1978 et Ofakor-1976.

[18]Cf. par exemple Melone-1971 et 1973 ou Turkington-1977.

[19]Cette approche lui a permis de distinguer plusieurs périodes et de relever les caractéristiques particulières de cette tradition face au changement et à l'avenir.

[20]Il s'agit des romans qui ont insisté sur l'itinéraire d'un jeune héros ayant fréquenté l'école européenne et/ou continuant sa formation en Europe. Parmi eux, le plus connu est certainement celui de Cheikh Hamidou Kane "L'aventure ambiguë" (1961).

[21]Cf. la note 1 et Schuerkens-1993.

[22]Cf. à ce propos Encyclopaedia Universalis-1980-vol.10-7/10.

[23]Cf. notre manuscrit "The Notion of Development in Great Britain in the XXth Century and some Aspects of its Application in Togoland under British Mandate and Trusteeship". Paris, 1991, 26 p.

[24]Cf. dans ce sens Anozie-1970 ou bien Lezou-1977. Lezou évoque entre autres la littérature ivoirienne sur la colonisation.

[25]Cf. Armah-1975.

[26]Cf. Head-1979.

[27]Cf., en ce qui concerne le rapport entre "littérature et anthropologie", le numéro spécial de la revue *L'Homme* (111/112-1989), et, en particulier, l'article de Toffin qui évoque des aspects communs à ces domaines d'investigation.

[28]Cf., dans ce sens, les travaux de Lukacs et, notamment, "La théorie du roman" (1989) et de Goldmann "Pour une sociologie du roman" (1986).

[29]Cf. Grana-1989-47 : "From this we conclude that their words and images, the words and images of the few, do, in fact, transmit to us the meaning of the lives of the many. And we choose further to believe that the many are voiceless because they cannot tell us what or who they are, and that the artist speaks *because* he can tell us about others what they cannot tell us themselves. This means, therefore, that we concede to the art of communication itself the title of reality because we believe that the artist is

not only an observer but an instrument, a chosen vessel through which experience, which would otherwise be silent, transforms itself into language."

[30]Cf. Grana-1989-47.

[31]Cf. Grana-1989-51.

[32]Cf. Grana-1989-58 : "(...) literature makes history more vivid, more recognizable, more "human" or "real" in the subjective, that is, the emphatic sense of these terms."

[33]Cf. Grana-1989-57.

[34]Cf. Grana-1989-59/60.

[35]Il s'agit pourtant d'une expérience que de nombreux artistes ont dû vivre.

[36]Cf. par exemple le livre de Rosello-1992 qui démontre que la littérature des Antilles révèle certains aspects de l'identité créole, comme par exemple, les collaborations naissantes, la situation des métis, la "révolte" des esclaves et autres.

[37]Cf. notre thèse à l'Ecole des Hautes Etudes en Sciences Sociales, 1993 : "L'évolution sociale : problématique théorique et portée empirique".

[38]Notre analyse constitue sous différents angles un domaine de recherche encore peu étudié. Or, les rapports constatés, et, en particulier, le caractère complémentaire de l'analyse des approches du changement des puissances coloniales ne sont pas dus au hasard. Nous estimons ainsi que des recherches ultérieures seront nécessaires pour une meilleure compréhension dans œ domaine d'investigation.

CHAPITRE II

LA COLONISATION DANS LA LITTERATURE DE L'AFRIQUE FRANCOPHONE

2-1. Pierre Sammy : "L'ODYSSEE DE MONGOU"

2-1.1. LA RENCONTRE ENTRE L'OCCIDENT ET L'AFRIQUE

Le roman du Centrafricain Pierre Sammy "L'Odyssée de Mongou"[1] nous semble constituer un excellent exemple pour montrer la perception du monde occidental d'un point de vue africain lors des premiers contacts entre celui-ci et les sociétés autochtones de l'Afrique. L'auteur, dans l'avant-propos de son livre, nous donne un bref aperçu de l'histoire qu'il se propose de traiter et du sens qu'il a l'intention de donner à son ouvrage. Etant donné que cet avant-propos situe l'auteur et son livre à l'intérieur du mouvement de changement que l'Afrique a connu depuis la fin du siècle dernier, nous en reproduisons quelques éléments dans les lignes suivantes.

> Mais voilà que l'étranger était arrivé, ouvrant une brèche dans leur isolement, brisant la barrière érigée par des générations d'une vie endogène. Il apporta avec lui la vision d'un autre monde (...). Ce fut l'éveil, l'éclosion d'une conscience nouvelle, l'ouverture sur l'extérieur. (...) (T)rès lentement, allait se développer le contact avec le monde extérieur. L'étranger fit découvrir le voisin immédiat, força le rapprochement, puis la fusion. Et le courant devint irréversible. L'horizon s'élargit autour de Limanguiagna qui allait se trouver au centre d'une mosaïque de tribus et d'ethnies d'origines différentes (...). (p. 4)

En reprenant le sujet classique de l'Odyssée, l'auteur nous fait découvrir l'histoire d'un chef africain qui, après les premiers rapports avec les Européens, chercha de plus en plus leur contact, devint leur collaborateur dévoué, partit pour la France durant la deuxième guerre mondiale et revint finalement dans son pays natal où d'autres tâches que celles liées à la chefferie l'attendaient. Il commença à concevoir son rôle, selon une conception occidentale, qui consistait à ne plus travailler pour un seul groupe ethnique, mais pour l'ensemble d'un pays : pour des étrangers qui lui étaient devenus familiers après son périple à travers différentes régions de l'Afrique et de la France.
Le livre débute par la description de l'arrivée du premier

Blanc, "Bawé", comme l'auteur nomme les Européens selon une expression de la langue locale, au village de Limanguiagna. Ce Blanc, un certain Monsieur Danjou, était arrivé au village créant un choc parmi la population autochtone, "une collision entre ciel et terre" (p. 7) comme Sammy le constate. La population du village le prenait pour un "génie" et l'ensemble des villageois fuyait le village. Pendant deux jours, au milieu du village abandonné, et, épié de loin par les villageois dans ses moindres mouvements, l'étranger avait essayé de gagner leur confiance, en démontrant qu'il n'était rien d'autre qu'un être humain. Au bout de ces deux jours, les villageois n'ayant rien remarqué d'extraordinaire, osèrent finalement s'approcher de lui. Le jeune chef Mongou, alors âgé de dix ans, sortit avec ses guerriers et notables de la fôret. L'auteur nous décrit l'impression que cette scène évoque encore chez Mongou lors du récit de ces événements.

> Quand il retraçait ce tableau pittoresque et tout ce qui s'ensuivit par la suite, Mongou se tenait les côtes à force de rire. Car, avec le temps, il mesurait combien lui et les siens avaient été stupides. (p. 8)

Cette *stupidité* - et à cet endroit apparaît l'appréciation d'une personne qui, entre-temps, avait vécu beaucoup d'autres événements, le rapprochant encore du monde dit *Blanc* - se révèle pourtant tout à fait normale, si l'on pense au sentiment d'inquiétude que tout ce qui est nouveau fait naître la plupart du temps chez les êtres humains. Cette crainte de l'étranger semble avoir été caractéristique des premiers contacts entre les Européens et les groupes autochtones.[2] La rencontre avec l'étranger, l'inconnu, inspirait la plupart du temps des doutes, de la peur ou bien une curiosité souvent naïve. Néanmoins, les Européens de l'époque savaient manipuler cette crainte en fonction de ce qu'ils voulaient obtenir. Dans le cas de Danjou au village Limanguiagna, l'auteur nous informe :

> (...) bien qu'il soit devenu familier, Danjou avait réussi à faire acquérir quelques attitudes nouvelles aux Bandias. Ainsi l'habitat se trouvait quelque peu modifié, les différents groupements reliés par des pistes plus nettes qu'auparavant, la vie de communauté mieux structurée avec un début d'échange de produits complémentaires. Mais son souci majeur était d'élargir

le cadre de Limanguiagna, d'en faire le centre d'une région où les gens se connaîtraient davantage, où les tribus pourraient rompre leur isolement (...). (p. 8)

Lors d'une discussion avec le chef Mongou, Danjou lui révèle sa vision de l'avenir du village. Il fait comprendre au jeune chef que celui-ci vit dans une méconnaissance complète du monde extérieur, qui, un jour, entrera en contact avec sa contrée :

Tu ne peux pas comprendre ce que je veux te faire saisir. Tu ne peux pas imaginer le monde que je te présente. Mais attends seulement, tu verras... Il y aura ici des routes, des maisons autrement plus grandes que vos huttes, des hôpitaux, des écoles, des services, que sais-je encore! Il viendra ici des hommes comme moi, à la peau blanche, avec beaucoup de richesses et des machines. (...) Tu seras un grand chef. (p. 6)

Finalement, tous les efforts de Danjou et la négligence de sa santé l'amènent à tomber malade. Les Anciens du village et Mongou décident alors de le transporter dans un autre village où on arrivera plus facilement à s'occuper de sa santé. Or, au moment où cet étranger quitte le village, il constate pour la première fois que les villageois sont émus. Lors de cet instant ultime, l'auteur nous fait connaître, l'attitude de Danjou envers cette population et ses erreurs d'appréciation.

Il les avait toujours traités de naïfs, d'irréfléchis, de primitifs au rire facile et béat. Maintenant il mesurait combien il était loin de connaître véritablement ces hommes et ces femmes (...). (p. 12)

La maladie semble le rendre plus lucide, car "(...) il comprit, pour la première fois, que tous les hommes de la terre n'étaient qu'une seule et même chair." (p. 12)

Le chef et quelques villageois transportent donc le malade dans un autre village. Leur voyage les oblige à traverser de multiples villages et régions où Mongou rencontrait souvent des gens liés à lui d'une façon ou d'une autre par des liens de parenté. Ce voyage lui révèle également l'isolement des villageois de Limanguiagna qui considéraient encore leur univers à eux comme unique au monde. L'auteur tente de décrire le caractère naïf de leur appréhension du monde. Il constate :

> Jusqu'à cette sortie, tous les Bandias étaient convaincus que l'humanité se réduisait à leur seule tribu ; qu'ils étaient le centre du monde. Tout ce qui n'était pas Bandia était barbare, indigeste. Eux seuls détenaient la lumière et la vérité. (p. 21)

Par ces mots, Sammy nous informe que ces groupes autochtones de l'Afrique noire possédaient des appréciations semblables à celles des Européens sur leurs cultures particulières. Les Bandia considéraient les peuples étrangers comme des "barbares", tout comme les Européens de l'époque coloniale estimaient que les Africains étaient obligés d'accepter leur tâche de *civilisation*.

Par contre, Mongou, leur chef - l'auteur commence à cet endroit même à révéler le rôle singulier de ce personnage et ses caractéristiques principales - s'attend à un changement important. En prévision, Mongou décide ainsi de préparer les habitants du village "(...) au choc venant de l'extérieur qui ne manquerait pas d'ébranler le fondement de leur société." (p. 21) Le voyage qu'il entreprit avec le malade, lui révéla qu'il était nécessaire de changer certaines attitudes, d'utiliser la force de l'intellect au lieu de perpétuer des coutumes d'antan, ou bien, comme l'auteur le suggère "(...) exercer leur jugement, (...) se départir de leur subjectivité." (p. 21) Sammy continue la description de ce comportement d'un chef comme celui d'un personnage qui allait dans la direction présumée de cette transformation. De retour au village, Mongou adopta donc des comportements qui ressemblaient à ceux, que les villageois connaissaient de la part du Blanc, de Danjou : "Il avait un franc-parler qui étonnait ses pairs." (p. 22)

Mongou s'attaqua ainsi aux travaux champêtres et aux liaisons avec l'arrière-pays.

> (I)l entreprit de réorganiser la vie du village. Il supprima les sacrifices humains (...), institua le travail collectif pour l'intérêt de tous, incita les familles dispersées et vulnérables à se regrouper pour former de gros villages. (p. 22)

Il arriva à développer les pistes dans le but d'y établir des relais qui ne tardèrent pas à devenir des agglomérations d'une certaine importance. Ensuite, il fit accepter l'abandon de la cueillette et du ramassage. Il amena ainsi la population à adopter la culture pérenne. Son village devint petit à petit un pôle d'attraction régionale. Les expéditions y passaient pour s'approvisionner, la réputation de Mongou grandit et "(l)a prospérité s'installa avec les échanges commerciaux qui entraînaient le commerce des femmes et le brassage des ethnies." (p. 23) C'est ainsi que la prophétie de Danjou se concrétisa peu à peu. Néanmoins, il revint à Mongou, seul, d'en apercevoir l'étendue.

Des années plus tard, cette vision se réalisa avec l'arrivée d'un groupe de Blancs au village. L'auteur constate : "Mongou ne fut nullement surpris car il semblait attendre cet événement." (p. 24) Ce groupe se composait de sept hommes blancs et d'une vingtaine de Noirs qui affichaient "(...) une condescendance qui choqua les autochtones." (p. 24) Ces Noirs se révélèrent être des porteurs qui accompagnaient l'expédition. Le groupe d'étrangers n'apportait pas seulement de multiples cadeaux inconnus jusqu'alors, mais également des idées nouvelles qui devaient ensuite avoir des conséquences très désagréables pour les Bandia.

Les étrangers furent accueillis "comme il se devait" (p. 25). Ils furent logés et pourvus de provisions. Le soir, Mongou et ses notables, comme il était de tradition chez eux, avaient l'intention de souhaiter la bienvenue aux nouveaux-venus. Pourtant, ceux-ci méconnurent ce geste et l'interprétèrent comme si les Bandia venaient déjà demander des cadeaux. On les traita d'une façon brusque et on les renvoya. Le lendemain, le *chef* des "Bawés" et quelques-uns de ses accompagnateurs, tant des Blancs que des Noirs, vinrent les rencontrer. Devant la case de Mongou, des colis furent distribués et le chef des Blancs leur signala :

> Tout ça est à vous! (...) Vous y trouverez des vêtements, pour vous couvrir, des perles pour vos femmes, du tabac, des miroirs, une foule de menus objets du pays des blancs. Nous sommes vos amis. Nous venons continuer l'oeuvre de Monsieur Danjou (...). (p. 26)

Mongou et les villageois se sentent tout de suite plus à l'aise à la mention du nom de Danjou. Les étrangers leur déclarent, et, ceci plus particulièrement à l'attention de Mongou :

Il nous a vivement recommandé ta collaboration et il a insisté pour qu'une mission vienne prendre possession des terres qu'il avait découvertes. (...) Dans les prochains jours, tu apposeras ta main sur le traité de protectorat que mon grand chef m'a remis à cet effet. (p. 26)

Mongou, réconforté à l'idée qu'il s'agissait des amis de Danjou, sans pour autant comprendre toujours la signification exacte des paroles de ces étrangers, réplique : "Puisque vous venez prendre sa place, vous aussi vous serez nos frères." (p. 27) Et le chef des Blancs lui répond à son tour :

Tant mieux (...), mon ami. Vous ne regretterez pas de vous être remis à nous. Votre bonheur sera fait, ainsi que celui de votre postérité. Mon pays est grand, puissant et généreux. Il vous accorde sa protection et s'engage à vous sortir de votre dénuement. (p. 27)

Ainsi, la prise de contacts entre les deux groupes se déroulait relativement bien, à l'exception d'un malentendu concernant les souhaits de bienvenue des Bandia. Les villageois se sentent rassurés, car on leur rappelle les paroles d'un ami. Les Européens, de leur côté, ne rencontrent aucune hostilité de la part des Africains. Ils peuvent ainsi commencer à jouer leur rôle de bienfaiteur sans que la population en comprenne la signification exacte et ses implications en ce qui concerne leur avenir. L'auteur nous fait savoir que :

Cette première journée de prise de contact fut marquée par un grand festin et des réjouissances populaires. Sans réserve, les Bandias exprimèrent par des chants, des danses et divers jeux leur allégresse d'entrer dans une ère d'existence nouvelle. (p. 27)

Le lendemain, les deux chefs se réunirent pour discuter de l'administration future du pays, du plan de mise en valeur et d'autres projets visant le développement de la région. L'auteur nous avertit que Mongou, de son côté,

(...) ne comprenait pas toujours les flots de paroles de son interlocuteur, mais approuvait avec empressement tout ce qu'il disait, convaincu que c'était sûrement à l'avantage de son peuple. Ce fut ainsi qu'on lui fit apposer l'empreinte de son pouce droit sur plusieurs feuilles dactylographiées, qu'on lui dit être l'accord passé entre lui et le grand chef des Bawés. (p. 27)

Finalement, les Européens expliquent à Mongou que cette région sera dorénavant placée sous la protection des Blancs, "(...) dont il devait respecter la législation (...). D'après ce document, Mongou s'engageait à veiller au maintien de l'ordre public et à réprimer immédiatement tout abus de force (...)." (p. 27) Le contenu du traité montre la teneur générale de ce genre de contrats lors des premiers contacts entre les Européens et les groupes autochtones.

Le grand Chef des Bandias s'engage à appliquer progressivement des procédés de commandement inspirés de ceux du pays des Bawés. Il donne l'assurance que les populations indigènes établies dans les limites de son territoire seront bien traitées, en excluant les pratiques inhumaines dont l'abolition définitive est proclamée. (...) Le grand Chef des Bandias garantit ses bons offices, notamment en ce qui concerne les facilités de communication, aux colons, explorateurs, chargés de mission et à toutes autres personnes recommandées par le chef résident des Bawés. (p. 28)

Après la lecture de ce traité, Mongou, à son tour, pose une question aux Européens : "En compensation de tout ce que vous exigez de moi, qu'est-ce que vous m'offrez ainsi qu'à mon peuple?" (p. 29)

La réponse des Blancs est catégorique : "Il est dit plus haut, dans le traité, que mon pays vous apporte les bienfaits de la civilisation et garantit l'intégrité de votre territoire." (p. 29) Quelques instants après, la vraie répartition des tâches sera révélée par le chef des Européens :

Je ne tolérerai aucune contrariété d'où qu'elle vienne. Mongou demeure votre chef incontesté, mais il ne doit rien entreprendre ni décider sans m'avoir au préalable consulté. Je garde l'initiative de tout ce qui touche l'administration du pays. Il est de votre intérêt d'observer mes consignes et de vous faire à l'ordre nouveau que j'entends instaurer. (p. 30)

Pourtant, Mongou, de son côté, ne semble pas avoir de doutes sur leurs intentions. Au contraire, il approuve ce que l'étranger dit. De nouveau, l'auteur insiste sur le rôle de chef éclairé que Mongou joue dans le roman, et qui exige de sa part qu'il accepte l'apport européen sans trop se soucier de son impact réel. Les Européens trouvent ainsi en lui un défenseur docile de leurs activités nouvelles.

> Mes frères, ce que le Bawé vient de déclarer est la sagesse même (...). Ce n'est pas aux paroles que nous allons juger notre auguste hôte, mais à l'action. Et cette action ne s'accomplira pleinement que si nous ne l'entravons pas par notre attitude négative. Est-il besoin de vous rappeler que la venue de ces étrangers (...) est une lueur d'espoir pour une vie nouvelle que nous avons tout attendue? (...) A compter de ce jour, alignons-nous derrière les Bawés, acceptons leurs lois, marchons sur la voie qu'ils vont nous tracer. Seul l'avenir nous dira si oui ou non notre engagement était sage. (p. 30)

Cependant, les Anciens du groupe n'apprécient guère le déroulement de ces pourparlers. Mais "(...) le commun du peuple se réjouit sans réserve de l'engagement de son jeune chef." (p. 31) L'auteur interprète ces événements dans ce sens :

> En réalité, les Bandias s'étaient repliés sur eux-mêmes, s'abandonnant au courant qui devait les conduire sur les rivages du nouveau monde qu'on leur offrait. Le destin est comme l'air qu'on respire. On ne sait pas d'où il vient ni où il vous conduit. (p. 31)

Son pouvoir de chef permettait à Mongou de décider de la voie à suivre pour conduire son peuple vers un autre stade de l'histoire. Malgré le fait que les notables s'opposaient à ses projets, Mongou persista dans sa décision, et, fit ainsi comprendre aux villageois la signification véritable qu'il pensait donner à cette prise de contact entre les Européens et les Africains à l'intérieur de sa région.

Dans la suite du roman, l'auteur évoque l'ardeur avec laquelle les Blancs s'attaquent à l'ouverture des pistes et au renforcement de la sécurité. A cet effet, ils placent auprès des chefs "traditionnels"[3] un ou deux miliciens. Des bâtiments modernes sont construits ; les agglomérations commencent à se différencier selon les groupes qui y vivent, et, notamment, les Africains et les Européens ; "(...) le camp des gardes et celui des évolués, le centre administratif et le centre commerçant. Chaque quartier avait son originalité et son cachet propre." (pp. 32-33)

Outre ces ségrégations dans l'espace, des ségrégations à

l'intérieur du groupe des Africains se créèrent :

> Au camp des évolués vivaient tous ceux qui étaient employés au service des Bawés et qui affectaient un air de supériorité vis-à-vis des Bandias. Il y avait les boys, les marmitons, les jardiniers et plus tard les auxiliaires de l'administration, interprètes, garçons de courses, etc. (p. 33)

Les relations sociales entre les deux groupes commençaient à se détériorer. L'auteur nous signale que : "Les rapports entre les deux mondes n'étaient pas toujours faciles. La crainte des uns et la méfiance des autres ne permirent pas la compréhension qui eût été bénéfique à tous." (p. 33)

Cependant, les Européens ne traitent pas cette problématique. Comme Sammy l'apprend au lecteur, le chef des Blancs ne se préoccupait guère de cette création d'une différence au sein de la société africaine. Selon lui, "(...) le plus important dans l'immédiat était de créer le cadre et qu'ensuite les changements de mentalité et de comportement s'opéraient spontanément. Sa devise était : "Les actes d'abord, les mots après."" (p. 33) Néanmoins, l'objectif de la France était de créer une élite qui, quant à elle, n'était pas séparée de ses racines, et, notamment, des groupes autochtones. L'auteur centrafricain nous révèle encore les sentiments qui accompagnaient ce genre de différenciation sociale inconnue dans les sociétés autochtones. Il affirme qu'autour des Européens, un nouveau groupe de "(...) profiteurs et d'individus sans scrupules" (p. 34) naquit.

2-1.2. LA DEUXIEME PHASE DES CONTACTS ENTRE LE MONDE OCCIDENTAL ET LES GROUPES AUTOCHTONES : LA CREATION DES ECOLES

Dans la deuxième phase des contacts entre les groupes autochtones et les Européens, la nécessité de disposer d'une main-d'oeuvre qualifiée se fit sentir. Le chef des Blancs s'adressa à Mongou afin de lui présenter le problème :
"J'ai besoin, moi, d'un auxiliaire pour m'aider dans l'administration de votre pays, pour tenir certains registres,

certains papiers." (p. 37) Et il poursuit : "Avec une école, il n'y aurait plus de problèmes. Tiens, toi-même, si tu avais reçu un brin d'instruction, tu ne serais pas aujourd'hui tenu à l'écart de ce que je fais, tu serais plus étroitement associé aux tâches que je mène tout seul." (p. 37)

L'Européen commença à évoquer, par la suite, l'image future de cette région au cas où l'éducation ne pourrait s'y développer :

Tout ce que nous avons apporté périra, disparaîtra avec le temps. Mais la culture, elle, reste, s'enracine, germe, se développe, s'épanouit, vous transforme, fait de vous des êtres meilleurs! Me comprends-tu à présent? Et dire que cette culture-là vous permettra de vous redécouvrir, que dis-je, de vous faire prendre conscience de votre propre culture! (p. 37)

L'Européen a tout de même une idée du but à atteindre par une scolarisation de ces jeunes Africains formés dans les écoles européennes. En s'adressant au professeur, il lui indique :

Je ne vous demande pas de faire de ces nègres des savants. Ne nous empoisonnez pas l'existence avec une nouvelle classe de lettrés prétentieux et vantards. (...) Il me faut des auxiliaires, des gens qui servent d'intermédiaires entre nous et la population. Apprenez-leur des choses empruntées à leur milieu, à leur vie. Pas de grandes théories, surtout pas de philosophie. Ce ne sont pas des hommes de tête qu'il nous faut, mais des hommes de main. Qu'ils nous servent sans poser de questions et qu'ils obéissent avant de comprendre. (pp. 42-43)

Le caractère utilitariste et fonctionnel de cet enseignement primaire destiné aux Africains apparaît dans cette citation. Le but est exprimé de manière nette : les autochtones doivent obéir et ils se qualifieront dans le but de servir d'auxiliaires entre la population européenne et la population autochtone. Cette approche de l'enseignement européen se révèle caractéristique de ce stade de l'histoire coloniale où l'administration ne cherchait qu'une main-d'oeuvre rentable, familiarisée avec les notions élémentaires de la culture européenne, et qui, de ce fait, pouvait agir, sans problèmes d'adaptation, à l'intérieur de cet autre univers culturel venant de l'extérieur et sans s'éloigner de son milieu d'origine.

Dans la suite du roman, l'auteur centrafricain nous fait

connaître le déroulement de cet enseignement au village : quelques élèves y participaient ; ils furent observés par les villageois qui voulaient comprendre ce que signifiait la notion d'école et si les enfants arriveraient vraiment à parler une langue européenne. Dès qu'un élève prononçait donc quelques mots en français et bien que personne n'eût compris le sens de ce qu'il disait, les villageois se réjouissaient tout en admirant les élèves. On entendait des paroles comme celles-ci : "Ah! mon Dieu! nos enfants sont devenus des blancs" ou encore : "Ceux-là ne parleront plus bandia, ils parlent déjà aussi bien que le maître." (p. 45)

Finalement, le chef lui-même se décida, malgré la réprobation des Anciens du groupe, à participer aux cours. Mongou arriva rapidement, et à cause d'un travail incessant, à rattraper le retard qu'il avait par rapport aux élèves. Lentement, il commença à parler la langue européenne. Le professeur y trouva du plaisir et les gardes commencèrent à l'envier. Grâce à l'acquisition d'un savoir nouveau, Mongou s'orientait lentement vers le camp réservé aux *évolués*. Trois ans après, il parlait la langue européenne sans difficulté et rédigeait ses lettres lui-même. Aux yeux de son entourage, ses actes semblaient être plus fondés. Tous ceux qui l'avaient blâmé au début, regrettèrent alors de ne pas avoir suivi son exemple. Les Anciens constatèrent le changement qui s'était opéré en Mongou :

(...) Mongou avait désormais une double vue. Il perçait les secrets de la nature à travers les livres, et traitait apparemment d'égal à égal avec les Bawés qui n'hésitèrent pas à lui confier des responsabilités accrues. (p. 47)

Mongou fut ainsi nommé "commis-expéditionnaire" de l'administration de son village, en plus, de son titre de chef de Bandia. Un peu plus tard, on lui confia le rôle de juge coutumier "(...) chargé de régler tous les litiges relatifs à la propriété traditionnelle, au mariage, à la sorcellerie et à la circulation des femmes." (p. 47) Lors des festivités, Mongou se déplaçait dorénavant parmi les Blancs, tandis que les autres villageois restaient à une "distance respectueuse" (p. 47). En plus, on l'appelait "Monsieur Mongou", et non plus tout court "Mongou" (p. 47).

2-1.3. LA CREATION D'UNE DIFFEREN-CIATION VERTICALE : *LES EVOLUES*

L'ensemble de ces changements commençait à influencer les rapports sociaux des villageois. Ceux qui faisaient partie de l'administration naissante adoptaient des comportements différents. Mais, faute de mieux, ces transformations se limitèrent d'abord à l'utilisation de la langue européenne. L'usage s'implanta de parsemer les phrases de la langue autochtone de mots appartenant à la langue européenne ; c'est ainsi que seuls ceux qui connaissaient cette langue, arrivaient à en comprendre le sens. Les Africains employant ce jargon commencèrent à mesurer leur degré d'évolution par rapport aux gens de la brousse en fonction du nombre plus ou moins élevé des mots de la langue européenne qu'ils utilisaient dans leur propre discours. L'auteur nous apprend que :

Très vite certaines attitudes ancestrales, certains rapports sociaux, perdirent de leur naturel pour mieux se conformer au climat nouveau créé par les Bawés. Ainsi, par exemple, dans les milieux dits "évolués" et qui comprenaient les "boys", les cuisiniers, les jardiniers, les gardes à "chéchia" rouge, les plantons, les employés de bureau, les auxiliaires du service de santé et de l'agriculture, les gens prenaient un malin plaisir à situer leur degré d'évolution par la substitution pure et simple à leur langue naturelle d'un jargon inintelligible qu'ils prétendaient être la langue des Bawés. (p. 48)

Quelques années après l'implantation des Européens dans la région, ceux-ci avaient déjà réussi à former une classe d'intermédiaires qui était influencée par certains aspects d'un mode de vie différent. Ces personnes exerçaient des métiers qui d'antan étaient inconnus. En plus, ils travaillaient dans des endroits nouveaux : dans des bureaux administratifs, à l'intérieur des maisons des Européens et au sein de différents services que ceux-ci avaient installés. Ainsi, la société autochtone commença à être caractérisée par des modèles de comportement nouveau, et, notamment, par ceux liés à une différenciation professionnelle. Ces comportements séparaient dorénavant ces hommes de leurs pairs. En effet, il s'agissait de l'introduction d'un nouveau

44

principe structurel dans la société autochtone. Certes, à cette époque, cette structure potentielle ne concernait que quelques individus et certains traits particuliers de leurs coutumes. Néanmoins, un nouveau principe de structuration sociale était créé, qui, par la suite, se révéla de plus en plus caractéristique en ce qui concerne certains traits particuliers de la société autochtone. Pourtant, on attendra le début des années 40, pour voir apparaître une diffusion plus importante de ce mode de vie influencé par des structures venant des modèles occidentaux.[4]

2-1.4. LA CREATION DES IMPOTS PAR L'ADMINISTRATION EUROPEENNE

Les villageois avaient pris l'habitude d'assurer eux-mêmes leur subsistance et d'utiliser leur récolte pour la vente aux marchés, et, notamment, pour la vente des produits comme le manioc, le mil, les arachides, le tabac, le coton, "(...) dont la culture avait été rendue obligatoire". (p. 48) Cependant, le revenu qu'ils tiraient de cette récolte, et surtout de celle du coton, suffisait juste à s'acquitter des impôts récemment introduits. Pendant la période de la récolte, Mongou et les gardes distribuaient des cartes contre la somme d'argent que les paysans recevaient en vendant le coton. Le mois suivant, un contrôle était effectué dans le but de savoir si tous les villageois s'étaient bien acquittés de leurs impôts. L'auteur nous signale que ceux qui n'avaient pas payé les impôts furent soumis à de durs traitements (cf. p. 48).

Nous constatons ainsi que non seulement les quelques rares personnes travaillant en tant que salariés auprès des Européens étaient soumis à des changements, mais également la plus grande partie de la population, qui commençait à produire pour le marché et non plus pour leur seule subsistance. L'installation économique européenne en Afrique noire était ainsi accompagnée de nombreux facteurs inconnus des groupes autochtones de l'époque et auxquels ils étaient obligés de s'adapter. L'auteur centrafricain ne décrit guère cette réaction des autochtones en ce qui concerne l'introduction de ces nouveautés. L'analyse de deux

45

autres romans - dans la suite de cet ouvrage - nous permettra de les traiter de manière plus détaillée.[5]

L'objectif du roman l'"Odyssée de Mongou" est de décrire avant tout l'itinéraire d'un chef autochtone, et non pas l'ensemble des caractéristiques nouvelles introduites par la puissance coloniale et évoquées par des événements ou épisodes liés à cette interaction entre le groupe africain et les Européens. L'auteur a pour but de mettre l'accent sur les actes d'un individu qui se singularise par ses contacts privilégiés avec les Européens. Il nous décrit une nouvelle catégorie d'hommes orientée vers des activités qu'ils accomplissaient en commun avec les Européens et dont le but était l'apport de bienfaits à leurs groupes d'origine.

2-1.5. LA SUITE DES TRANSFORMATIONS

Dorénavant, nous signale l'auteur, les villageois étaient soumis à une réglementation des festivités autochtones. Ils devaient respecter encore d'autres contraintes nouvelles et peu appréciées. Sammy nous fait savoir leur sentiment face à ce changement de leur vie sociale et culturelle :

Ils n'avaient plus la liberté de danser et de s'amuser à leur guise. Il fut interdit de jouer du tam-tam la nuit, car le bruit troublait le sommeil des seigneurs bawés. (...) il fallait au préalable en obtenir l'autorisation du "Commandant" - faute de quoi les responsables de ces manifestations étaient mis en prison. (p. 50)

Finalement, l'introduction de ces caractéristiques nouvelles aboutit à l'émergence d'un sentiment d'aversion de la part des groupes autochtones à l'égard des Européens. L'auteur commente :

Ils ne faisaient plus ce qu'ils voulaient, comme ils le voulaient, mais dans le respect de l'ordre établi.

Cette nouvelle conception de la société accrut leur aversion des Bawés qu'ils considéraient désormais comme des usurpateurs. Mongou et quelques rares évolués qui avaient poussé plus loin dans la science des Bawés semblaient s'accommoder de cette conception, mais se gardaient de le laisser voir à leurs frères de peur d'être honnis. (p. 50)

Pourtant, les transformations continuèrent et montrèrent par là même le manque de pouvoir réel des groupes autochtones face à un changement introduit par un conquérant qui disposait de connaissances dont les Africains avaient au mieux entendu parler. La période de la conquête effective fit place à une période d'implantation d'un pouvoir nouveau, à sa stabilisation relative et à la création des institutions adaptées à la situation modifiée. De nouveaux "Bawés" arrivèrent et ouvrirent des magasins dans lesquels ils vendaient les articles de leurs pays en échange de produits autochtones, comme, par exemple, la cire, le caoutchouc, l'ivoire et les peaux. Ces échanges augmentaient le pouvoir d'achat des villageois, ce qui était apprécié. L'accroissement de l'argent liquide contribua à l'extension du marché local au-delà des limites du village. Les vêtements et les bijoux commencèrent à devenir des caractéristiques habituelles, même dans l'arrière-pays. Sammy nous décrit en détails combien cette phase de la colonisation servit, avant tout, à habituer les Africains à des produits qui, ensuite, leur devinrent indispensables et auxquels était lié un prestige social. Les conséquences ultérieures de cette disponibilité des autochtones face à des produits étrangers ne pouvaient encore être appréhendées. Dans cette phase de la colonisation, la création systématique de nouveaux besoins familiarisaient ainsi de plus en plus les groupes autochtones avec un nouveau principe structurel, à savoir, celui introduit par une économie monétaire.

2-1.6. LE CHANGEMENT POLITIQUE LORS DU CONTACT ENTRE LE MONDE OCCIDENTAL ET L'AFRIQUE

Or, à ce stade de la colonisation, la transformation générale se situait selon les informations que l'auteur nous donne, surtout au niveau de l'administration et du secteur politique. C'était du moins dans ces domaines que la population autochtone prit conscience du changement introduit. L'auteur remarque :

L'un des aspects de cette mutation fut le rapprochement des tribus, la fusion des groupes humains qui dans le passé vivaient chacun dans son cercle, fermés à tout contact extérieur. Le fait d'appartenir à une même autorité, de partager les mêmes problèmes sociaux et surtout d'avoir le sentiment de subir la même domination étrangère avait fini par briser les barrières qui séparaient les Bandias des Gabous (...). La méfiance instinctive qui isolait les ethnies fit place à un désir unanime d'unité. On se mariait indifféremment entre les groupes sans qu'il fût besoin de situer la lignée des conjoints. (p. 55)

Après avoir décrit les changements intervenus entre-temps, l'auteur revient au rôle particulier de Mongou. Sammy décrit ce personnage exemplaire appartenant à la chefferie traditionnelle qui commence lentement à collaborer avec le pouvoir nouveau en place, de la manière suivante, nous révélant ainsi le caractère conscient de ses activités :

Il s'efforçait de concilier sans heurt le passé et le présent, mais restait résolument tourné vers un avenir qu'il espérait meilleur pour les siens. (...) Au rythme où allaient les choses, Mongou estimait que son pays avait encore un long chemin à parcourir avant d'arriver à un équilibre qui serait la synthèse des valeurs traditionnelles et des bouleversements provoqués par l'arrivée des Bawés. (p. 55)

Dans la suite du roman, l'auteur nous fait découvrir le départ des Bandia vers la France lors de la deuxième guerre mondiale. Cette description étant de peu d'intérêt pour notre analyse, et, notamment, pour la description des réactions des groupes autochtones face au pouvoir des Européens, nous nous restreindrons à n'en donner que quelques éléments. L'auteur nous signale que Mongou commença à travailler dans un hôpital à Paris. Quelques années plus tard, à son retour au pays, - les Européens avaient entre-temps constaté les capacités exceptionnelles de Mongou - on lui apprend qu'il ne peut rester que peu de temps auprès des siens avant d'assumer de nouvelles fonctions au chef-lieu du Territoire. Finalement, et après maintes hésitations, Mongou réagit comme le "chef" responsable de son pays qui, à l'aide des Européens prend conscience de son rôle particulier, qui accepte de multiples changements et qui se plie à la volonté de ses supérieurs pour contribuer au bien-être de son pays. Sammy nous précise : "Il convint de cette décision qui l'arrachait à sa terre natale, mais lui donnait l'occasion de renforcer les liens entre les Bandias et les autres ethnies." (p. 125) Le livre se termine avec la phrase : "Mongou ne garda donc pour lui que la satisfaction d'être une source de joie pour les siens." (p. 125)

2-1.7. CONCLUSION : LE ROLE D'UN AUTOCHTONE DANS LE PROCESSUS DE CHANGEMENT SOUS L'ADMINISTRATION COLONIALE

La référence à l'Odyssée grecque est évidente dans le rôle que Sammy attribue à Mongou à l'intérieur de son groupe natal. Comme Ulysse, Mongou entreprend un voyage, mais contrairement à celui-ci, ce voyage, bien qu'il l'amène dans d'autres régions de l'Afrique et même en Europe, se situe dans un sens figuratif, et, parallèlement à ses déplacements dans l'espace, à l'intérieur de son groupe d'origine : son périple est influencé par le contact incessant, sous des aspects multiples, avec le monde européen.[6] Après les premières rencontres, Mongou commence à collaborer avec les Européens, persuadé de ce que tout ce qu'ils proposent est bien pour son peuple. Le jeune chef qu'il est, est impressionné par l'approche des Européens, par leurs méthodes de travail, par leur compréhension de l'avenir, et, quelques années plus tard, par le pouvoir nouveau que lui confère ses connaissances de l'écriture. Mongou s'avère être un protagoniste africain qui oeuvre de manière zélée dans le sens de la transformation proposée par l'Occident à l'Afrique. Pourtant, ce chef ne se plie pas à la volonté des Européens. Il soutient, de façon consciente et persuadé de ses bienfaits, leur tâche de développement de son pays. Ce comportement le situe en marge de son groupe d'origine et, finalement, à l'extérieur de celui-ci, au moment où il entame de nouvelles fonctions dans d'autres unités administratives du pays. Ainsi, ce chef n'est pas le simple collaborateur dont la littérature africaniste présente de multiples exemples, mais il se révèle être un guide spirituel. Mongou ne montre guère que, lui-même, de temps à autre, a des doutes sur la tâche qu'entreprennent les Européens. Par ses activités, il adhère à leurs idées et se comporte comme adepte fidèle qui commence à défendre la tâche *civilisatrice* européenne.

L'avantage de cette démonstration d'une collaboration positive entre les Européens et les Africains se situe au niveau de la description des phénomènes introduits par l'administration coloniale, et ceci, dans l'intérêt du *colonisé*. Il s'agit, en particulier, de l'élargissement de l'horizon d'antan de ces groupes, de l'introduction de meilleures méthodes dans la construction des routes, de la création de l'enseignement formel et de l'ensemble des faits que ce genre d'éducation pouvait apporter au développement d'une population dont l'imagination se restreignait à son propre groupe, aux croyances dans les ancêtres, aux traditions transmises, à une conception statique du monde et surtout à celle d'un univers où régnaient des "génies" et d'autres phénomènes caractéristiques d'un ordre sacral. Mongou accepte d'élargir sa propre vision du monde, et, de ce fait, il arrive à faire connaître à son groupe d'origine les bienfaits introduits par les Européens. Le chef consent à travailler avec ceux-ci. Après son séjour en Europe, pendant la deuxième guerre mondiale, Mongou s'avère apte à occuper de plus hautes responsabilités dans son pays qui lui permettent dorénavant de travailler dans le sens d'une unification des groupes ethniques au sein d'une entité plus grande, celle de la nation.

Les tâches que ce chef accomplit dans les différentes phases du contact avec les Européens sont, au début, limitées à celles relatives à son village d'origine et aux menus changements intervenus. Ensuite, lors de l'introduction des impôts, par exemple, Mongou se révèle être un collaborateur fidèle des Européens qui, cependant, par ses actes ne s'oppose pas à la population autochtone, comme le faisaient de nombreux chefs nommés par l'administration coloniale. Ainsi, le but de l'auteur n'est pas de décrire le déroulement des changements à l'intérieur de la population autochtone, mais de montrer le changement que Mongou accepte et réalise dans la suite de sa vie au sein du groupe. L'auteur ne crée pas une opposition entre le chef et son groupe. Sammy tente d'évoquer la genèse de ces deux points de vue différents qui se situent selon lui dans la ligne d'un même développement et qui se révèlent finalement compatibles : le point de vue du groupe africain qui accepte lentement et non sans mécontentement de reconnaître la transformation profonde intervenue depuis l'arrivée des Européens, et celui de Mongou, qui, quant à lui, s'intègre, de plus en plus, et de façon consciente dans l'ensemble de ce processus de changement que l'Afrique a connu pendant ce siècle.

2-2. Jean Ikelle-Matiba : "CETTE AFRIQUE-LA"

2-2.1. BUT ET PROPOS DE L'OUVRAGE

Le livre de Jean Ikelle-Matiba[7] est conçu en fonction d'un projet semblable à celui du Centrafricain Pierre Sammy. Dans l'avant-propos, l'auteur nous fait connaître le but qu'il poursuivra dans son ouvrage et le sujet qu'il traitera :

> Ce livre est un document. C'est un récit authentique. L'auteur a voulu faire parler des voix d'outre-tombe.
> L'ère de la colonisation est révolue. C'est maintenant le temps des bilans, des mémoires, des plaidoyers pro domo... Tout cela est nécessaire pour éclairer le grand public et faciliter le travail des chercheurs. (p. 11)

L'écrivain se comprend en tant que "voix authentique" relatant l'histoire que son héros décrit et qui le place dans l'univers camerounais de l'époque coloniale. Il s'agit dans ce livre du récit de vie d'un personnage ayant vécu au Cameroun, et, ainsi de la description d'une expérience qui, au début des années 60, quand l'ouvrage fut conçu, correspondait tout à fait au cadre des pays africains ayant vécu la colonisation française et devenus récemment indépendants. La critique sociale et l'histoire ne pouvaient s'exprimer qu'à travers ces écrivains qui, quant à eux, avaient acquis à l'école européenne un héritage culturel qui les rendait aptes à disposer d'un savoir littéraire leur facilitant les premiers pas à l'intérieur d'une littérature africaine dorénavant écrite.

A cette époque, les universitaires africains étaient encore rares qui, en tant que chercheurs, pouvaient se consacrer de manière professionnelle à la description du système colonial. La prétention de fournir un témoignage sur la colonisation, et ceci, de la part d'un écrivain africain s'explique par ce cadre historique et social du pays. Néanmoins, il s'agit, d'une oeuvre littéraire, d'un roman, genre littéraire qui semble se prêter d'une manière particulière à la diffusion d'une forme de culture nouvelle.[8] L'auteur reste, certes, engagé. Mais il n'est pas en mesure d'analyser l'ensemble des faits qu'il décrit selon des procédés relevant de domaines comme la sociologie, l'anthropologie ou bien l'histoire. Son roman nous permet d'appréhender cette réalité sociale dont l'auteur camerounais se fait le porte-parole dans la perspective du **colonisé**.

Ikelle-Matiba décrit l'histoire d'un Camerounais qui, déjà lors de la colonisation allemande, commençait à vivre en contact étroit avec le système d'administration coloniale, d'abord, en préparant un diplôme d'école primaire, et, ensuite, en travaillant avec un Allemand dans l'administration coloniale de l'époque. Sa participation active à l'oeuvre coloniale allemande lui permettait d'acquérir des connaissances et des opinions qui, lorsque débuta l'administration française, lui font refuser la proposition de rejoindre les nouveaux maîtres du pays. Notre protagoniste choisit consciemment de rester un fidèle ancien serviteur de l'Allemagne et il se retire pour travailler la terre. Ce personnage qui s'appelle Mômha arrive ainsi à améliorer la situation de son village. Dans la suite du roman, il devient un nouveau dignitaire de l'endroit où il habite qui collabore, vers la fin de la colonisation française, avec le chef local. Mômha utilise donc les connaissances qu'il a pu acquérir grâce aux Allemands dans le but d'améliorer la vie de son village. Il refuse toute collaboration avec l'administration française durant de longues années. Pendant ce temps, il manifeste un mépris de cette administration coloniale, qui ne s'explique que par une adoption réussie d'une culture allemande qu'il continue à juger meilleur que celle à laquelle il est confronté pendant la colonisation française.

2-2.2. LES PREMIERS CONTACTS ENTRE LES ALLEMANDS ET LES GROUPES AUTOCHTONES

L'auteur nous rapporte que les Allemands, lors des premiers contacts qu'ils eurent avec les groupes autochtones, leur signalaient qu'"(...) ils viennent (...) prendre le pays, l'administrer, le civiliser, en faire une patrie prospère, évidemment à leur profit." (p. 44) Cependant, le chef local leur répondait, et ceci, apparemment en connaissance de cause : "Je n'ai pas besoin de l'homme blanc ici. Il ne nous apportera que division, haine et mépris." (p. 44) Néanmoins, les Européens continuent à insister sur leurs tâches en évoquant le "(...) but de leur voyage et de leurs dessins, pour conclure que si nous leur refusions l'accès vers l'intérieur, ils nous feraient céder par les armes." (p. 45)

La population autochtone n'est pas prête à accepter ce nouveau conquérant sans se défendre. Des combats s'en suivirent. Il y eut des morts de part et d'autre. Finalement, des négociations sont entamées qui aboutissent à la signature d'un contrat de paix. Après l'acte de signature, les Allemands, contents de l'issue de ces négociations, offrent à la population locale

(...) vins, liqueurs, conserves, étoffes, armes, chaussures, sel, tabacs, bref tout ce qu'il(s) avai(en)t d'objets d'importation, tout en nous félicitant de notre courage. Il(s) reçu(ren)t en échange des ivoires, de l'ébène et de l'or. (p. 46)

Et le moi narratif conclut : "Le commerce avait commencé." (p. 46)

L'auteur camerounais nous fait ensuite savoir que, à cette occasion, l'administration allemande assurait la population de ses bonnes intentions.

Quant aux vieilles familles locales, elles n'avaient rien à craindre. Leurs enfants iraient apprendre dans les écoles du Kaiser en Allemagne. A leur retour, ils occuperaient des places importantes dans l'administration du pays. La province serait prospère. Partout des routes seraient construites. Des ponts franchiraient les cours d'eau. On irait d'un lieu à l'autre sans perdre de temps, sans crainte d'être assailli par des brigands. Tout serait tranquille, et tous seraient heureux. (p. 47)

L'image merveilleuse que l'administrateur allemand évoque a pour but d'informer la population autochtone des intentions de l'administration allemande. Celle-ci voulait utiliser les vieilles familles régnantes dans l'exercice de leur fonction, en leur assurant les postes les plus importants à l'intérieur du nouveau système administratif. La voix narrative choisit d'opposer tout de suite à cette image idyllique, à laquelle il paraît difficile de ne pas adhérer, la réalité de la conquête allemande dans son pays.

L'Allemand dut étaler son inhumanité. Je fus témoin de scènes d'une bestialité inouïe. Des actes terribles et cruels ont inutilement ensanglanté notre pays pour la soif de conquête d'un prince orgueilleux. (...) (D)es jeunes gens égorgés, d'autres hachés, des vieillards passaient au poteau d'exécution. Tous ceux qui étaient l'espoir du pays périssaient. Mais le cupide conquérant n'arrête point sa marche. (p. 48)

Mômha, en tant que guide autochtone des Allemands, participait à la conquête de son pays. Les scènes qu'il évoque ci-dessus, révèlent quelques-uns des aspects négatifs de cette période de la colonisation allemande. [9]

2-2.3. L'ORGANISATION ADMINISTRATIVE DE LA COLONIE

A la fin de la période de conquête, les Allemands furent obligés d'instaurer les bases d'un système administratif au Cameroun. Des traités furent conclus avec les pays voisins. Ensuite, une organisation administrative fut établie. Les limites territoriales furent fixées qui contribuèrent plus tard à faire naître la problématique ethnique.

Le pays conquis, il fallait le faire reconnaître par les voisins, lui donner une aire territoriale afin de pouvoir l'administrer. Une organisation administrative fut mise sur pied. Mais elle était faite pour le seul intérêt de l'occupant, c'est-à-dire de certains monopoles coloniaux. Il créa des résidences, pour les régions riches, des districts pour les pays de moindre importance. Tout cela facilitait son oeuvre ainsi que l'exploitation des richesses. Ces divisions, parfois artificielles, ont servi à créer des unités économiques, utiles à l'aménagement du territoire. (p. 48)

Le but ultime de l'Allemagne dans cette répartition spatiale était l'efficacité sans toujours se soucier des problèmes ethniques. L'auteur continue en nous décrivant l'utilisation que les Allemands tentaient de faire des chefferies locales.

Cette oeuvre devait se compléter par une administration autochtone. Il y a là un phénomène intéressant à étudier. Le colonisateur ayant conquis le pays par les armes, bien que maître, pour durer, désirait s'assurer certains concours locaux qui devaient faciliter sa pénétration en lui appartenant des coeurs et en se faisant ses agents de propagande. (...) On créa donc des chefferies. (p. 49)

L'Africain, et dans ce cas précis le moi narratif, renvoie le lecteur au phénomène de l'utilisation des autochtones dans l'administration coloniale. Le point de vue de l'Africain nous est révélé : l'utilisation des auxiliaires locaux se faisait de leur propre gré et ne concernait que ceux qui voulaient contribuer à cette tâche, tout en acceptant l'ensemble des conditions et effets de la persuasion idéologique, nécessaire à sa bonne exécution.

Le premier pas dans cette direction consistait à s'assurer de la collaboration des chefferies locales. Dans la société à laquelle le protagoniste appartient, ce genre de chefferie n'était pas connu. Les chefs n'étaient ni désignés, ni nommés, mais élus (cf. p. 50). On exigeait des prétendants d'avoir mené une vie exemplaire et de posséder des qualités exceptionnelles comme la sagesse, la connaissance et d'autres. Etant donné que les Allemands voulaient utiliser les héritiers des vieilles familles régnantes pour occuper ces places, et que celles-ci décidèrent de ne pas servir l'étranger, l'administration allemande fut pourvue d'anciens esclaves qui devaient exercer ces fonctions. Les Allemands en firent des chefs désignés à agir en tant qu'intermédiaires entre l'administration allemande et les groupes autochtones. Mômha décrit ces anciens esclaves avec des mots peu flatteurs :

En attendant, le conquérant dut se contenter de ces ramassis d'hommes, pour la plupart anciens esclaves, qui avaient, les premiers, répondu à leur appel. (...) La plupart de nos dirigeants sortent des bas-fonds de la société ; c'est pourquoi leur autorité est si insupportable, accumulant bévues, sottises et maladroite insolence. Le chef devint un personnage immense, jouissant d'une liberté d'action étendue, tranchant tout à sa guise quand ce n'était pas contraire aux intérêts de l'occupant et exigeait de nous une soumission absolue à la loi. Il pouvait (...) (n)ous maltraiter comme il lui plaisait. (p. 51)

Ikelle-Matiba concède que le comportement de ces esclaves, ayant atteint des postes de pouvoir, s'expliquait par leurs origines sociales. Ces parvenus abusaient d'un genre d'autorité qui ne leur était guère familier. Les Allemands leur octroyaient des pouvoirs qui leur garantissaient une multitude de fonctions qui s'accordaient avec les intérêts de l'administration allemande. Ils exigeaient des groupes autochtones de se soumettre à leurs règles légales qui souvent se révélaient arbitraires et peu conformes aux règles autochtones. L'auteur montre finalement que ces chefs arrivaient à agir avec une marge de manoeuvre très vaste.

2-2.4. L'ACCEPTATION D'UN NOUVEL ORDRE CULTUREL

Dans la suite du roman, l'auteur traite le sujet de l'acceptation d'un nouvel ordre culturel par les Africains. Il souligne le caractère unilatéral des informations. Seul le conquérant, et, dans ce cas précis, l'Allemand, possédait des moyens pour établir et diffuser un autre univers culturel. Ikelle-Matiba nous informe sur les procédures mises en oeuvre pour réaliser cette implantation d'un système social différant des valeurs africaines. "Pour ériger son mode de vie en système universel immuable, il a créé une littérature, un style et même une éthique et c'est à travers ces clichés que nous sommes jugés." (p. 51)

L'auteur insiste, ensuite, sur le fait qu'il s'agissait d'un héritage culturel transmis par l'écriture qui permettait aux Allemands de l'utiliser en tant que moyen de formation de la population autochtone, ayant pour but de leur apprendre un système de valeurs qui leur permettrait d'agir en fonction des informations reçues. L'appréciation de l'Africain, comme le souligne l'auteur, avait ainsi comme point de départ une évaluation faite à partir d'un système culturel et social appris, et, en l'occurrence, celui de l'Allemagne de l'époque. L'auteur nous précise que :

Mais cet effort d'intoxication systématique a porté : le colonisé a accepté sa nouvelle condition, baissé l'échine ; il s'est dégradé, déphasé et s'est considéré comme un sous-produit de l'humanité. (p. 52)

Cet enseignement d'une autre culture, et, notamment d'une

culture reposant sur l'écriture, facilita l'extension et l'adoption d'un autre cadre de vie. L'Africain n'avait qu'à répéter ce qu'il apprenait pendant les cours dans les écoles européennes. Or, l'effet secondaire de ce genre d'éducation formelle pouvait dépasser de loin celui que l'éducation informelle des membres des groupes autochtones était capable de réaliser. L'enseignement allemand apprenait aux Noirs à considérer leur condition à eux selon un autre point de vue, et, en particulier, en les comparant à celle du colonisateur. En acceptant des valeurs sociales différentes, ils ne se rendaient pas compte que ceci impliquait le fait de tenir compte du point de vue de l'autre, de l'Allemand sur leur condition spécifique. Celui-ci, tout en estimant l'Africain situé à un autre niveau d'une *échelle de cultures*, lui octroya un statut inférieur, une position sociale à l'autre bout de l'échelle que l'Allemand occupait. L'Africain commença, en acceptant cette éducation idéologique, à se situer dans cet ordre hiérarchique et à considérer sa situation particulière d'un regard extérieur à son propre horizon culturel. Le Camerounais de l'époque, qui avait fréquenté l'école allemande, recevait ainsi tout un ensemble culturel et idéologique définissant, en même temps, sa propre position.

Pourtant, l'auteur concède que cette dimension culturelle de la transformation globale des sociétés africaines n'était pas la plus importante à l'époque concernée. Selon lui, la transformation des structures économiques et sociales avait contribué davantage à ce que la société autochtone change peu à peu les valeurs centrales de ses systèmes culturels et sociaux. Il nous semble inutile d'essayer de situer la primauté de ces différents facteurs. D'autres ont déjà tenté d'accomplir cette tâche avec plus ou moins de succès, et le débat ne semble pas être clos.[10] La multitude des transformations lors de l'époque coloniale révèle, pourtant, que les différents facteurs s'entremêlent et sont souvent difficiles à séparer de manière distincte. Néanmoins, et ceci, non seulement d'un point de vue africain, cette transmission d'un autre système social, culturel, politique et économique a contribué à ce que les groupes autochtones africains aient eu et aient même encore tendance à négliger des aspects venant de leurs cultures. L'auteur nous le fait savoir : "Mais les importations européennes nous ont fait souvent perdre notre propre culture." (p. 53)

Que la problématique soit plus complexe que ce qu'exprime cette citation est évident. Cependant, l'oeuvre littéraire a le droit de banaliser certains phénomènes sociaux afin de mieux faire saisir la signification de ses propos à un public qui, seulement de cette manière, comprendra la signification réelle de ces activités.

2-2.5. LES DIFFERENCES DANS L'APPRECIATION DES PUISSANCES COLONIALES EUROPEENNES

2-2.5.1. L'ALLEMAGNE

Il nous semble intéressant d'insister sur la perception de l'Allemagne par l'auteur Camerounais. Ikelle-Matiba évoque certaines caractéristiques typiques des Allemands, et, notamment, ces aspects de leur oeuvre *civilisatrice* qui ont pu constituer un ensemble de valeurs transmissibles à l'époque, comme par exemple la franchise, la ponctualité, le sens du devoir, le mépris de la malhonnêteté et de l'injustice, et autres.

L'auteur s'appuie sur l'exemple de l'ouverture d'une école et du premier jour des cours, pour démontrer au lecteur la conduite d'un professeur de l'époque, pourtant d'origine africaine, envers ses élèves. Le professeur utilise quelques élèves retardataires pour faire comprendre aux autres ce qui signifie la ponctualité dans le sens allemand.

> L'appel terminé, le maître prit une chicotte et leur demanda de tourner le dos. Les malheureux avaient peur. (...) Ils respiraient bruyamment. Glacial, le maître (...) appela le premier. (...) Le malheureux, trébuchant, s'avança. Il pleurait. Un hoquet lui serrait la gorge, ses membres tremblotaient. Matouké (...) le prit par le bras gauche et lui administrait vingt-cinq coups. L'enfant tomba évanouie. (...) Il le fit relever par des insultes. Puis ce fut au tour des autres de subir le même sort. Ces mesures me dégoûtèrent, mais la leçon avait réussi. Dès ce jour-là, il n'y eut plus de retard. (p. 65)

Le moi narratif décrit ces mesures, avec tous ses aspects particuliers, pour que le lecteur en comprenne le sens et la portée. Cette description fait sentir que le narrateur s'oppose à ces mesures et qu'il a pitié de ces victimes. Pourtant, cette pratique avait du succès, car, dorénavant, les élèves n'arrivaient plus en retard. Pendant cette première année à l'école, Mômha commence à la haïr. Il continue à travailler et obtient même de bonnes notes, mais il nous dit que tout ce qu'il faisait, il le terminait par obligation et non parce qu'il en avait compris le sens.

A la fin de la première année, un administrateur allemand, le Dr. von Hiller, tint un discours, évoquant les buts de l'Empire allemand dans cette région de l'Afrique.

> Voici une belle génération que nous allons élever dans nos traditions, qui sera la fierté de l'Afrique tout comme nous sommes la fierté de l'Europe. Nous entendons faire de ce pays une province germanique. L'âme allemande restera à jamais ici. Les groupes autochtones seront heureuses. (...) Nous élèverons ce pays à la dignité d'un état allemand. Pour ce faire, formons d'abord des cadres, instruisons les enfants. Trouvons des acolytes pour l'administration, le commerce et l'industrie. Les plus doués iront dans nos universités. A leur retour, ils s'occuperont des affaires de ce pays... (pp. 67-68)

Les objectifs de l'Allemagne sont exprimés de façon claire dans ce discours : faire de cette région une "province germanique" en inculquant aux groupes y vivant les idéaux de la culture allemande. Pourtant, ces propos choquent : l'auteur nous avertit que les transformations entreprises étaient destinées à créer "une âme allemande" à "peau noire" ; à transformer cette même région en une province germanique et à la rendre conforme à la "dignité d'un état allemand" (pp. 67-68). Ainsi, l'Allemand ne cherche pas à adapter ces procédures aux valeurs des groupes autochtones, mais à les appliquer de manière à ce que l'Africain se sente allemand. Pour ce faire, l'Allemand insiste sur l'instruction des enfants. Nulle part, on n'entend le conquérant exprimer la possibilité de concilier la culture européenne avec celle de l'Africain. Pour l'auteur, ces propos reflètent la réalité de la colonisation allemande. Pourtant, il s'agit d'une formation donnée aux Africains ayant pour but de leur faire comprendre l'oeuvre *civilisatrice* allemande et de lui donner une signification. L'ensemble conceptuel de la colonisation allemande ne se retrouve pas toujours dans ces propos. Par conséquent, les Africains étaient peu conscients des buts réels de cette colonisation.[11] Puis, un autre administrateur allemand, le Dr. von Bellungen continue :

Nous voulons les élever dans le culte de la dignité et de l'honneur. Cela nous le ferons quelles que soient les conditions. Bientôt vous vous en rendez compte. Faites venir nombreux les enfants à l'école. Qu'ils s'instruisent, car se sont les serviteurs d'une grande cause... (p. 69).

Ainsi, ce représentant d'une élite qu'était l'administrateur évoque des valeurs comme la dignité et l'honneur, termes employés selon l'acceptation allemande. Et il poursuit son discours en insistant sur le fait que les futurs élèves seront des *serviteurs* ayant des fonctions spécifiques à l'intérieur de la politique administrative du pays.

A la rentrée, de nombreux enfants vinrent s'inscrire à l'école. Comme au cours de la première année, il y avait des élèves qui hésitaient, partagés entre la vie scolaire et leur famille. Pour la première fois de leur vie, ceux-ci réalisaient la séparation qui s'était instaurée entre la vie coutumière et la nouvelle condition de vie en tant qu'élève apprenant des valeurs très différentes de ce qu'ils connaissaient dans leur enseignement traditionnel. L'oeuvre *civilisatrice* allemande ne se réduisait pas uniquement à cet enseignement. En même temps, comme l'auteur nous le rapporte, des immeubles modernes furent construits et les centres commerciaux furent modernisés sur le plan architectural. Ils offraient, dorénavant, des marchandises venant de l'Europe.

Ensuite, l'auteur nous parle de l'intérêt que les Allemands portaient à l'étude des langues. Von Bellungen organisait souvent des réceptions. Il souhaitait communiquer directement avec les élèves, d'une part, pour leur montrer la beauté de l'Allemagne et de sa culture, et, d'autre part, pour les élever "(...) dans le culte de la soumission et du devoir (...)" (p. 73). L'administrateur tenait à discuter avec eux et à les interroger sur leur avenir, car les nécessités économiques du pays l'obligeaient à les orienter en vue de leur vie professionnelle future.

Les premiers de chaque promotion du Mittelschule devenaient instituteurs (à part ceux qui choisissaient de servir dans le secteur privé), les seconds devenaient auxiliaires de l'administration et les suivants douaniers, postiers, infirmiers, etc. (p. 73)

61

On interrogea Mômha sur son orientation à la fin de sa troisième année d'école. Von Bellungen décida à sa place :

Il n'est pas question pour vous de devenir instituteur. Après vos études, quel que soit votre rang, vous deviendrez auxiliaire de l'administration. Votre stage terminé, vous irez poursuivre votre formation en Allemagne. Vous étudierez le droit et rentrerez ici comme administrateur civil. (p. 74)

A la remarque de l'élève, qui ne s'attendait pas à une telle décision et qui mentionna que le règlement prévoyait une autre orientation, von Bellungen répondit : "Le règlement est une chose, l'orientation d'un sujet une autre. La volonté du supérieur sert de loi. Vous ferez selon mon désir." (p. 74)

Au programme de l'école, un enseignement sur les autres puissances coloniales de l'époque était également prévu. Les élèves apprenaient que les Français pouvaient être décrits sous différents angles. Ceux-ci d'après une grille d'interprétation allemande ont :

(...) adopt(é) un système de gouvernement hypocrite, la République, qui ne sert que le riche tout en favorisant la misère du peuple. Ils proclament la liberté et l'égalité de tous les citoyens en droits et devant la loi, alors que ces droits et libertés sont détenus par une caste de politiciens bourgeois (...). Leur politique coloniale est une honte pour le monde civilisé, car non seulement ils ont vendu le nègre comme une marchandise (...), ils laissent l'indigène vivre dans des conditions les plus tragiques alors que ce dernier est un humain tout comme un autre. (pp. 78-79)

On constate que l'enseignement allemand portait d'abord sur les caractéristiques générales du pays en question. Les droits des citoyens et les pratiques politiques sont estimés selon des valeurs que l'on peut considérer comme typiquement allemandes, et non en essayant de comprendre ce système de valeurs différentes à partir d'un point de vue mettant l'accent sur la structure globale et se plaçant à l'intérieur de ce système. Quant à la politique coloniale, elle est jugée selon une appréciation idéologique qui met de manière claire l'accent sur des caractéristiques générales de l'oeuvre coloniale française, et ainsi sur celles auxquelles d'autres puissances coloniales étaient également confrontées d'une manière ou d'une autre.

Au Cameroun allemand, l'enseignement concernant les Anglais et l'Angleterre révélait le même caractère idéologique. L'image de l'Anglais est présentée dans des termes aussi peu flatteurs :

Quant aux Anglais, ils sont faux parce que hypocrites et jaloux. Ils ont une peur maladive de se voir dépassés. (...) Ce sont de fougueux défenseurs d'une politique d'équilibre entre les diverses nations. (...) Ne pouvant uniquement vivre de leur sol trop pauvre, ils se sont faits aventuriers, ont conquis la plus grande partie des terres du globe et aiment à se déclarer première puissance coloniale et maritime. (p. 79)

Et Mômha tire la conclusion de ce genre d'enseignement : "Nous apprenions ainsi à mépriser tout ce qui n'était pas allemand." (p. 79)

L'école inculquant aux élèves des qualités comme le sens du travail et de l'effort, l'administrateur allemand souligne :

C'est le travail, l'effort qui priment tout. Qu'on ne vous dise donc pas que vous êtes ceci ou cela. Vous êtes comme moi, je suis comme vous. Un jour, grâce à votre courage vous prendrez ma place. Et vous accomplirez votre tâche avec la même application. La race, la naissance ne suffisent pas. Seul l'effort compte. (pp. 80-81)

Le mot d'ordre des élèves était : "Nous avions pour devise : ordre et discipline." (p. 81) Il s'agit bien de notions allemandes, car ces deux caractéristiques sont souvent associées aux traits particuliers des Allemands, sous réserve de constater qu'elles servent également à des descriptions stéréotypées.

A la fin de la troisième année, on informa le narrateur qu'il devait passer deux années à Buéa avant de devenir fonctionnaire. Cette décision ne l'enchantait guère, car il avait projeté de continuer sa vie, une fois sa scolarisation terminée, selon la tradition du pays : aider ses parents, se marier et avoir des enfants. Mais ce point de vue n'était pas compatible, d'une part, avec l'effort qu'il avait déjà consenti pour s'instruire au sein du système scolaire allemand, et, d'autre part, avec les buts de ce système éducatif, et, notamment, le fait de former un groupe capable de servir l'administration du pays. A ce point de l'histoire de sa vie, Mômha nous fait connaître l'avis de sa mère : "La carrière de fonctionnaire l'intéressait très peu." (p. 83) Cependant, l'interdiction de désobéir à ce que les Allemands avaient l'intention de faire, prime dans la décision de notre protagoniste sur sa vie future. Les Allemands lors d'une réception *à l'honneur de la jeunesse* qui venait de passer ces derniers examens, "(...) saluaient l'élite qu'ils avaient formée". (p. 89) Et le narrateur nous informe que le gouverneur estimait qu'"(...) il avait formé des hommes en tous points semblables à lui." (p. 89) Et il continue :

> Puis, sur un ton confiant, il nous parla de nos responsabilités, des places que nous allions occuper, en mettant l'accent sur le soin à apporter à l'exercice de nos fonctions. Ne pouvant davantage mâcher les mots, il nous dit, avec un large sourire : "Nous autres, Prussiens, sommes méticuleux. Soyez comme nous, suivez notre exemple. Cela fera votre honneur." (pp. 89-90)

L'Allemand leur faisait comprendre qu'eux, les Africains, avaient maintenant atteint un moment de leur vie sociale où ils devaient prendre des responsabilités, et, notamment, celles concernant leur vie professionnelle. L'Africain apprenait que l'enseignement qu'il acquérait, ne lui servait pas seulement comme bien culturel, mais dans un but pratique et utilitariste, qui lui permettait, ensuite, d'exercer différentes fonctions tout en se fondant sur un héritage culturel obtenu par l'enseignement allemand. Le lecteur comprendra dans ce qui précède que le but de l'éducation allemande n'était pas l'acquisition d'une *Bildung* dans le sens de l'idéal allemand. Cet enseignement était destiné à former des élèves exerçant des activités d'auxiliaires, et, de ce fait, avait un caractère éminemment pratique. L'Africain n'apprenait pas afin de développer sa personnalité - comme il était encore de règle pour bon nombre d'élèves allemands -, mais pour utiliser ses connaissances dans la vie professionnelle. L'Allemagne n'avait pas l'intention de développer une élite locale se séparant en fonction de ses connaissances de la majorité de la population, mais d'intégrer leur savoir nouveau dans l'ensemble de la politique administrative du pays. Le narrateur, dans la suite de son discours, nous décrit ce passage de la vie d'élève à la vie professionnelle :

> Je devais commencer comme auxiliaire de l'Administration et, pendant quatre ans, me soumettre à tout, aux hommes et aux choses. Je devais passer quatre années d'obéissance passive durant lesquelles je n'avais à formuler ni reproche ni observation contre qui ou quoi que ce fût. Mais pendant mes années d'études, je m'étais habitué à la discipline, à la soumission. Je n'avais donc rien à craindre. (pp. 90-91)

Mômha exprime dans cette citation le caractère contraignant et disciplinaire de ces années qu'il passa en tant qu'auxiliaire de l'administration allemande. Néanmoins, il concède que, déjà pendant ses années d'études, il s'était habitué à ce genre de soumission typique de l'Allemagne du début du siècle, et que l'on retrouve dans le service administratif colonial où de nombreux hauts dignitaires militaires exerçaient des fonctions. Le moi narratif reconnaît une qualité particulière aux administrateurs allemands qui le traitaient d'égal à égal. Ce comportement s'explique par la formation qu'il a acquise dans les écoles allemandes.

> J'avais été élevé par eux dans leurs écoles. J'étais imbu de leur idéologie. J'avais acquis leur chauvinisme. En quoi donc différais-je d'eux? La couleur de la peau ne comptait pas pour lui. (p. 94)

L'administrateur avec lequel il travaillait commença à lui faire des confidences, à discuter avec lui, comme s'il était un collègue blanc. Le narrateur admirait ce comportement de l'Européen, et, se réjouissait des tâches exécutées ensemble. Le travail administratif qu'il était censé effectuer, consistait surtout à parcourir les régions et les villages, et à effectuer des recensements. Mômha décrit, ensuite, son collègue en ces termes:

> Durant nos tournées, il me montrait comment gouverner les gens, administrer une localité, insistant plus particulièrement sur les soins à apporter aux masses rurales, éternel soutien de n'importe quel régime. Il ne méprisait personne. C'était un véritable arbitre. (p. 96)

Et Mômha continue l'histoire de sa vie :

65

Durant nos randonnées, nous nous occupions de tout. Nous tranchions toutes les questions posées et tous les cas qui nous étaient soumis. Mais nous ne prenions aucune décision unilatéralement sans avoir obtenu l'avis de la population. Ce qui nous attirait sa sympathie. (p. 97)

Selon l'écrivain camerounais, l'Allemagne de l'époque possédait des caractéristiques tout à fait positives pour ce qui concerne les Africains. Le narrateur caractérise l'époque coloniale allemande comme une époque où régnait la loi et la justice au service de l'efficacité. Mais il n'oublie pas d'évoquer que ces critères se révélèrent être insupportables pour certaines groupes africains qui avaient des difficultés à adhérer à ces principes. Par conséquent, cette administration coloniale "(...) était jugée inhumaine et insupportable. Certaines populations vivaient dans la terreur." (p. 99)

On constate que le moi narratif adopte des points de vue "allemands" concernant certaines activités. Il les jugeait en fonction de ce qu'il apprenait à l'école et de ce qu'il retrouvait dans sa vie professionnelle. Il s'agissait, comme dirait un ethnologue, d'un "native going", au sens de l'acceptation d'un autre point de vue, sans tenir compte de l'univers culturel africain que notre protagoniste connaissait et qu'il prenait rarement comme point de référence. Le narrateur admet que ces principes n'étaient pas toujours faciles à accepter pour les groupes autochtones qui, n'ayant pas passé des années d'instruction dans une école véhiculant un héritage culturel allemand, n'étaient guère prêts à admettre des notions qui leur étaient inconnues et étranges.

Au sujet des rapports entre les Africains et les Européens, le narrateur déclare que cette période se caractérisait par le fait que la notion de "liberté" était inconnue. Les groupes africains étaient guidés, parfois même de façon brutale. L'auteur souligne :

De la discrimination raciale, il y en avait suffisamment. Les Allemands se sont toujours crus supérieurs à tous les humains. Et cette opinion était renforcée du fait que nous étions de deux cultures différentes. Le Noir ordinaire était un objet. Il devait considérer le Blanc comme un dieu. (p. 99)

Tout ce que le narrateur évoquait en ce qui concernait les

rapports entre les Allemands et les Africains ne couvrait que cette fraction de la population qui avait fréquenté l'école allemande. Mômha nous informe de certaines règles régissant la vie de tous les jours de ces groupes sociaux très différents.

C'est pourquoi le salut à l'européenne était de rigueur. Quand un Blanc marchait dans la rue, tous les autres passants devaient s'écarter et se découvrir sous peine de se voir brutalisés. (...) Dans un bureau, il ne fallait, en aucun cas, se montrer arrogant (...). On nous déclarait à l'école qu'elles (les mesures, US) étaient provisoires et destinées à nous éclairer. (...) (U)ne fois élevé dans la société européenne, il n'y avait plus d'écart : vous étiez traité comme n'importe quel Allemand. D'ailleurs, pour nous qui étions de leur culture, ils avaient plus d'égards qu'envers un autre Européen (...). (pp. 99-100)

La soumission était déclarée provisoire à ce stade de l'histoire coloniale. L'auteur nous informe, qu'une fois atteint un certain niveau d'éducation, l'Africain était traité comme son homologue allemand. Il nous paraît que ce fait particulier constitue une caractéristique typique de la colonisation allemande que l'on ne trouve ni dans la politique coloniale française qui met l'accent sur la différence à dépasser entre un état d'origine et le modèle français, ni dans la politique coloniale anglaise qui se prononce de manière distincte pour la ségrégation sociale et raciale.

Le récit de l'inauguration d'une ligne de chemin de fer donne l'occasion à l'auteur de nous décrire à nouveau ce qu'on attendait des élèves de la colonie. Le gouverneur déclare alors :

Et les jeunes que nous tirons d'ici iront dans nos Universités acquérir la science. A leur retour, ils occuperont des postes de direction (...). Qu'ils s'instruisent et qu'ils deviennent utiles à leur pays. Comment pourrions-nous nous trahir? Nous sommes une grande nation. Elevons de grands peuples à notre exemple. Germanisons-les. Nous aurons ainsi accompli notre devoir envers l'humanité et la civilisation. (p. 105)

Cet objectif surprend une fois encore. L'administrateur allemand parle d'élever autres groupes sociaux selon l'exemple allemand en allant jusqu'à "germaniser ceux-ci". La tâche coloniale ainsi définie servirait l'ensemble des sociétés du monde, en apportant la *civilisation* aux groupes africains. Il semble s'agir d'un point de vue idéologique et d'une mémoire collective qui valorisent plus le passé colonial allemand que celui de la France qui, au Cameroun, étant donné que la colonisation française était plus récente, n'appartenait pas encore à un passé glorifié.[12] Déjà au début des années 60, cette mémoire collective embellissait le passé colonial allemand par rapport au régime administratif français, dont les influences se feront sentir seulement dans les années ultérieures. Il s'agit également des particularités liées à ce personnage africain ayant été en contact avec un groupe d'Allemands au Cameroun.

Poursuivons notre analyse du roman de l'auteur camerounais. Le narrateur obtint, finalement, une affectation à Yaoundé. Il commençait à se sentir Camerounais et cessait de se considérer seulement comme membre de son groupe d'origine. Etant donné que, lors de ses études, il avait été confronté à des membres d'autres tribus, il avait eu l'occasion de faire leurs connaissances et de les apprécier. Mômha se rendit compte qu'il effectuait des services non pas destinés à des étrangers, mais à des compatriotes. Cette nouvelle orientation de sa vie professionnelle était liée à une politique ayant pour but l'unification des groupes dans le cadre d'un pays et non pas le maintien de leur séparation. L'auteur constate : "Il faut avouer d'ailleurs qu'on faisait tout pour tuer en nous le petit sentiment de régionalisme." (p. 113)

L'époque de la première guerre mondiale arriva finalement. Beaucoup d'Allemands partirent lorsque la guerre éclata en Afrique. Le narrateur nous fait savoir que les Allemands tuèrent beaucoup de ses compatriotes. Contrairement à ce qu'il disait dans ce qui précède, les Français et les Anglais furent accueillis comme des sauveteurs. Reste à savoir s'il s'agissait effectivement des Allemands, ou si ce n'était pas les conséquences générales de la guerre qui contribuèrent à ce que beaucoup d'Africains meurent, et d'une conclusion déduite probablement du fait de la déclaration de la guerre de l'Allemagne aux autres puissances coloniales. L'argumentation de Mômha fait ressortir l'ambiguïté de sa position : "L'homme n'aime pas rester dans la souffrance. Il cherche toujours, en cas de difficulté, à changer de situation et de maître." (p. 124)

2-2.5.2. LA FRANCE

Les Français, qui suivirent les Allemands au Cameroun, commencèrent bientôt à parler de l'*indigénat* et du *travail forcé*, mais aussi de l'*égalité* et de la *liberté* dont le sens nous sera révélé dans la suite du roman. Le narrateur, en tant qu'ancien dignitaire de l'administration allemande, reçut la proposition de reprendre son service dans l'administration coloniale française. On lui accorda quelques jours de réflexion. Son père, quant à lui, lui conseilla d'accepter cet offre, étant donné que "(l)es Blancs sont les mêmes. Leurs administrations les mêmes." (p. 137) Mais le narrateur, ayant longtemps travaillé pour les Allemands, refusa de travailler pour d'autres maîtres et commença à se consacrer à des travaux champêtres dans son village natal. Ce comportement donne l'impression que cet homme cherche désespérément à rester fidèle à lui-même, et, par là même, à l'ensemble culturel acquis grâce à l'Allemagne. Son refus d'accepter l'offre de travail de l'administration coloniale française ne peut que s'expliquer ainsi. Cette personne ayant acquis une deuxième personnalité, construite en fonction d'un héritage culturel allemand, ne pouvait plus l'utiliser dans une situation où le genre d'adaptation qu'on exigeait était différent. Dans la suite du récit, Mômha révèle l'amplitude de cette "germanisation". Il n'a plus que du mépris pour les administrateurs de la nouvelle puissance coloniale.

Je serais peut-être devenu un dignitaire de l'Administration, un fonctionnaire corrompu et paresseux à l'exemple de beaucoup de ceux qui pourrissent dans les bureaux publics. (p. 138)

Mômha se consacra donc à des travaux champêtres en reprenant les vieilles habitudes des paysans camerounais. L'endroit où il habitait, grâce à ses activités, devint un point important de commerce. La nouvelle administration ne s'occupait guère de la population, dès lors qu'elle payait les impôts et les prestations. L'auteur nous informe que pour se procurer cet argent, ceux qui n'avaient pas assez d'argent passaient un mois de travail sur les chantiers (cf. p. 162).

Dans la suite du récit, le narrateur nous présente une partie de la correspondance qu'il a entretenu pendant ces années avec des amis. Il conseille à un de ses correspondants de se consacrer ardemment à son travail. Et il justifie son argumentation ainsi :

> Ici on ne considère point l'homme d'après ses origines, mais d'après son travail. Tes parents ont beau être puissants seigneurs, si tu ne fais pas tes devoirs, tu n'échapperas pas à la bastonnade. Ce sont les valeurs personnelles qu'on considère. Vois-tu, si le fils du dernier paysan se distingue par son effort, il te dépassera. Tu deviendras son serviteur. Ne quitte jamais ton livre. Travaille. Apprends. Prive-toi de sommeil. Ne te soucie pas de ton corps. Habitue-toi, aux difficultés de la vie. (p. 167)

D'où Mômha tenait-il ces valeurs? C'étaient celles qu'il avait acquises lors de sa scolarisation dans l'école allemande et lors de l'exercice de sa profession au service administratif allemand. Il s'agissait donc de valeurs qui ne font pas partie de l'héritage culturel africain et du milieu dont il était originaire. Dans une lettre qu'il reçut d'un de ses amis, celui-ci lui déclara :

> Je ne veux pas être fidèle à une quelconque idéologie, car tous ces Blancs nous méprisent. Nous sommes, pour eux, le sous-produit de l'humanité. Ils nous exploitent. Je n'ai pas vu un seul Européen qui nous traite en égaux. (p. 178)

L'aversion pour des Européens qui ne montraient que du mépris pour les groupes africains ressort, ici, clairement. L'auteur de la lettre en déduisait qu'il n'arrivait pas à adhérer à un système idéologique proposé par une nation européenne, et ceci, du fait que les Africains étaient considérés comme se trouvant au bas de l'échelle sociale, et que selon lui jamais un Européen ne les traitera d'égal à égal. Dans une autre lettre, l'administration française est décrite de la manière suivante :

> L'administrateur est une espèce de divinité. On ne peut le rencontrer qu'en passant par nous. Il n'est pas comme nos anciens maîtres qui désiraient endosser toutes les responsabilités. Nos maîtres actuels nous reconnaissent "grands garçons", donc capables de nous diriger. Ils sont très bons, humains et polis. Ils ignorent la discrimination raciale. (p. 181)

On s'étonne des différences de points de vue. Ce dernier personnage décrivait une pratique particulière des Français qui

70

consistait à associer les Africains à la tâche de direction du pays. Mais n'y retrouvons-nous pas également ces stéréotypes sur la politesse des Français, leur sens de l'humanité et leur mépris de la discrimination raciale? Il s'agit bien de mots que l'on entend fréquemment en France. Pourtant, ce discours a une connotation idéologique que l'on ne devrait pas sous-estimer. La France en tant que pays accueillant depuis des décennies des étrangers avait effectivement besoin d'une telle idéologie. Or, la réalité sociale s'avère souvent tout à fait contraire à ces idéaux.[13] L'auteur de cette lettre, dans la suite de sa description d'une société étrangère à celle que le narrateur connaît, met l'accent sur d'autres aspects du système administratif français :

La devise c'est "Il faut faire fortune sur la misère du peuple." Le fonctionnaire de ces temps est devenu plus affreux (...). Il extorque de l'argent aux indigents, aux vieilles femmes sans soutien, aux infirmes, aux lépreux et jusqu'aux mourants. (...) Il faut payer pour être servi! (p. 183)

Or, il ne faut pas oublier qu'il s'agissait souvent de fonctionnaires autochtones, qui, quant à eux, travaillaient sous l'autorité des administrateurs français. Ainsi, il semble probable que ce comportement ait été adopté par l'administration française envers des subalternes qui, à leur tour, se comportaient comme *des maîtres absolus* face à la majorité de la population autochtone. L'Afrique contemporaine nous fournit d'ailleurs de nombreux exemples de ce genre d'attitude d'une élite face à une population qui n'a pas la possibilité de participer effectivement au pouvoir.[14] Dans une lettre de réponse, le narrateur profite de l'occasion pour justifier le choix de sa nouvelle orientation de vie:

Ma misère, je l'ai choisie. Plus question de m'en parler. Ma nouvelle existence m'intéresse beaucoup. Je travaille la terre, c'est dur. Mais n'est-ce pas par là que nous avons tous commencé? (p. 188)

Mômha optait ainsi pour sa réintégration dans la vie des paysans, bien qu'il ait connu l'enseignement formel, le travail administratif allemand, et qu'il ait acquis un héritage culturel dont il n'avait guère besoin dans sa nouvelle situation. Dans une autre lettre que le narrateur reçut, son correspondant l'avertissait que les cours de la Bourse avaient chuté et qu'à son avis, des

71

périodes dures s'annonçaient :

> Le pauvre Nègre donnera tout : sa peau et le fruit de sa sueur. Le beau rêve que nous caressions s'envole. Je pense avec affliction aux familles qui vont à nouveau pleurer. Pas de pitié. Pour que les caisses publiques soient garnies, les impôts seront augmentés tandis que les produits seront vendus à des prix dérisoires. (p. 190)

Pourtant, ces propos étonnent dans un contexte social africain: comment un Africain qui était en contact permanent avec les Européens, qui discutait avec eux, qui lisait leurs journaux, pouvait-il tirer la conclusion que cette crise aurait une issue fatale pour l'Afrique qui, à cette époque, n'était guère intégrée dans un système de pouvoir international? Dans les années 30, dans la plupart des pays africains, les systèmes de parenté, et, par conséquent, les rapports sociaux existants, n'étaient pas encore changés au point qu'une crise semblable puisse leur causer des dommages importants. Etant donné que ces systèmes sociaux respectaient d'autres critères, ce genre de conflit ne pouvait avoir que peu d'effets sur eux.

Un autre phénomène que le narrateur évoque est celui des abus des chefs nommés par l'administration française. Il arrivait qu'ils dilapident des fonds et exigent par la suite des villageois de payer deux fois les mêmes impôts. Dans de tels cas, les chefs s'adressaient aux administrateurs français, qui, quant à eux, avaient tendance à croire à la sincérité de leurs subordonnés, et, envoyaient, par conséquent, des gardes dans les villages concernés en leur demandant de récupérer les impôts. Des cas d'incendie volontaire de villages en résultaient. Le moi narratif conclut sur ce système de chefferie :

> Ces chefferies n'ont plus leur raison d'être. (...) Mais l'évolution sociale a dépassé l'institution qui pourrit, tente une mutation qui ne peut guère lui porter bonheur. (p. 191)

Le narrateur nous décrit, ensuite, deux autres institutions de la colonisation française qui restaient vivantes dans la mémoire collective camerounaise. Il raconta au groupe qui l'entourait et suivait avec attention son récit de vie :

Si douloureux qu'ils soient, il faut que vous les sachiez puisqu'ils font partie de l'histoire de votre pays. Ces temps feront toujours la honte des Blancs. Ils auront beau nous dire qu'ils sont chrétiens, qu'ils sont humains, tous les morts qui dorment dans les tombes sont là pour les démentir. Je vous parle donc de l'Indigénat et du Travail forcé. (p. 197)

Mômha révèle des aspects de l'histoire du pays qui, selon lui, resteront toujours, dans la mémoire de la population autochtone, des actes honteux de la part des Européens. Malgré le caractère humanitaire et la mission chrétienne de l'oeuvre coloniale européenne, les morts que ces deux formes d'institutions sociales, "l'indigénat" et le "travail forcé", avaient causés, montrent selon lui le caractère idéologique de ces actions.

Comment se passaient ces recrutements? Mômha nous apprend que lors d'une réunion de tous les chefs supérieurs, de groupements, de centres et de villages avec l'administration française, la décision était prise de pourvoir l'administration française de main-d'oeuvre. Mômha décrit le déroulement du recrutement de cette façon :

A leur retour, les chefs feront procéder aux arrestations massives des villageois afin de pourvoir aux besoins de l'administrateur. Mais ces arrestations sont bien organisées. Chaque chef est entouré d'une bande de parasites qui lui indiquent les personnes à saisir et établissent les listes de proscription. (p. 207)

L'évocation de ces événements offre au narrateur l'occasion de mettre en relief le caractère arbitraire de ces procédures :

Si vous aviez eu quelque grandeur dans le passé, si votre prestige dépassait celui du maître actuel, pour vous prouver que vous n'étiez qu'un petit, on vous couchait sur le sol et deux gardes, frappant ensemble et en même temps, appliquaient sur vos fesses vingt-cinq coups de matraque. (...) Chez le chef supérieur, vous passiez des jours et des jours, des semaines et des semaines, travaillant aux plantations, cultivant la terre, sarclant les champs, réparant les cases, nettoyant les cours. (p. 208)

Dans ce passage ressort aussi l'amertume d'un homme qui, à l'époque de la colonisation allemande, avait occupé un poste d'élite dans leur système d'administration coloniale, et, qui sous l'administration française était redevenu un paysan. Bien qu'ayant choisi librement cette vie, il ressentait le traitement des nouveaux dignitaires africains de l'administration française comme une offense. De nombreux faits qui lui étaient familiers lors de la colonisation allemande, lui paraissaient maintenant exagérés. Mômha n'avait que des propos durs pour ces fonctionnaires autochtones qui étaient liés à l'administration française tout comme il l'avait été à l'époque à l'administration allemande : "Les Blancs et les fonctionnaires indigènes formaient la classe supérieure. Il fallait leur obéir, faire des courbettes, être obséquieux." (p. 212)

Si l'on compare ces remarques à celles que notre protagoniste faisait lors de son service auprès des Allemands, on constate l'ironie acerbe : les Africains doivent flatter les Français pour arriver à leurs buts. Ce sont eux qui doivent se mettre à un niveau inférieur et s'humilier de manière à ce qu'ils deviennent "obséquieux" (cf. p. 212).

Le narrateur ne parle que peu du travail forcé. Ce sujet étant traité plus en détail dans deux autres romans que nous analyserons par la suite, nous nous limitons à n'en donner qu'un élément. Mômha évoque la nécessité de ne rien faire apparaître de ce qu'on vivait pendant la période des travaux forcés. "Rentré du chantier, il ne fallait point parler de la vie qu'on y menait, car les prisons de l'indigénat étaient toujours ouvertes pour recevoir les indiscrets." (p. 212)

2-2.6. LES RAPPORTS ENTRE LES AFRICAINS ET LES EUROPEENS

Dans le chapitre huit, le dernier du livre avant l'épilogue, le narrateur évoque la problématique des rapports entre la population noire et la population blanche. Les phrases citées ci-dessous lui servent à exprimer toute l'humiliation que ressent l'Africain affligé.

Pourquoi nous maltraite-t-on? Quel est notre tort? Qu'avons-nous fait au juste? Est-ce un crime que d'être Noir et de naître en Afrique? (...) Nos premiers maîtres n'étaient pas capables de telles bassesses. Ils ne nous insultaient pas. Ils nous éduquaient, nous élevaient comme leurs propres enfants. (...) Nous en avons assez d'être humiliés, d'être battus comme des chiens, d'être, sans jugement, jetés en prison. (...) Naître Nègre ne devrait pas être une honte. (...) Nous avons les mêmes qualités intellectuelles (...). Mais c'est vraiment dommage qu'on se prétende tant supérieur à nous! (p. 224)

Cette citation exprime l'ambiguïté des relations entre les Noirs et les Blancs, les insultes auxquelles la population africaine était exposée et la différence de traitement de l'administration coloniale allemande par rapport à l'administration coloniale française. Pourtant, cette appréciation d'une différence renvoie de nouveau au passé glorieux auquel le narrateur participait dans une position élevée, supérieure à son statut social pendant la colonisation française. Or, selon la voix narrative la prétention des Européens d'occuper un statut social supérieur était commune aux deux administrations coloniales. Ce constat amène notre narrateur à insister sur le caractère humain des deux races, sur l'égalité de leurs qualités intellectuelles et de leurs aspirations morales. Le message qu'il veut faire passer au lecteur est ainsi de communiquer des convictions morales qu'il a pu, lui-même, déduire de ses expériences.

2-2.7. LE CHANGEMENT A L'APPROCHE DE L'INDEPENDANCE

Finalement, les années qui suivirent la deuxième guerre mondiale annoncèrent un changement dans les rapports sociaux. Le Cameroun venait d'avoir son premier député à la Chambre des députés à Paris. Celui-ci promit à la population de travailler à l'abolition du travail forcé et de l'indigénat. En effet, quelques mois après son élection, la décision de la suppression de ces deux pratiques fut annoncée. La population s'en réjouit et commença à comprendre que les représentants africains pouvaient dorénavant agir pour un mieux-être de la population. Le rapport de force décrit au début du livre commençait à se modifier et permettre l'apparition d'une opposition des Africains contre certaines pratiques jugées "inhumaines".

Quant au narrateur, un homme estimé au sein de son village, il augmenta encore sa renommée. Il suggéra à l'administrateur français l'élection d'un nouveau chef. L'administrateur tomba d'accord avec lui, et, lors des élections suivantes, un personnage que notre protagoniste appréciait et avec qui il voulait travailler se présenta. Après une bonne campagne électorale, ce candidat fut élu avec une forte majorité. Mômha fait alors savoir au groupe qui l'entoure, et, ainsi, également au lecteur : "Aujourd'hui, je suis son conseiller. Il ne peut prendre aucune décision sans m'avoir consulté. Tout le village est content de lui." (pp. 236-237)

Notre narrateur s'arrangea, finalement, avec les institutions françaises et participa à l'administration du village avec un autre personnage dont il devint le conseiller. Mômha nous fait, ensuite, savoir que le temps de la "démocratie" avait commencé. L'administrateur français venait dorénavant demander à la population ce qu'elle désirait, et, celle-ci lui répondait qu'elle avait, par exemple, besoin d'un dispensaire. L'administrateur promettait alors d'en faire la demande au chef de région. De plus, il rassurait les paysans en leur parlant des crédits que l'administration française avait l'intention d'accorder aux plus méritants. A la fin du livre, l'auteur ne peut s'empêcher de critiquer une dernière fois le pouvoir colonial : "(...) c'est lui qui a fait ruiner cette campagne. Le pays était beau, riche et prospère. Il y avait de tout. Ses chantiers ont tout broyé. Nous ne sommes plus que de pauvres gens à présent." (p. 239) L'administrateur français réplique : "Soyez tranquilles (...). Vous serez heureux. Travaillez. Cultivez votre terre." (p. 239)

Et le narrateur conclut :

Bref, voici en résumé ce qu'a été ma vie jusqu'à ce jour. Vous n'ignorez plus rien de moi, donc de ma génération. (...) J'ai été objectif. Je n'ai rien changé, rien dénaturé, car c'est un document qui doit servir à l'Histoire. Oublions tout ce que nous avons souffert. L'histoire humaine est ainsi faite. Des lendemains radieux nous attendent, j'espère. (p. 240)

2-2.8. CONCLUSION : LA COLONISATION SELON LA PERCEPTION D'UN AUTOCHTONE

Le livre d'Ikelle-Matiba relate la vie d'un Camerounais ayant vécu deux régimes d'administration coloniale différente, situation qui lui permet de les comparer. Cependant, l'assimilation active des valeurs liées à la colonisation allemande, lui fait apercevoir l'administration française d'un point de vue non seulement africain, mais teinté d'appréciations venant d'une idéologie et d'un système de valeurs étranger au sien. Nous sommes confrontés à un personnage qui, à travers ses paroles, révèle tout ce qu'il a assimilé des valeurs allemandes, et ceci, à un tel point, qu'il n'arrive plus à considérer certaines notions et conceptions françaises autrement que d'un point de vue "allemand". La voix narrative, et avec elle l'auteur, nous expliquent l'origine de ce comportement dans la première partie du livre où Mômha décrit les caractéristiques principales de l'administration allemande et la vie qui en découlait.

Ce récit est intéressant dans la mesure où il nous fournit une multiplicité d'appréciations sur l'autre, le colonisateur et ses institutions spécifiques. Nous retrouvons dans le livre le point de vue du **colonisé**, même si nous sommes quelquefois obligés d'admettre que la grille d'interprétation de l'auteur repose sur des critères liés plus au moins à une de ces deux puissances coloniales. La description de ces régimes coloniaux nous offre de multiples points de comparaison, mais elle nous fait apercevoir aussi le caractère idéologique de l'oeuvre coloniale. Le narrateur est imprégné de certaines valeurs considérées comme typiquement allemandes et en fonction de ces valeurs, il juge le régime suivant. Seule une analyse fine nous permettrait de déceler le spécifique du singulier, le trait général du trait particulier. L'auteur traite beaucoup de phénomènes différents et l'image qu'il évoque ne permet pas toujours de voir de manière distincte les différentes institutions. La problématique de l'oeuvre littéraire en tant que description d'une réalité sociale réapparaît. Les phénomènes qui sont décrits semblent souvent banals. Ils interdisent une interprétation globale cohérente. Il s'agit d'une peinture d'une réalité sociale que même l'auteur et avec lui, le moi narratif à l'époque avaient des difficultés à saisir. Ces difficultés d'interprétation se trouvent multipliées par les effets liés au genre du récit de vie. Une interprétation d'un point de vue anthropologique révèle que certains traits pertinents sont plus liés au personnage qui raconte son histoire personnelle qu'aux événements qu'il évoque. L'ensemble des faits rassemblés constitue cependant un corpus se singularisant par son point de vue de **colonisé** de l'époque face aux deux administrations coloniales. La multiplicité des événements et des opinions rapportés fait apparaître des dimensions que seuls les Africains sont capables de décrire. Reste à conclure que ces remarques illustrent la quotidienneté de certaines actions, sans pour autant les décrire de manière exhaustive.

2-3. Henri-Richard Manga Mado : "COMPLAINTES D'UN FORCAT"

2-3.1. LE TRAVAIL FORCE SOUS L'ADMINISTRATION COLONIALE FRANCAISE

Le livre du Camerounais Manga Mado[15] nous présente quelques aspects de l'institution du travail forcé pendant l'administration française au Cameroun. Les éléments les plus significatifs de ce travail et leurs effets néfastes pour la population autochtone sont évoqués. Le livre nous révèle plusieurs aspects de ces travaux vus du côté du **colonisé** que seuls les chiffres de la mortalité élevée pouvaient faire imaginer.[16] L'ouvrage se comprend en tant que description du vécu quotidien de ces travailleurs pendant la période coloniale couvrant les années 20 jusqu'aux années 50 de ce siècle, des procédures de recrutement, de la vie dans les camps, des plans d'évasion et de la peur constante de la mort. Certes, ce roman illustre de façon poignante ces différents aspects, mais il révèle aussi que la vérité littéraire retrouve et retrouvera une image typique et différente de la réalité sociale, spécifique au genre romanesque. Pourtant, ces descriptions nous aident, peu à peu, à comprendre ce qui se passait lors de l'époque coloniale du point de vue du **colonisé**. Elles nous fournissent la vision africaine d'un genre de travail très répandu lors de la colonisation française.

Dans la préface du livre, l'auteur nous communique les buts et les intentions qui sont à l'origine de cet ouvrage. Comme dans les deux livres précédemment analysés, l'auteur considère son roman comme un témoignage historique d'une époque révolue. Et il dédie ce livre :

> (...) aux générations présentes et futures qui n'ont pas connu ce que fut le colonialisme avec son indigénat, son travail forcé, sa discrimination. Notre lutte pour l'abattre n'aura pas été inutile. (p. 5)

Dans une des pages suivantes, il nous informe de manière plus détaillée :

Ce que vous allez lire n'est qu'un aperçu de l'existence que menèrent nos pères et mères pendant la longue époque de la colonisation. (p. 7)

2-3.2. LA PREMIERE PHASE : LES TRAVAUX D'INTERET COMMUN

Le livre débute par la description d'une réunion entre les chefs du pays et le Major Dominik, Français et nouveau maître du pays. Cette prise de contact donne lieu à une demande de mise à disposition de travailleurs pour la construction d'un chemin de fer. L'auteur nous informe :

Et le premier point à l'ordre du jour était, en dehors de la discipline et de l'obéissance aux nouveaux venus et à leurs lois, la continuation sans délai de la construction du chemin de fer dont les travaux avaient été suspendus près d'Eséka au départ des Allemands. (p. 11)

Les chefs, une fois retournés dans leur village, en parlèrent à leurs sujets. Ce travail, déjà vécu pendant la colonisation allemande, avait alors causé beaucoup de morts. Pendant l'administration française, nous fait savoir Manga Mado, la mortalité était également très élevée et sur trente hommes valides, "(...) quatre seulement étaient revenus, les vingt-six autres y ayant trouvé la mort." (pp. 11-12)

Pourtant, l'arrivée des Français avait créé l'espoir d'un traitement plus favorable des villageois. Mais ceux-ci étaient obligés de constater que :

Alors que, dans les villages, naissait l'espoir que les nouveaux venus nous laisseraient un peu de répit, eux aussi, comme leurs semblables, apportaient leur cohorte de tribulations. Nous dûmes ainsi reconnaître que, décidément, "le Blanc était le même", qu'il fût Anglais, Français ou Allemand. (p. 12)

Ainsi, les Camerounais devaient là-encore participer à des travaux d'intérêt commun. En plus, l'administration française imposa "(...) à chaque chef un quota pour la fourniture d'hommes valides destinés au "Balaton"." (p. 12)

Le camp appelé *Nya-Nkomba* au Cameroun était considéré comme un camp "de la mort". Le moi narratif évoque l'autorité traditionnelle et la pression de la famille, qui l'obligeaient à accepter les travaux forcés. Il nous révèle que son oncle venait d'être désigné chef. Déjà sous la colonisation allemande, il exerçait cette fonction et

(...) pour témoigner de son zèle, de son dévouement et de son attachement aux nouveaux maîtres, il voulait se montrer à la hauteur de sa tâche. Son quota s'élevait à quinze hommes. Notre désignation ne provoqua pas de grands palabres. (p. 13)

Et le narrateur poursuit :

Mon oncle nous conduisit lui-même à la "Subdivision", nous fit inscrire et nous mit à la disposition de l'Administrateur en nous recommandant de ne pas prendre la fuite et d'éviter de lui causer des ennuis. (p. 13)

L'administrateur français, persuadé de la supériorité de ses compatriotes sur les Allemands, assura les Africains que son pays, malgré les punitions que l'administration française infligeait quelquefois,

(...) fut le champion de la liberté, de la justice et de la fraternité. Nous serions heureux un jour, nous promit-il, une fois achevé le travail pour lequel nous étions appelés, d'emprunter le train qui devait rouler sur la voie en construction, et il en appela à notre conscience et à notre propre intérêt. (p. 14)

Arrivé sur le lieu du travail, le chef de circonscription tint un discours à l'égard des nouveaux venus :

(I)l commença par nous faire des menaces, abreuvant d'avance d'injures qui essayerait de s'enfuir du chantier où nous serions envoyés. Il déclara que le travail que nous allions accomplir était dans notre propre intérêt et dans celui des générations futures. Selon ses dires, on était même encore trop généreux à notre égard, puisque notre rendement, somme toute insignifiant, serait payé en argent. (p. 16)

Ce camp, connu pour les crimes contre les Noirs qui y furent commis, était aussi appelé *Ndjock*. Chez les Camerounais, cet endroit évoquait :

Tout d'abord, la mélancolie qui vous ravageait l'âme au contact de ce coin de terre ; ensuite, l'humiliation que vous faisait subir le traitement inhumain du Blanc ; la mort enfin, qui vous hantait. (pp. 16-17)

Pour la population, ceux qui revenaient après six mois de travail forcé avaient démontré leur courage et leur force physique. Au village, auprès des leurs, ils pouvaient ensuite retrouver leur vitalité perdue. Puis, l'auteur nous informe que cet endroit fut souvent évoqué par les chroniqueurs et les auteurs comme un "(...) immense cimetière qui engloutit tant de fils vigoureux des tribus de l'intérieur." (p. 17)

Dans la suite du roman, le narrateur décrit une scène quotidienne du travail dans ce camp :

(F)reiner un wagonnet en introduisant un bâton entre les rayons d'une roue - arrière ou avant - passe encore, mais stopper le même wagonnet chargé (...), quand il a (...) brisé ce bâton (...), cela dépassait l'entendement et il était quelquefois indispensable de se sacrifier en faisant frein de son propre corps, pour l'empêcher d'aller heurter le wagonnet précédent et éviter une collision en chaîne qui provoquerait la mort des conducteurs des autres wagonnets.

Ainsi, le moindre relâchement de l'attention de la part d'un seul homme pouvait devenir fatal à tout un groupe de travailleurs. (p. 18)

Cette description fait ressentir le sentiment d'impuissance des Africains face à un travail qu'ils ne contrôlaient guère, et - ici apparaît l'aspect macabre de ce genre de travail -, impliquant éventuellement le sacrifice de leurs propres vies. Néanmoins, il faut tenir compte que ces faits se déroulèrent au milieu des années 20 de ce siècle où la protection syndicale des travailleurs africains était pratiquement inexistante. Ils dépendaient de leurs maîtres jusqu'au point de risquer à chaque instant leur vie.

Le soir on rentrait tout crotté et à bout de forces, et six jours sur sept pendant six mois durait ce tourment d'enfer. Si on s'était contenté de les réduire au servage sans leur infliger l'indigne traitement de la chicotte, les travailleurs auraient été soulagés, mais être obligé de subir des coups chaque fois qu'on trébuchait, de chanter malgré les tribulations, se révélait une épreuve au-dessus des forces humaines.

(O)n nous obligeait parfois à nous baigner dans un ruisseau proche. Malgré cela, la santé du corps cédait progressivement le pas à la maladie. (p. 19)

En comparant ces travaux au servage, le narrateur fait apparaître des parallèles. Dans les deux cas, les conditions de travail épuisaient les hommes de manière à ce qu'ils leur restent comme seul refuge possible la maladie du corps. A côté de ces travaux éprouvants et durs, les travailleurs devaient supporter le traitement à la chicotte dès qu'ils montraient la moindre défaillance. Chose pire encore, ils étaient obligés de chanter pendant le travail. Bien qu'il s'agisse d'une tradition typiquement africaine accompagnant la plupart des travaux champêtres, ces chansons révèlent la contradiction inhérente à ce genre de travail : d'une part, les Africains étaient obligés de travailler d'une façon telle que ces travaux n'avaient plus rien à voir avec un travail considéré comme normal dans la plupart de leurs pays à l'époque, et, d'autre part, ils devaient chanter selon une tradition africaine, en accompagnant ainsi des travaux qu'ils détestaient. Que l'association de la chanson à ce genre de travail dépasse leur force humaine, leur force psychique de même que leur force physique devient évident. Comment un être humain peut-il combiner deux aspects complètement incompatibles selon sa compréhension morale sans tomber malade? Même le fait de se résigner ne facilitait guère les difficultés liées à ces situations inhumaines. On comprend donc mieux la peur des Africains devant ces travaux où régnait un régime arbitraire difficile à imaginer. Le narrateur continue dans cette description de la vie des camps :

Pas une seule fois, durant mon séjour au Balaton, je n'ai vu un Blanc nous empêcher d'être battus. Il semblait au contraire qu'ils prenaient tous un malin plaisir à voir un Noir en battre d'autres. Cette autorité indirecte était leur force sur nous. A la moindre faute, ils ne s'en prenaient jamais directement aux travailleurs mais au chef d'équipe qu'ils corrigeaient de leur main et devant nous, pour lui apprendre, disaient-ils, à faire avancer le travail et à mieux se servir d'une chicotte. (pp. 19-20)

On comprendra ainsi sans difficulté qu'à la suite de ces traitements beaucoup d'hommes moururent d'épuisement, de l'absence de soins, ou encore, d'un découragement psychique que rien ne pouvait empêcher. L'auteur affirme : "Les décès avaient lieu à la cadence d'un à la minute." (p. 22) Et il ajoute :

Sur les quatre cent cinquante personnes qui étaient parties de Koa, soixante seulement restaient en vie ; encore fallait-il soustraire de ce nombre les blessés graves qu'on évacuait sur Yaoundé. En tout cas, au terme de nos six mois de travail forcé, nous n'étions plus que trente-huit à pouvoir reprendre allègrement le chemin du retour. (p. 22)

La description du traitement infligé par les Européens continue:

Non seulement ils nous maltraitaient par le supplice du fouet, mais ils profitaient encore de la moindre incartade pour diminuer notre salaire de misère. Heureux était celui qui percevait cinq francs à la fin du mois! Le salaire auquel nous arrivions habituellement variait entre deux francs cinquante et trois francs. (p. 23)

Dans ces conditions, il n'était pas étonnant que les travailleurs imaginent des plans d'évasion. Mais l'évasion impliquait de nombreuses difficultés à surmonter. L'administration française avait introduit la nécessité d'être en possession d'un laissez-passer pour traverser les régions, et, elle avait demandé la participation des chefs aux poursuites éventuelles des hommes évadés. L'ensemble de ces mesures "(...) rendait (ainsi) l'issue en grande partie tributaire de la chance." (p. 25)

Etre rattrapé par les gardes et les policiers, signifiait la ligotte et la chicotte "(...) jusqu'au sang" (p. 25). Les travailleurs ainsi traités étaient, ensuite, renvoyés au travail forcé sous surveillance renforcée.

En ce qui concerne le moi narratif, la fin de son séjour au camp s'approche. Il reçoit son salaire, se sent soulagé, mais, en même temps, n'ose pas trop croire à cette situation nouvelle, ni avoir trop d'espoir. La soumission complète, l'absence d'initiative, l'acceptation passive de leur sort permettait aux travailleurs d'arriver au bout de ce temps passé au camp. L'ensemble des mesures avait laissé leurs traces. Ceci oblige le moi narratif à constater :

Un instant, je ne crus pas mes yeux de me retrouver libre et, avant de regagner ma cabane, j'éclatai en sanglots au souvenir de tous ceux qui étaient morts. (p. 27)

Pendant les mois passés à exécuter le travail forcé, une retenue de deux francs cinquante était prélevée sur le salaire des travailleurs. Cependant, bien que l'administration française les eût prévenu que cette retenue leur serait restituée à la fin de leur séjour au camp, les travailleurs ne recevaient que huit francs. Et le narrateur conclut : "Nul n'osa réclamer la différence." (p. 28)

Les blessés et les malades furent à cette occasion évacués vers l'hôpital. Selon l'auteur, la raison de cette procédure était simple : "En réalité, le Commandant craignait simplement que les plaies fassent une mauvaise impression dans nos villages et révèlent la véritable physionomie du traitement qui nous était infligé à Ndjock." (p. 28)

2-3.3. LA DEUXIEME PHASE : LES ACTIVITES D'EXTRACTION DES MATIERES PREMIERES

Le deuxième chapitre du livre est consacré au camp *Nangbada*, dépendant de Bétaré-Oya. L'auteur reprend le sujet du travail forcé, mais, cette fois-ci, en insistant sur un autre domaine : la fourniture des quota de caoutchouc. La période approximative de ce genre de travail décrit dans le roman devrait se situer entre le début de la deuxième guerre mondiale et quelques années après cette guerre. L'auteur nous informe :

Le différend entre les Blancs qui avaient commandé nos pères et ceux qui occupaient actuellement le pays avait rebondi. Deux saisons sèches après la déclaration de guerre entre tribus blanches ennemies, la patrie de nos occupants était à son tour conquise et occupée. (p. 31)

De multiples genres de travaux plus ou moins obligatoires furent créés. Et l'auteur souligne :

A la vérité, notre effort était déjà grand, trop grand même. Non seulement les villages se vidaient de leurs adolescents que les maîtres du jour enrôlaient dans les rangs des tirailleurs, mais aussi chaque écolier était tenu de donner un franc pour l'achat des "spit fire". Et le peu qui restait encore d'hommes valides était astreint à donner au commandant blanc de Nanga-Eboko quinze kilos de sève récoltés sur les hévéas sauvages. Il fallait aussi trouver des prestataires pour les travaux d'intérêt local : pistes, cacaoyères, hygiène urbaine, construction des bâtiments administratifs, etc... (p. 31).

Cette vie difficile à supporter à cette période de l'histoire de la colonisation était donc fui par de nombreux Africains. Les issues possibles étaient les écoles, les professions de "garde-milicien" et de "boys" des Blancs "(...) ultime recours pour échapper à la condition indigène." (p. 32) Les affronts de la première période du travail forcé avaient changé de forme. Dorénavant, les Africains cherchaient délibérément à quitter leur milieu coutumier pour l'échanger contre une vie respectant certains critères liés à l'univers social des Européens. Ainsi, les contraintes liées aux prestations étaient beaucoup plus ressenties en milieu rural, car c'était ici où les parents et les Anciens pouvaient user de leur influence afin d'obliger les jeunes à exécuter des travaux qui, pour ceux-ci, signifiaient souvent une tâche trop lourde et presque toujours accompagnée du risque de trouver la mort. La fourniture des quota de caoutchouc donne de nouveau à l'auteur l'occasion de montrer le caractère de "maîtres" des administrateurs français :

Tous les hommes valides du groupement devaient, ce jour-là, fournir leur quota de caoutchouc. Il était entendu que celui qui ne remplirait pas son quota serait non seulement battu, mais frappé d'une amende et conduit pour quinze jours de prison en ville. Ce ne fut donc pas une surprise pour moi de voir dans cette fraîche matinée, des gens attachés la corde au cou et accroupis comme des prisonniers de guerre. Il y en avait qui gémissaient, qui hurlaient, qui imploraient, et d'autres plus courageux, que les fréquents coups des messagers laissaient de marbre. (p. 43)

Et le narrateur continue : "Que notre caoutchouc soit fourni de gré ou de force, il était tout de même acheté à trois francs le kilo. En arrondissant, les cent cinq francs qui nous revinrent représentaient une fortune." (pp. 43-44)

Les travaux obligatoires étaient ainsi devenus moins pesants, même si le narrateur se plaint encore de leur caractère particulièrement contraignant. Dorénavant, l'administration française fournissait aussi des travailleurs à différentes entreprises. On demandait aux gens de bien travailler et aux nouveaux maîtres la consigne fut donnée de "(...) veiller sur nous et de bien nous traiter". (p. 66)

Les premières périodes de la création des chemins de fer, des routes, des bâtiments administratifs, et, de fourniture des matières premières souvent pénibles à extraire, avaient été suivies d'une période où les Africains étaient destinés à exécuter des travaux souvent moins durs. Le narrateur nous décrit dans la suite du roman la procédure de l'embauche liée à ce genre de travail.

Après ce discours, le directeur auquel nous étions attribués nous embarqua dans ses propres camions et le voyage se poursuivit jusqu'à sa Direction. Répartis entre les directeurs, nous fûmes à nouveau répartis entre les camps de chaque Direction, ces camps de travail qui étaient le terme de notre voyage et dans lesquels allait s'accomplir la tâche pour laquelle nous avions été "enlevés". (pp. 66-67)

La voix narrative et certaines personnes, également originaires de son village, furent, ensuite, affectées au même camp. Après l'arrivée à l'endroit de destination, la distribution des logements eut lieu.

Par logement il faut entendre une case d'une chambre en chaume où devaient loger cinq à six personnes. (...) Après les logements eut lieu la distribution de la ration. On nous apprit (...) que nous serions ravitaillés deux fois par semaine et que la ration complète consistait grosso modo à six kilos de farine de yombo (manioc), un demi-kilo de viande, un peu de sel dans une boîte de tomate et de l'huile dans une autre boîte de pilchards. On y trouvait aussi un morceau de savon une fois par mois. Enfin l'inévitable distribution des outils de travail clôtura notre journée d'arrivée. (p. 67)

Le jour suivant, ce que l'auteur appelle le "travail forcé" de l'époque, commença. Il nous en fournit une description détaillée :

Ce dernier commençait habituellement à quatre heures du matin. Nous fûmes réveillés, selon la coutume de l'endroit, au son du tam-tam. Deux policiers avaient mission de nous faire lever à la chicotte et de nous aligner devant le chef du camp qui nous attendait déjà dehors avec sa lampe "Aida". Après l'appel et le pointage, on nous dirigea vers nos chantiers respectifs. (p. 67)

La journée de travail se déroulait habituellement de cette manière :

Durant les six jours de la semaine on était ainsi astreint à vivre sous la férule, la chaleur et bien d'autres peines. Le soir, quand on rentrait épuisé au camp et qu'on se retrouvait devant la perspective de passer ainsi vingt-quatre mois d'une vie de forçat, on mijotait sans trop y croire quelque plan d'évasion.
Vraiment, pensions-nous, seule la volonté du ciel nous permettrait de survivre à cet enfer ; la chair était trop faible pour y échapper toute seule... (p. 69).

Mais la fuite que les travailleurs imaginaient n'était pas aussi simple que l'on croyait. Les cartes d'identité et d'affiliation étaient conservées au bureau du camp. De plus, l'information sur l'évasion était immédiatement envoyée à Bétaré-Oya qui la transmettait à son tour à la subdivision d'origine des fugitifs. L'auteur nous décrit ce qui pouvait arriver, en cas d'évasion :

Si au bout de trois jours de recherches, vous n'étiez pas retrouvé et si par malheur vous vous faisiez attraper chez vous avant d'être passé en Oubangui-Chari, (...), ou en zone anglaise du Cameroun, votre sort était horrible. En plus de toutes les peines que vous auriez à subir, vous étiez obligatoirement refoulé vers votre camp. Ceux qui réussissaient leur évasion étaient vraiment des as. Il fallait éviter de se faire remarquer, emprunter des chemins impossibles, marcher le plus souvent de nuit, avec tout ce que cela comporte de privations, d'ennuis et de dangers. (pp. 74-75)

Dorénavant, les travailleurs recevaient des salaires pour leurs travaux. Au début, ils étaient de 15 francs par mois, ensuite, ils passèrent à 25 francs, avant d'atteindre 50 francs. Cependant, pour obtenir cette somme, il fallait travailler de façon régulière et ne pas être en retard pendant le mois entier afin d'"(...) éviter les retenues que nous redoutions tous." (p. 75)
Cependant, le narrateur nous affirme qu'à cette période de l'histoire du travail salarié de son pays, les travailleurs étaient, malgré tout, dans une certaine mesure heureux.

Le dimanche, après les prières, les danses de chez nous battaient leur plein. On dansait jusqu'au soir, et ses réjouissances atténuaient quelque peu les peines de notre existence. Ces jours-là le moral remontait et l'atmosphère de chez nous nous faisait revivre et oublier les tribulations de la semaine. (p. 75)

Pourtant, les abus des administrateurs français existaient et se manifestaient, par exemple, dans le fait de prendre les femmes des travailleurs comme compagne d'une nuit, au moment où celles-ci venaient passer quelques jours auprès de leurs maris, fait qui, en principe, était interdit. Le narrateur se révolte dans un petit poème contre son propre sort. Sa femme fut une de ces victimes. Et il déclare :

J'étais encore battu pour
    avoir regardé ma femme
    et recourbé la tête...
Puis ce fut le silence
    le silence de la soumission
    le silence de la force
    le silence de l'oppression (...). (p. 89)

A cette époque, même les chefs risquaient des traitements sévères : si un chef devait fournir cinquante hommes, mais, que par exemple, il ne pouvait en rassembler que trente-six, le garde qui s'occupait de la surveillance était mécontent. Et le chef était battu :

Au milieu de ses femmes,
    de ses sujets valides
    ... chez lui.
Sa dignité, tu parles!
Le chef n'était plus qu'un pauvre type
    ... comme vous. (p. 90)

En tant que dignitaire local et représentant de l'autorité française, le chef devait répondre à toutes les exigences de cette même administration à laquelle il appartenait, et il risquait, à défaut, d'être traité comme n'importe quel autre Africain.

2-3.4. LA TROISIEME PHASE : LES PLANTATIONS

Dans le chapitre intitulé *Dizangué*, un autre aspect du travail forcé est décrit qui, selon l'auteur, concernait les travailleurs africains jusque vers les années 50. Il s'agissait de travaux à entreprendre dans les plantations, et donc de métiers comme ceux de défricheurs, de troueurs et d'abatteurs. Les travaux concernant l'abattage des arbres qui, en Afrique tropicale, peuvent avoir des troncs énormes, causaient le plus de morts. Etant donné que ce genre de travail était inconnu des travailleurs, plusieurs hommes essayaient, sans se rendre compte des dangers qu'ils couraient, de couper le tronc de différents côtés. Ceci avait pour effet que, faute de surveillance et faute d'attention de la part des travailleurs et des gardes, plusieurs d'entre eux étaient écrasés par ces arbres. Leurs corps étaient, ensuite, jetés dans le fleuve. Et le narrateur nous signale :

> On pouvait se demander combien de personnes trouvaient ainsi la mort dans toute l'étendue de la plantation de Dizangué. (...) Le troisième soir, on eut pour nous quelque égard ; en effet on nous distribua des vivres. Chacun reçut, pour sa ration hebdomadaire cinq bâtons de manioc, une certaine quantité de macabos, deux gobelets d'arachides, trois cuillerées de sel, et quelques centilitres d'huile de palme. (...) Nous étions condamnés à deux ans de ce traitement, toute tentative d'évasion était sévèrement réprimée, et la punition exécutée devant nous tous : l'évadé était battu jusqu'au sang. (p. 102)

Dans la suite du roman, la voix narrative nous affirme qu'il n'y avait que deux possibilités ouvertes aux travailleurs : soit être un homme capable de travailler, soit un cadavre. La maladie n'était pas admise et "(...) la chicotte rappelait à l'ordre et obligeait à prendre les outils". (p. 103)

Et l'auteur continue : "C'est ainsi qu'à la cadence de 7 à 10 par jour périrent bon nombre de travailleurs. Quant aux blessés graves que guettait déjà la mort, personne ne se souciait d'eux." (p. 103)

Cependant et avec le temps déjà passé au camp, les travailleurs commencèrent à s'habituer à ce genre de vie. Le narrateur continue à se plaindre et nous signale que cette acceptation d'une forme de travail nouveau était basée sur une résignation silencieuse. "Nous comptions déjà 6 à 8 mois de cette existence intenable et malheureuse." (p. 104)

Finalement, notre protagoniste est nommé "chef d'équipe". Dorénavant, il doit s'occuper d'une cinquantaine de travailleurs. Les nouvelles tâches qu'il doit accomplir, constituent pour lui une "corvée de plus" :

> (...) je devais en effet veiller à ce que tous mes hommes fissent un travail exemplaire, je devais conjurer toute tentative d'évasion, faire en sorte que mon équipe ne connût pas de malades, bien exercer ma main à tenir la chicotte de rigueur, et m'en servir pour faire obéir mes camarades défaillants... (p. 104).

Deux mois avant la fin de cette période de travail forcé, le narrateur réussit finalement à s'enfuir. Des années d'errance sur la côte d'Afrique jusqu'à Accra s'en suivent. Au terme de la cinquième année de son exil, le narrateur apprend la mort de sa première femme. Dix ans plus tard, il reçoit une lettre d'un cousin lui signalant que le pays est dorénavant libre et "(...) que les mauvais traitements d'antan avaient disparu". (p. 117) Ce dernier lui propose alors de regagner son village. Cette nouvelle inattendue sert à notre héros d'occasion pour réfléchir sur sa vie :

> Avec une poignante mélancolie, je passai en revue toute ma jeunesse, ma captivité à Dizangué, et songeai à mon village,
> > à mon épouse morte,
> > à ma mère morte,
> > à mes enfants orphelins,
> > aux lieux de mon enfance ...
> auprès desquels les mots d'"indépendance" et d'"ambassadeur" étaient comme vides de sens. (p. 118)

Il décide alors d'aller voir l'ambassadeur de son pays pour lui demander de se faire rapatrier. Et il continue :

> De toute manière, même si je devais être encore victime d'une tracasserie

supplémentaire, mon devoir me commandait de rentrer chez moi et de m'y établir tant que j'avais encore des forces. (p. 118)

Un matin, finalement, il arriva au village où s'étendait maintenant la brousse, et, où un seul homme vivait encore, qui se révélait être son fils âgé de 35 ans.

A cet instant, l'auteur entame une lamentation sur le sort des Noirs :

> O Dieu de miséricorde!
> Qu'avaient fait les miens,
> Qu'avait fait ma tribu
> Devant ta grâce ?
> Quel crime avions nous commis?
> Si grave fût-il
> Pourquoi n'avions-nous pas bénéficié
> De ton absolution?
> Une tribu est anéantie!
> Celle dont les héros sont légendaires,
> Celle dont l'histoire est bien connue,
> Cette tribu est bien partie ;
> Punie ... ?
> ....
> Je ne le pense pas.
> Car si les hommes ont passé,
> La Terre, elle, est restée.
> Elle rappelera toujours
> Les crimes odieux
> De ceux qui nous ont apporté
>   civilisation,
>   christianisme,
>   exploitation,
>   répression.
> Ceux-là périront d'eux-mêmes. (pp. 119-120)

Ce cri de révolte se passe de commentaires. Il exprime toute la souffrance qu'un Africain peut ressentir face à un destin qu'il ne comprend guère et qui le fait affronter des situations qu'il ne maîtrise plus.

Son fils, avant de le saluer, se présenta, en lui disant que son père avait été envoyé au travail forcé pendant "le règne des

Blancs", et qu'il supposait qu'il était décédé, ainsi que ses cinq frères, jamais revenus au village. La dernière phrase du livre résume l'humiliation que notre protagoniste éprouva face à cette constatation de son fils sur un destin probable : "Baissant la tête, je lui révèle que son père c'était moi." (p. 120)

2-3.5. CONCLUSION : LE COLONISE ET LE NOUVEAU SYSTEME DE TRAVAIL

L'auteur nous décrit dans ce roman trois phases différentes de l'institution du travail forcé au Cameroun. Les personnages à qui l'auteur fait raconter leur propre vie ne se révèlent pourtant pas être les mêmes. Le rapport entre eux est lié au fait qu'étant de générations différentes, ils ont vécu chacun une de ces trois époques de travaux forcés, et ceci, à des endroits différents. Cette description littéraire d'une réalité sociale semble correspondre à la situation particulière du Cameroun d'une époque où beaucoup d'entreprises étaient implantées et où le système de grandes plantations avait été introduit. Ce fait entraînait une participation massive des autochtones à l'économie de la colonie.[17]

Même si cette description littéraire choque au premier abord, il semble que la réalité sociale n'en était pas aussi éloignée que le texte peut le laisser paraître à celui qui n'est pas informé des activités économiques au Cameroun de l'époque. Une comparaison des arguments de l'écrivain avec ceux de l'historien Camerounais Kaptué (1986) révèle qu'il s'agit, en effet, d'une particularité liée à ce pays. Nous présumons donc que cette description littéraire montre seulement quelques-uns des aspects du système de travail dans d'autres territoires francophones. Le but de l'auteur est atteint dans la mesure où la brutalité des travaux sous l'administration coloniale, la situation catastrophique dans ces camps et les taux élevés de mortalité sont décrits de manière à émouvoir le lecteur et à le rendre plus sensible au phénomène du travail forcé. La situation générale de ces travaux est présentée, sans qu'on puisse pour autant prétendre que l'ensemble des faits décrits existait réellement au

Cameroun et dans d'autres régions de l'Afrique francophone de l'époque.[18]

Ce livre sert de témoignage dans la mesure où il décrit le point de vue d'un Africain qui arrive à communiquer ce vécu social et ses aspects particuliers, et à créer un sentiment de révolte contre une institution dont l'Européen comme l'Africain ne connaissaient pas toujours l'ensemble des abus. Le caractère arbitraire de ces travaux devient évident, et, également, son inhumanité, la perception des Noirs en tant que personnes destinées à un genre de travail que l'Européen ne pouvait et ne voulait pas faire. Ainsi, on abusait de la force physique de ces hommes et on leur faisait subir des conditions de travail que les travailleurs européens ne connaissaient plus, pour la plupart d'entre eux, à l'époque concernée. Les Africains de cette époque pouvaient ainsi servir d'instrument pour atteindre les buts de l'administration coloniale qu'ils ne comprenaient guère et contre lesquels, à l'époque prise en considération, ils n'avaient aucun moyen de se défendre ou encore de se protéger. Dans ce sens, le roman peut à juste titre être considéré comme une chronique du travail forcé qui se base sur des événements historiques, mais fait également appel à l'imaginaire pour renforcer le message que l'auteur veut transmettre.

2-4. Olympe Bhêly-Quénum : "UN PIEGE SANS FIN"

2-4.1. LA PERCEPTION DE LA DIFFEREN-CIATION SOCIALE A L'INTERIEUR DU GROUPE AFRICAIN

Le livre de Bhêly-Quénum[19] nous permet de connaître un autre aspect du travail forcé, et, notamment, celui de l'humiliation des Africains par les Européens se considérant comme des maîtres absolus vis-à-vis de groupes qui n'avaient qu'à agir selon leurs ordres. Cette fois-ci, nous sommes confronté à un homme relativement aisé d'un village à qui on demande de rejoindre les rangs de ceux qui exécutent le travail forcé. L'auteur nous informe sur les différences qui existaient entre le traitement des hommes aisés de ce village et celui des pauvres, face au travail forcé au Cameroun.

Des gardes viennent chercher un de ces hommes fortunés en lui demandant de les suivre immédiatement. Bakari,[20] le nom de ce personnage, s'étonne et leur dit qu'ils ont dû se tromper. Mais les gardes, d'un ton autoritaire et heureux de donner des ordres au beau-père d'un "toubab", s'écrient : "Trompés? il ne manquait plus que ça! On sent le riche et le beau-père d'un toubab dans votre langage, allons! suivez-nous." (p. 44) Mais Bakari insiste en leur demandant de faire savoir au commandant qui les avait envoyés :

> (...) que j'ai refusé de me plier à ses ordres, que je suis maître chez moi, paye généreusement tous ceux qui travaillent pour mon compte, acquitte régulièrement mes impôts. Dites-lui aussi que je vous charge de lui faire remarquer que je ne suis pas homme à faire du travail forcé, du travail bénévole, et que ce n'est pas ainsi qu'on traite un ancien combattant! (p. 44)

A ces mots, les gardes partent. Bakari, à son tour, rend visite au chef du village pour l'informer de cette visite matinale et pour demander son avis. Le chef, quant à lui, lui explique la procédure employée jusqu'à une époque récente pour résoudre la question du travail forcé et lui décrit les derniers événements. Il commente

95

son récit en se lamentant sur le changement qui s'est opéré :

Tout change, Bakari, tout change. (...) Il y a un an, le commandant me demandait encore assez souvent mon avis (...) ; maintenant, il me traite de haut, décide tout, m'exclut de tout. (...) Si Houraï'nda dispense quelqu'un des travaux forcés, c'est que celui-là est riche ; dans ce cas Houraï'nda le fait mander, puis il lui dit : "Votre nom, cette année, figure sur la liste des gens qui doivent faire du travail bénévole. (...) mais comme vous êtes riche, je pense que vous préféreriez payer quelques nécessiteux capable de faire cette corvée à votre place, que d'aller vous exposer aux yeux de tout le monde." (p. 45)

Le commandant, quant à lui, avait changé la procédure utilisée depuis longtemps. Il avait dit : "Je ne veux plus entendre parler de différence entre riches et pauvres!" (p. 51) Pour lui, cette distinction à l'intérieur de la société autochtone ne devait plus avoir sa raison d'être. Il avait l'intention de traiter les Africains tous de manière semblable. Cette façon de procéder lui facilita évidemment la tâche, à lui, l'Européen, qui, d'un coup, se trouva face à un groupe dont il considéra l'organisation sociale comme égalitaire, tandis que, lui, s'estimait supérieur par rapport aux Noirs.

A la remarque du commandant, le chef avait répondu :

Mais, les pauvres bénéficient de ce que je leur fais faire et qu'on a pu vous rapporter en l'interprétant avec malveillance! C'est dans leur intérêt que Houraï'nda agit ainsi et ils n'en sont pas fâchés ; à preuve, beaucoup viennent demander s'il n'y aurait pas de remplacement à faire! (p. 46)

Bakari demanda alors au chef, devant cette situation qui devint critique pour lui, de lui donner un conseil. Celui-ci lui donna comme réponse :

Oublier ta fortune et ta personnalité, et faire la volonté de Monsieur le Commandant. Tu as connu la misère, mais tu as su faire ton bonheur. Eh bien! prends ton courage à deux mains, et fais la corvée avec l'idée et le sentiment que ce n'est pas toi-même qui la remplis, mais quelque *chose* d'impersonnel en toi! (p. 46)

Bakari, en rentrant chez lui, ne fut pas persuadé de la sagesse de ces propos. Quand le commandant vint ensuite le voir et lui reprocha sur un ton humiliant de refuser d'obéir à ses ordres, Bakari lui répliqua et en des termes que son fils nous rapporte :

Je n'ai jamais vu un homme de ma sorte faire le genre de travail que vous m'incitez à accomplir, dit mon père avec un sang froid qui a dû vexer le toubab. (p. 47)

Néanmoins, la réponse du commandant est catégorique : "Eh bien! tu seras le premier à le faire!" (p. 47) Bakari signale au commandant : "J'ai des travailleurs que je paye, ils peuvent le faire à ma place." (p. 47) Mais il ne put éviter cette corvée et fut obligé, cette fois-ci, de faire le travail lui-même. Son fils vient alors l'observer pendant ces travaux. Caché derrière un arbre, il nous fait savoir :

(...) je le regardais peiner en compagnie d'une quarantaine d'hommes armés comme des forçats. Ils débroussaient un espace large d'environ sept mètres et qui s'étendait devant eux, infini ; ils creusaient et retournaient la terre, enlevaient les souches d'arbres, les racines et les obstacles rencontrés par leurs outils. (p. 49)

Le fils de Bakari continue la description de cette scène :

Mon père, de temps en temps, chassait d'un geste de main rapide les mouches qui venaient piquer ses oreilles suintantes, couvertes de sang coagulé et séché. Il se redressa un peu, s'appuya d'une main sur le manche de sa pioche (...). Beaucoup de gens venaient voir travailler les leurs contraints à cette servitude, mais ils n'avaient pas le droit de leur adresser la parole : les maudits gardes les en empêchaient (...). Je regardais mon père, (...), comme si je l'eusse appelé, il regarda vers l'arbre derrière lequel j'étais blotti ; nos yeux se croisèrent, je fus soudain aveuglé de larmes (...). (p. 50)

Cette réaction de son fils sembla rappeler à Bakari ses sentiments véritables à l'égard de ce genre de travail forcé. Il se redressa un peu et dit au garde qui voulait l'obliger de continuer à travailler qu'il se sentait fatigué. Son fils, qui avait observé la scène, informe le lecteur qu'il s'agissait d'un garde de cercle qui était "(...) jugé courageux, fort, sauvage et cruel, comme tous les gardes de ma région." (p. 56)

Mais Bakari n'obéit pas au garde. Au contraire, il commença à se fâcher contre le garde qui s'adressait à lui "(...) comme à son égal ou à son domestique". (p. 56) Celui-ci, exaspéré, se dirigea vers lui, et lui donna plusieurs coups de cravache. Le commentaire du narrateur ci-dessous montre la perception de la différence entre les Noirs et les Blancs à ce moment de l'histoire coloniale et le genre de traitement permis aux deux groupes dans des situations extrêmes.

Que le commandant eût battu Bakari, cela passait encore, mais qu'un simple garde de cercle, un eunuque qui aurait pu être notre domestique en fît autant, voilà ce que je n'admettais pas. Je faillis, sans arme que j'étais me jeter sur l'imbécile et le rouer de coups de poing... Colère d'enfant, colère impuissante quand elle est contre les parents ou des autorités dont cet eunuque faisait partie : je dus me raviser et me tenir coi, tremblant de rage. (p. 51)

Or, la réaction de Bakari ne tarda pas à venir. Il sortit de la poche de son boubou une dague comme s'il voulait l'utiliser comme arme contre le garde. Les travailleurs du chantier commencèrent à hurler en voyant Bakari manipuler sa dague. D'autres gardes s'en mêlèrent et lui dirent :

(...) de ne pas se faire du mauvais sang, de ne plus penser à sa fortune, d'oublier qui il était et de se soumettre à la loi comme le faisaient ses confrères ; car rien ne dure dans cette vie (...), tout y est feu de paille, comme le serait ce travail forcé contre lequel il se révoltait, et qui, après tout, ne durerait guère que trois mois! (p. 51)

Ces gardes plus conciliant, mais qui, cependant, se pliaient aux ordres du commandant, essayaient donc de comprendre le point de vue de Bakari. Ils lui suggéraient de respecter la loi comme tous les autres, et de ne pas se considérer comme quelqu'un d'exceptionnel qui aurait droit à un traitement spécial à cause de sa fortune. Ils faisaient appel à sa patience et font apparaître ainsi une philosophie de vie où l'effet passager de chaque action est souligné. Entre-temps, le garde qui avait menacé Bakari, était parti pour informer le commandant des événements survenus. Quand le commandant arriva finalement, il lui demanda s'il avait voulu tuer le garde. Le refus catégorique de Bakari de parler commença à l'énerver. Il s'agita, l'insulta et le battit de telle manière que son fils qui observe cette scène constate: "Et il l'a battu, battu, mais battu comme je n'ai jamais vu battre un homme." (p. 52) Le commandant pose une autre fois la question à Bakari : "Tu voulais le tuer, imbécile! sale nègre! tu voulais le tuer, hein?" (p. 52)

Le fils de Bakari continue à décrire la scène : "Mais mon père ne bougea pas ; le commandant était hors d'haleine de l'avoir cravaché, suait, s'épongeait le visage avec son mouchoir, remontait son pantalon." (p. 52) Les événements commencent alors à se précipiter. Le commandant lui hurle sur un coup de tête:

"Tue-le, maintenant, tue Tiba, entends-tu? vas-y donc maudit riche, imbécile, lâche!"

La cravache siffla encore ; les oreilles de mon père recommencèrent de ruisseler de sang. (...) je vis les larmes couler des yeux de mon père. Il regardait sa dague (...). (p. 52)

Toute cette scène, Bakari la supporta avec un calme apparent, tout en se révoltant intérieurement contre ce traitement. La dague toujours dans la main, il pleura silencieusement face à l'ensemble de ces humiliations. Le sadisme à peine caché du commandant trouvait ainsi un objet qui lui permettait de vivre ce trait particulier de son caractère. Quand Bakari vit finalement son fils se rapprocher du chantier, il commença à sangloter, en lui suggérant de s'éloigner de l'endroit. Son fils, quant à lui, éclata en larmes et avant que les gardes, qui l'aperçurent seulement à cet instant, ne puissent l'attraper, il s'était déjà enfui. Puis, le drame se produisit. Bakari, ne pouvant supporter cette double humiliation, en présence des autres personnes de son village qui travaillaient comme lui sur le chantier et de son propre fils, dirigea la dague contre lui-même. Son fils en voyant ce geste poussa un cri "de terreur" et indiqua aux autres de s'en occuper. Mais il était trop tard!

Mon père avait déjà plongé sa dague dans son coeur! Le sang coulait avec furie, on se précipita vers lui ; je le vis tomber (...). Mon père gisait dans un petit lac de sang. Tout le monde fut soudain réduit au silence, sauf le commandant qui vociférait des injures, prenait à témoin tantôt les gardes, tantôt les travailleurs. (p. 53)

Après avoir appris la nouvelle, le chef du village se précipita sur les lieux "(...) fou de colère, mais il pleurait aussi, tout grand chef qu'il était. Il donna ensuite des ordres et huit gaillards emportèrent le corps de mon père (...)." (p. 54)

Ensuite, Houraï'nda menaça le commandant en lui signalant qu'il se plaindrait auprès du Gouverneur et qu'il contacterait des journalistes. Aux travailleurs qui avaient déjà abandonné leurs outils, il ordonnait "(...) de partir chez eux et de ne plus jamais, à l'avenir, se soumettre à ce servage toubalesque." (p. 54)

Et le chef obtint ce qu'il exigea. Dans les semaines qui suivirent, le commandant fut rapatrié, et, un autre commandant arriva à sa place qui

> (...) jugea normal de faire achever le percement de la nouvelle rue, commencé par mon père et quelques autres riches, par des gens incapables de s'acquitter de leurs impôts, et par des prisonniers toujours soumis à tous les travaux publics de ce genre. (p. 54)

L'administration française, une fois de plus, avait réagi à des événements particuliers en analysant les rapports de force réels, et en acceptant l'existence d'une différenciation sociale au sein de la société autochtone qui lui permettait de fonctionner selon ses règles sociales et, en même temps, de collaborer avec l'administration française en fonction de ce qui paraissait compatible aux deux systèmes d'interaction sur place. L'intransigeance d'un commandant qui ne voulait admettre une égalité inexistante au sein de cette société avait causé un drame, le suicide forcé d'un homme estimé de sa communauté. L'administration française s'arrangeait ainsi avec une réalité sociale qu'elle pouvait utiliser malgré tout en fonction de ses objectifs, tout en respectant l'ordre établi par la société autochtone. Le destin d'un homme sensible à cette humiliation que constituait le travail forcé pour quelqu'un qui avait la possibilité de payer des ouvriers et de les envoyer à sa place est décrit, qui, à cause d'une vie particulière lui donnant la possibilité, après avoir beaucoup travaillé, de disposer d'une fortune considérable lui permettant d'agir de manière différente et de s'arranger avec l'autorité française jusqu'au moment où un de ses représentants eut l'idée d'instaurer une forme de travail contraire à ses idéaux. Le narrateur nous fait savoir en guise de conclusion: "Le travail forcé prit alors dans notre région une autre forme." (p. 60)

2-4.2. CONCLUSION : L'ADAPTATION D'UN MECANISME DE DIFFERENCIATION SOCIALE

L'ouvrage de Bhêly-Quénum nous présente un aspect particulier des travaux forcés, et, notamment, le traitement inégal des personnes, en fonction de leur situation personnelle et, en particulier, de leur fortune. Cette situation leur permettait d'utiliser des personnes qui ne disposaient pas de moyens financiers suffisants afin de les envoyer faire ces travaux à leur place en échange d'un paiement en espèce. Cette inégalité de traitement semble s'accorder tout à fait avec certaines attitudes françaises. L'élite naissante des pays africains en mesure de payer pour les services qu'on leur rendait, avait la possibilité de réagir de la même façon que les groupes dominants dans la Métropole. L'acquisition d'un autre statut social exigeait des habitudes différentes et notamment celles insistant sur un traitement inégal en fonction de la fortune personnelle. L'incompréhension d'un de ces commandants s'explique par une révolte contre le maintien de ces privilèges qui n'assuraient que la perpétuation des différences à un groupe qui arrivait ainsi non seulement à maintenir ses privilèges, mais à les défendre avec l'aide de l'administration française. Le commandant qui arriva après le suicide de cet homme aisé n'incarnait qu'une personne liée à l'élite française et défendant comme elle des principes qui perpétuaient cette différenciation sociale. Que cet idéal français fut appris et adapté par les élites africaines, n'était que la deuxième étape d'un processus de différenciation à l'intérieur de la société autochtone. L'élite naissante adoptait ainsi des normes qu'on lui proposait, et, à son tour, était dorénavant capable de s'approprier le pouvoir et les richesses du pays par des mécanismes perpétuant cette inégalité sociale.

Cet aspect particulier du système de travail lors de la colonisation française montre l'émergence de mécanismes

101

sociaux réglant des conflits à l'intérieur des sociétés autochtones africaines selon une conception française. Que le lecteur ne se trompe pas : ce genre d'adaptation ne constitue qu'un exemple parmi d'autres de ces transformations qu'a connues l'Afrique francophone pendant la colonisation. La description de l'auteur camerounais révèle, et ceci, probablement, même sans qu'il en soit conscient, l'adaptation de mécanismes relevant des réglementations françaises lors de l'émergence des problématiques à l'intérieur des institutions créées par l'administration française. Il ne devrait pas être difficile d'en trouver d'autres exemples. Pour notre propos, il suffit de montrer la raison d'être de cette transformation que les élites africaines ont adopté en plein accord avec les élites métropolitaines. Ceci a contribué évidemment à l'émergence des différenciations spécifiques aux états africains, liées à un modèle français.[21]

Je ne veux pas être fidèle à une quelconque idéologie, car tous ces Blancs nous méprisent. Nous sommes, pour eux, le sous-produit de l'humanité. Ils nous exploitent. Je n'ai pas vu un seul Européen qui nous traite en égaux (p. 178)

L'aversion pour des Européens qui ne montraient que du mépris pour les groupes africains ressort, ici, clairement. L'auteur de la lettre en déduisait qu'il n'arrivait pas à adhérer à un système idéologique proposé par une nation européenne, et ceci, du fait que les Africains étaient considérés comme se trouvant au bas de l'échelle sociale, et que selon lui jamais un Européen ne les traitera d'égal à égal. Dans une autre lettre, l'administration française est décrite de la manière suivante :

L'administrateur est une espèce de divinité. On ne peut le rencontrer qu'en passant par nous. Il n'est pas comme nos anciens maîtres qui désiraient endosser toutes les responsabilités. Nos maîtres actuels nous reconnaissent "grands garçons" donc capables de nous diriger. Ils sont très bons, humains et polis. Ils ignorent la discrimination raciale. (p. 181)

On s'étonne des différences de points de vue. Ce dernier personnage décrivait une pratique particulière des Français qui

2-5. Mongo Beti : "VILLE CRUELLE"

2-5.1. QUELQUES ASPECTS D'UNE DIFFERENCIATION SOCIALE ENTRE LES AFRICAINS ET LES EUROPEENS DANS L'ENTRE-DEUX-GUERRES

Ce premier roman de Mongo Beti[22] se déroule dans le Cameroun des années 30, et plus précisément au mois de "février 193.." (p. 27). Le sujet du livre nous est indiqué par le titre : la ville coloniale sert d'endroit où se déroule l'action principale. Les différentes activités des personnages révèlent sa "cruauté".[23] Cependant, Beti nous offre une perspective plus vaste. Le titre est, en fait, une métaphore pour décrire les rapports sociaux nouveaux liés au régime d'administration coloniale que le Cameroun vivait dans ces années. L'intrigue dont l'action se déroule seulement pendant trois jours lie la ville "cruelle" à la campagne. Ce lien désigne un aspect particulier des rapports de force au sein de la société coloniale. Il démontre la dépendance des paysans vivant à la campagne par rapport à la société urbaine.[24] Banda, le héros du livre nous est décrit au moment où il se trouvait sur la place du marché de la ville de Tanga où les paysans devaient passer un contrôle rigoureux et arbitraire de leur récolte de cacao, établi par le pouvoir colonial, avant de pouvoir vendre celle-ci. Les contrôleurs se composaient de Camerounais qui travaillaient pour le compte des commerçants grecs de la ville.

Le pouvoir de ces agents est symbolisé par l'existence d'un feu qui brûle pendant toute la saison de cacao (de décembre à mars) et dans lequel est jeté le cacao que les contrôleurs jugent de mauvaise qualité. Banda, qui arrive à Tanga, accompagné de plusieurs tantes, transporte avec lui 200 kilogrammes de cacao. Il est assuré de la bonne qualité de son cacao, et, en tant que paysan qui ne connaît pas encore les règles spécifiques de ce genre de vérification, il veut faire passer, au contrôle, malgré les conseils de ses parents et sans tenter d'apprendre le langage particulier de l'économie coloniale, l'ensemble de son cacao. Etant donné qu'il n'a pas essayé de plaider auprès de ces contrôleurs pour qu'ils lui donnent l'autorisation de vente, il court le risque de perdre toute la récolte. Il présente alors ses sacs aux contrôleurs qui estiment immédiatement que son cacao est de mauvaise qualité. Banda doit donc assister à la destruction par le feu de son cacao, la récolte de toute une année, dont le gain était destiné à lui permettre de payer une dot en vue de son mariage. Notre héros proteste et est immédiatement confronté à la répression coloniale : il est mené au commissariat de police.

Dans ce roman, Beti nous confronte à une société africaine qui révèle les contradictions, les conflits et les tensions entre ce qui était produit par cette interaction obligatoire avec une puissance européenne et ce qui existait au sein des sociétés africaines.[25] Le regard de l'auteur se veut un regard de sociologue[26] face à une société en crise. Ses témoignages nous fournissent une image de l'Afrique coloniale qui révèle la diversité de la situation coloniale et les conflits inhérents à l'ensemble nouveau qui s'est créé.

"Ville cruelle" a pour objet la description des épisodes quotidiens sous l'administration coloniale et l'itinéraire d'un jeune héros disposant de peu de traits particuliers, et, qui, de ce fait, ne se singularise pas dans l'ensemble colonial de l'époque. La description de la ville et de ces différentes activités révèlent que l'auteur veut communiquer au lecteur un message spécifique, et ceci, par le vécu de son protagoniste. Les multiples monologues intérieurs de Banda, ce jeune paysan, en témoignent. Notre héros est quelqu'un qui rêve, qui croit que la ville lui offre une issue à une situation villageoise où des notables règnent, et où les rapports sociaux sont tels que les jeunes ressentent un véritable étouffement de leurs souhaits personnels de changement. Il semble que les différents personnages du roman cherchent désespérément leur voie dans un univers social en contact avec les Européens, pour échanger, finalement, une forme de répression contre une autre. Le vécu quotidien de ces héros est décrit comme un monde instable, où règne l'insécurité et la dépendance de l'Africain face à l'Européen.

Mongo Beti nous donne dans son roman "Ville cruelle", publié pour la première fois en 1954, et donc quelques années avant l'indépendance du Cameroun, une description détaillée des rapports entre les Noirs et les Blancs de cette période de l'histoire coloniale. La thématique de ce roman le situe en ville, mais l'intrigue qui se déroule sous nos yeux, fait se rejoindre la ville et la campagne, et offre ainsi à l'auteur la possibilité de décrire des rapports sociaux nouveaux, d'une part, entre les Africains, et, d'autre part, entre Européens et Africains. A cette époque de l'administration coloniale française, la ville a déjà vu émerger des parties complètement opposées l'une à l'autre : la ville moderne où se déroule les activités administratives et commerciales, et la ville où la population noire vit le soir et la nuit.

Ces deux Tanga attiraient également l'indigène. Le jour, le Tanga du versant sud, Tanga commercial, Tanga de l'argent et du travail lucratif, vidait l'autre Tanga de sa substance humaine. Les noirs remplissaient le Tanga des autres, où ils s'acquittaient de leurs fonctions. (...) (L)es habitants de Tanga étaient veules, vains, trop gais, trop sensibles. Mais en plus, il y avait quelque chose d'original en eux maintenant : un certain penchant pour le calcul mesquin, pour (..) tout ce qui excite le mépris de la vie humaine - comme dans tous les pays où se disputent de grands intérêts matériels. (pp. 20-21)

Pourtant, les rapports entre les Blancs et les Noirs restaient relativement restreints. Ils se limitaient aux personnes en contact avec l'administration française à cause de leur éventuelle mobilité sociale et leur intégration dans un autre mode de vie, imprégné des valeurs occidentales ; et une autre catégorie, qui constituait une menace pour l'ordre général (cf. p. 25). A cette époque, les ruraux et les vieux donnaient encore des conseils aux jeunes afin qu'ils n'abandonnent pas leurs traditions ancestrales. L'auteur nous le fait savoir par les paroles d'une vieille dame, la mère de Banda :

Un Blanc, ça n'a jamais souhaité que gagner beaucoup d'argent. Et quand il en a gagné beaucoup, il t'abandonne et reprend le bateau pour retourner dans son pays, parmi les siens qu'il n'aura pas oubliés un instant, cependant qu'il te faisait oublier les tiens ou tout au moins les mépriser. Un Blanc, ça n'a pas d'ami et ça ne raconte que des mensonges (...). Ne vous laissez plus attirer par les Blancs. Que vous apportent-ils? Rien. Que vous laissent-ils? Rien, pas même un peu d'argent. Rien que le mépris pour les vôtres, pour ceux qui vous ont donné le jour... (p. 124).

La vieille dame remarque, à juste titre, que les rapports sociaux que les Européens entretiennent avec leurs familles et ceux que les Africains entretiennent avec la leur diffèrent

105

fondamentalement. L'Européen apprend à l'Africain qui commence à s'insérer dans cet autre mode de vie influencé par des valeurs occidentales, à oublier les siens, à éprouver, comme l'Européen lui-même, un certain mépris pour des gens qui n'affichent que des valeurs inacceptables pour une vie en contact avec les Européens. Cette attitude qui semble s'expliquer par la tendance des Français à créer des Africains "à la française", est considérée comme négative par la vieille dame.

2-5.2. L'IMAGE D'UN RAPPORT POSSIBLE ENTRE LES DEUX UNIVERS SOCIAUX

Dans la suite du roman, un épisode est évoqué qui démontre de façon symbolique les rapports de force entre les deux mondes à l'intérieur de l'Afrique : le monde, qui est en train de naître et qui est issu de la colonisation, et le monde où les Anciens du groupe règnent encore. Après une rencontre entre Tonga, un vieux du village de Bamila, et Banda, ce dernier nous révèle ses pensées :

Il lui semblait que Tonga et lui se trouvaient dans deux pirogues différentes sur un fleuve immense dont le courant était rapide. Ils se tendaient la main. Leurs mains se touchaient, s'agrippaient l'une à l'autre et se nouaient. Ils se mettaient à s'entretirer, très fort, chacun voulant forcer l'autre à passer dans son embarcation à lui, à le rejoindre à bord de sa pirogue à lui. (...) Ce courant rapide faisait s'écarter les pirogues l'une de l'autre et chaque minute qui passait accentuait l'écart. Finalement, de guerre lasse, leurs mains se dénouaient. Et chacun s'éloignait de son côté, plein de dépit contre l'autre. (p. 125)

Dans cet épisode, ces deux mondes se situent à un croisement où chaque partie risque à tout moment d'être tiré par l'autre dans la direction souhaitée respectivement. Le courant d'eau représente ainsi un monde en développement qui n'a guère de pitié pour les deux personnes en opposition. Même si ces deux mondes veulent se rapprocher ou rester l'un à côté de l'autre, cette tentative demande le déploiement de forces humaines immenses représentées par les événements entourant les activités sociales qui, quant à elles, sont liées à un endroit spécifique et à un moment historique particulier. Les deux côtés, les vieux comme les jeunes, et ainsi l'Afrique des traditions et l'Afrique en contact de plus en plus intense avec la culture occidentale, essayèrent, au commencement de ce jeu de force inégale, de faire embarquer chacun du côté de l'autre. Or, les forces qui opposent ces deux mondes sont trop grandes, trop divergentes pour permettre une coexistence. Et c'est ainsi, que le déroulement de l'histoire, tout comme le courant rapide de la rivière, éloigne les deux mondes de façon toujours croissante. Les deux acteurs, symbolisant ce rapport de force inégal, assis chacun dans leur bateau, dans leur monde respectif, se fatiguent dans ce combat, et, finalement, avec un certain regret, chacun voit l'autre s'éloigner de plus en plus de son côté à lui.

Certes, cette image est bien choisie, bien qu'il semble que le déroulement de l'histoire montre que ce développement que Beti croyait encore possible dans les années 30 n'a pas eu lieu. Bien au contraire, les événements des dernières quarante années, nous démontrent que le monde africain a été intégré, de plus en plus, dans un monde international caractérisé par certaines structures sociales, politiques et économiques. L'écart entre l'univers africain et le monde occidental qui, en effet, à un moment donné paraissait s'agrandir, s'est amenuisé dans le sens d'une intégration de l'Afrique dans un monde devenu de plus en plus interdépendant en ce qui concerne l'ensemble des systèmes sociaux, économiques et politiques africains. Ceci signifie effectivement que les villes - et ainsi les élites y vivant - étaient avant tout les endroits où ce changement se déroulait. Or, la campagne, elle aussi, devait ressentir les effets de ce changement structurel qu'on apercevait à peine au début des années 30 de ce siècle. Néanmoins, l'écart s'agrandissait sans cesse entre, d'une part, la campagne et les bidonvilles qui s'appauvrissaient, et, d'autre part, les centres administratifs, politiques et économiques du pays, dans lesquels se trouvaient les groupes sociaux privilégiés.

Dans ce contexte, un autre épisode nous paraît digne d'intérêt. La mère de Banda qui était alors une vieille dame malade, fit part à une jeune fille, la future épouse de Banda, de ses opinions sur la génération des jeunes de l'époque.

Ils ont grandi ; ils nous méprisent parce que nous avons courbé la tête devant les Blancs. Eux, ils marchent fièrement, en se frappant la poitrine, en levant leurs bras, en brandissant leur poing. (...) Ils sont allés dans leurs écoles ; ils ont appris à parler leur langue, à discuter avec eux, à faire des calculs sur les feuilles de papier, tout comme eux. (...) Alors, ils ne veulent plus être tenus pour de simples domestiques, (...) mais pour des égaux des Blancs. Et ces derniers, qu'est-ce qu'ils pensent de tout cela (...) ? Est-ce qu'ils vont accepter de n'être plus les maîtres? ou est-ce qu'ils s'y refuseront? (p. 195)

La vieille dame, dans ses propos, met en relief le changement qu'on peut constater dans les comportements de ces deux générations différentes dans leur rapport à la population européenne. La génération des Africains de l'époque, ayant fréquenté l'enseignement que l'administration française leur offrait, tentait alors de se mettre sur un pied d'égalité apparente avec les Européens. Ceci reposait sur le fait qu'elle parlait leur langue, discutait avec eux, et adoptait maintes habitudes occidentales. La mère de Banda continue ses réflexions en se posant la question de la réaction des Européens face à ce comportement. La réponse ne peut que rester vague à ce moment de l'histoire coloniale.

Un autre épisode important du récit de Beti est le passage consacré à Koumé. Ce jeune mécanicien et plusieurs autres Africains travaillent pour le compte d'un commerçant européen. Leur patron trouve toujours une raison pour s'opposer à leur demande de paiement des salaires, et, ce mois-là, il fait repousser cette date de jour en jour, jusqu'au moment où les ouvriers décident de protester auprès du commissaire de police. Celui-ci convoque le commerçant. A son retour, ce dernier rassemble les ouvriers. Koumé raconte la scène :

Il était surexcité au retour chez le Commissaire ; alors il nous a réunis. Il était le patron et nous les ouvriers - c'est ce qu'il a dit. Il commande et nous, on obéit un point c'est tout. Ce n'était pas sage à nous d'aller raconter des histoires sur son compte aux autorités. Parce que les autorités ne pouvaient pas le forcer à faire une chose plutôt qu'une autre. Nous nous étions montrés insolents : il différerait encore la paie de quelques jours, question de nous apprendre à bien nous tenir - c'est ce qu'il disait. (p. 101)

Tous ces événements agacent les ouvriers de sorte qu'ils décident d'enlever le commerçant et de l'amener de force au commissariat de police. Malgré toutes les protestations de celui-ci, ils arrivent à l'attraper et le portent sur leurs épaules en traversant les différents quartiers de la ville. La femme du commerçant ayant averti la police, les ouvriers rencontrent, chemin faisant, les gardes. Pris de panique, ils laissent tomber leur charge et s'enfuient. Le commerçant se blesse lors de cette chute de telle sorte qu'il meurt la nuit suivante dans l'hôpital de la ville. La police recherche donc Koumé qui est considéré comme le meneur du groupe.

Koumé raconte ces événements au moment où il s'enfuit de la ville. Il quitte Tanga la nuit à l'aide de Banda. Celui-ci avait appris l'histoire de l'accident du commerçant par la soeur de Koumé. Peut-être motivé par son échec en ville face aux contrôleurs de la récolte de cacao, il décida d'aider ce compatriote qui avait osé s'opposer aux autorités administratives. Selon Koumé, et ceci semble probable, les autorités, en l'occurrence l'administration française, le tueraient s'ils le retrouvaient. Les gardes avaient déjà essayé, mais, en vain, de le trouver à Tanga. Aussi, Banda tenta de s'éloigner de la ville, accompagné de ces deux autres personnes. Koumé, malgré la méfiance qu'il avait, au début de sa rencontre avec Banda, se sentit obligé de se soumettre à l'initiative de celui-ci, qui se mit à l'apprécier et à l'admirer. Or, lors du passage d'un fleuve, Koumé tomba du tronc d'un arbre dont ils s'étaient servi comme pont. Contrairement aux conseils de Banda, il n'avait pas attendu son signal pour franchir le cours d'eau. Koumé se blessa mortellement lors de cette chute. Banda consola alors Odilia et l'adopta comme la petite soeur qu'il a toujours voulu avoir. Il amena la jeune fille auprès de sa mère et essaya, quant à lui, de cacher la fuite et sa participation, en mettant le cadavre à côté d'un pont. C'est alors qu'il trouva une somme considérable dans la poche gauche de Koumé, dont il soupçonna qu'elle provenait du commerçant européen mort à la suite de l'enlèvement organisé par les ouvriers.

L'auteur utilise la scène de la découverte du cadavre de Koumé, pour montrer au lecteur la brutalité des gardes africains employés par l'administration coloniale. Etant donné que ces gardes étaient recrutés parmi des gens originaires du nord du pays, et selon les informations qu'il nous donne, ne connaissaient pas personnellement les habitants du sud, ils pouvaient, de ce fait, employer la force et se montrer insensibles à des mesures répressives qu'ils étaient censés exécuter en tant qu'agents du pouvoir colonial.[27] Beti nous montre ainsi que l'ensemble des forces policières travaillait en commun avec le pouvoir administratif et le patronat étranger contre la majorité de la population africaine qui se trouvait encore à un stade où elle était contrainte de suivre les ordres d'une puissance étrangère, plus forte qu'elle, et utilisant des moyens dont elle ne disposait pas. Mongo Beti décrit ces gardes de la manière suivante :

> Les gardes territoriaux, des hommes du Nord, étaient grands, forts, imperturbables (...) mirent baïonnette au canon et avancèrent résolument, sans dire un mot (...). Ils paraissaient insensibles aux pierres qu'on leur lançait. Ils avançaient en se frayant la voie à la pointe de leur baïonnette (...). (I)l devint clair que les gardes territoriaux, dans leur marche irrésistible, ne se laisseraient arrêter par aucune considération. (pp. 165-166)

En rentrant au village, la chance sourit une autre fois à Banda, car il trouve la valise qu'un commerçant grec de la ville avait perdue. Celui-ci promettait une forte récompense à la personne qui lui retrouverait cette valise. Banda remet alors la valise à son propriétaire, et du coup, il se trouve en possession d'une somme d'argent considérable. Il donna une partie de l'argent à la soeur du défunt qui, entre-temps, avait fait connaissance de sa mère malade. Les deux femmes sympathisent beaucoup et la vieille dame demande à son fils s'il ne voudrait pas épouser Odilia. Banda d'abord étonné, accepte le choix de sa mère qui meurt peu après ces événements. Nous assistons encore au départ du jeune couple du village où seule la présence de la mère de Banda l'obligeait à rester. Notre jeune protagoniste se retrouve ainsi dans un autre village, celui de ses beaux-parents où, bien que sa décision d'épouser Odilia ait donné un sens à sa vie et une maturité nouvelle, il continue à rêver d'un autre départ, vers une autre ville qui, cette fois-ci, lui offrirait ce qu'elle était capable d'offrir aux paysans de l'époque désirant vivre en ville.

2-3. Henri-Richard   Manga   Mado : TRAVAIL   FORCE   SOUS L'ADMINISTRATION COLONIALE FRANCAISE

2-5.3. CONCLUSION : LA TRANSFORMATION DE LA SOCIETE AFRICAINE DANS L'ENTRE-DEUX-GUERRES

L'objectif de Beti était de montrer des événements quotidiens de la réalité coloniale des années 30.[28] L'auteur décrit la vente de cacao d'un paysan et son échec dû à la méconnaissance des règles économiques de cette époque. "Les contrôleurs, il faut leur mouiller la barbe..." (p. 54). Malgré l'intervention de ses parents, toute sa récolte est jugée non-conforme aux exigences du marché et mise au feu. Notre héros ose encore protester contre ces mesures, mais il est conduit au commissariat de police où un traitement l'attend qu'il n'oubliera pas de si tôt. Dans la suite du récit, notre protagoniste aida une personne, qui avait osé s'opposer à cette force administrative, économique et politique que constitue la société coloniale, à s'enfuir de la ville. Mais ce personnage tua un Européen et comme si le destin voulait se manifester, Koumé tomba lors de sa fuite et se blessa mortellement. Quant à Banda, sa revanche fut bien plus agréable. Il trouva dans les pochettes du mort, la somme qu'il aurait pu gagner avec la vente de son cacao. En rentrant au village, il découvrit une valise perdue pour laquelle son propriétaire avait promis une forte récompense. Cette somme lui permettra d'épouser Odilia et de commencer une autre vie dans le village des parents de celle-ci.

Au premier abord, cette histoire semble être banale, car ce sont des destins de personnages moyens[29] qui nous sont relatés. Néanmoins, il importe de souligner qu'il s'agissait de personnes qui avaient osé s'opposer à une injustice sociale liée à la puissance coloniale. L'échec des ouvriers lors d'un soulèvement les opposant à leur patron à cause du non-paiement des salaires, et surtout celui du mécanicien Koumé qu'on présume avoir été le meneur du groupe, et sa fin tragique, nous révèlent la difficulté de cette opposition sociale et nous montrent les rapports de force existants. L'épisode de la mort accidentelle du patron européen permet à l'auteur de nous décrire la brutalité des agents africains

111

de l'époque travaillant pour l'administration française. L'échec de Banda au moment où il présente sa récolte aux contrôleurs et sa tentative de révolte lui servent de leçon. Il en tire, outre la perte de l'argent qu'il aurait pu gagner lors de la vente du cacao, une conclusion sur les moeurs urbaines de l'époque. La suite du récit montre que Banda commence à s'intégrer *nonens volens* aux règles de ce régime d'administration coloniale. Il trouve sur le cadavre une somme d'argent qu'il partagera, ensuite, avec Odilia. Sa maturité nouvelle due à son mariage, ne l'empêche pourtant pas de continuer sa vie durant à rechercher un autre endroit où vivre. Son instabilité révèle les contradictions sociales de l'époque et le souhait de quitter un milieu traditionnel pour un milieu influencé par des moeurs européennes.[30] En effet, les Africains étaient à cette période de la colonisation pris dans un mouvement de transformation vers un autre stade de l'histoire de leur pays, intégré dorénavant, de plus en plus, à un univers subissant les influences européennes.

Le roman "Ville cruelle" se situe dans la perspective de l'engagement politique de l'auteur. Beti essaie de faire comprendre une réalité sociale qui est différente du discours du colonisateur. Les événements décrits dévoilent la société coloniale, et ceci, par des procédés littéraires. Ses descriptions démontrent les frictions, les décalages et les contradictions qui font comprendre le caractère dualiste de la société coloniale : le Noir s'oppose au Blanc, l'Afrique à l'Europe, la tradition à la modernité, le village à la ville.[31] L'ambivalence des descriptions témoigne de la particularité de la société coloniale, non plus en tant que société statique, mais dominée par la colonisation occidentale. Dans ce sens, le roman fait partie de la littérature africaine "engagée". Il évoque des conceptions de l'Afrique qu'il essaie de faire comprendre au public, et ceci, à travers des rapports que le protagoniste principal entretient avec d'autres membres de la société.

Beti nous présente un ouvrage qui traite la problématique de la transformation sous l'administration coloniale au début des années 30. L'auteur a encore la vision que ce changement peut être maîtrisé, et ceci, malgré le fait que les transformations de l'époque semblent être cruelles et arbitraires dans la perception qu'en a la population africaine à qui on oppose un système social et culturel possédant des valeurs très éloignées du sien. Le récit nous fournit une idée du vécu social lors de la colonisation française, des événements quotidiens auxquels s'affrontaient les Africains du Cameroun.[32] Le caractère historique du roman fait voir des détails de la vie quotidienne et apprend au lecteur l'histoire des Africains de l'époque, encore très peu intégrés dans cet autre univers social et peu influencés par des valeurs européennes, dont ils subissaient pourtant les effets. Le récit pourra être qualifié de pessimiste. La vision de Beti face au changement fait présumer que l'auteur à l'époque ne soupçonnait pas encore l'étendue des transformations que l'avenir apporterait à l'Afrique.[33]

2-6. Bernard Binlin Dadié : "LES JAMBES DU FILS DE DIEU"

2-6.1. LA DESCRIPTION DE QUELQUES ASPECTS DE LA REALITE SOCIALE SOUS L'ADMINISTRATION COLONIALE

"Les jambes du fils de Dieu" de Dadié[34] constitue un recueil de quinze nouvelles qui évoquent la période coloniale, un monde différent où le changement était encore visible et touchait directement les Africains, qui n'étaient pas uniquement des témoins, mais également des acteurs participant à ce genre de transformation sociale, politique et économique. Le fil conducteur de l'ouvrage est le personnage de Som-Nian qui raconte certains épisodes de sa vie. Le récit décrit surtout le temps de l'enfance, où l'être humain est encore insouciant et ne se rend pas toujours compte des caractéristiques particulières de la situation coloniale qui l'entoure. Pourtant, certains épisodes font apparaître ce temps historique, comme celui décrit dans le chapitre intitulé "Le premier livre commandé" où l'enfant commande un livre en France et, après une longue attente, le reçoit, finalement, des mains de son professeur. Cette époque particulière de la Côte d'Ivoire est caractérisée pour Dadié par le fait que l'Européen agissait en tant que "Dieu exigeant et dangereux" (p. 44) qui "(d)e son quartier (...) projetait son ombre sur toute une population." (p. 98)

Les nouvelles font apparaître différents aspects de la réalité sociale sous l'administration coloniale, comme l'existence d'un autobus traversant le pays ; ou bien l'avion qui, pour la première fois, atterrissait en Côte d'Ivoire ; l'achat d'une montre par notre héros, et d'autres épisodes qui font allusion à la Légion d'honneur, à la guerre, et, dans une nouvelle intitulée "Les enchères", à un phénomène récent qui voit des Libanais, lors d'une enchère, se mettre en situation de concurrence face aux Africains. Au premier abord, les nouvelles semblent être drôles. Or, elles s'approchent du genre des légendes africaines[35] qui veulent transmettre, à travers un récit particulier, des règles sociales, des particularités d'une structure sociale et économique,

114

ou bien la description des relations entre les Africains, d'une part, et les Européens, d'autre part. En ce sens, ces nouvelles sont "engagées". Elles transmettent un héritage culturel et constituent une création littéraire qui permet au public de comprendre et d'appréhender la spécificité d'une situation sociale que celui-ci n'arrive guère à saisir, et où l'écrivain sert de médiateur. L'auteur transforme ainsi, dans ces nouvelles, des éléments culturels étrangers, les contraintes et la perception particulière d'un vécu social, dans une forme intelligible au public à qui il s'adresse.

Dadié définit le rôle de la légende - qu'il utilise dans plusieurs de ces livres - dans la culture africaine, de cette manière :

De quoi parle-t-on dans les légendes? De l'hospitalité, de la politesse, du loyalisme, du culte des ancêtres, de la compassion, de la discrétion, de la pitié, de la solidarité raciale, du sentiment de l'homme, de l'esprit d'association, de l'acceptation des épreuves de la vie, de la patience, du dévouement, de la reconnaissance, du sens de l'ordre et de la discipline, de la prévoyance, etc. Elles raillent et condamnent par contre la violence, la jalousie, l'avarice, la malhonnêteté, la gourmandise, la cupidité, en un mot, tous les vices. (1967 - p. 124)

Et il continue : "L'avantage des légendes est qu'elles sont conçues de telle sorte que leur enseignement se dégage de lui-même." (1967 - p. 127) Ou encore: "L'homme, par les légendes, a cherché à expliquer tout ce qui l'entoure (...)". (1967 - p. 129) Ces légendes d'après lui "(...) restent parce qu'elles contiennent l'histoire et la sagesse des hommes. (...) Les légendes sont comme ces étoffes qui changent de couleur selon l'angle sous lequel on les examine. Et ainsi chacun y trouve son profit." (1967 - p. 131)

L'utilisation de cette forme narrative par l'auteur ivoirien fait apparaître que l'Africain possède ici une approche particulière qui l'aide à révéler la spécificité de la vie quotidienne sous l'administration coloniale. L'auteur fait renaître cette forme de transmission de la sagesse africaine que les vieux de différents groupes avaient l'habitude d'utiliser auprès des leurs, autour du feu le soir.

L'enchaînement des différentes nouvelles dans "Les jambes du fils de Dieu" est structuré par le développement individuel de

Som-Nian. Ainsi, l'auteur arrive à nous transmettre des scènes datant de l'entre-deux-guerres jusqu'à l'époque suivant la deuxième guerre mondiale. L'objet de Dadié est d'évoquer le changement d'une situation sociale et culturelle au moyen de la vie d'un individu qui véhicule d'une certaine manière une mémoire collective ivoirienne.[36] Som-Nian fait partie de ce mouvement de transformation. Son enfance représente les premiers contacts entre le monde africain et l'univers culturel européen. Sa conception du temps est encore liée aux rêves, aux contes, aux jeux, et au cycle des saisons qui recommence sans cesse.[37] Dadié nous fait savoir :

> Il ne savait quel âge il avait, Som-Nian! Au reste, années, mois et jours ne lui disaient rien. Couché, la tête farcie de toutes les belles histoires racontées, de tous les contes merveilleux, il se levait, le matin, heureux de jouer et de courir après des lézards. (...) Ce qu'une année pouvait représenter de souffrances, de labeurs, de rêves réalisés ou non, Som-Nian l'ignorait. (p. 52)

La période faisant suite à l'enfance, représente le monde adulte caractérisé par des soucis, du travail, des cultures nouvelles. Or, Som-Nian qui, un jour, se décide à acquérir une montre commence par ce geste à s'approprier un autre schème temporel : un temps mesurable qu'il se propose de dominer.[38] Après avoir travaillé pendant des mois, Som-Nian possède donc trente francs, ce qui, à l'époque, était rare pour un Africain. L'auteur nous informe par la voix de son protagoniste :

> Une fortune colossale à cette époque où, lorsqu'on trouvait un nègre détenteur d'un billet de mille francs, la police se saisissait de lui, puis téléphonait à tous les Européens, (...) pour savoir si l'un d'eux n'avait point perdu de l'argent ou été volé ou cambriolé. Eh oui, cela se passait ainsi. (p. 69)

Finalement, Som-Nian achète cette montre auprès d'un commerçant qui voulait lui en vendre une pour 100 francs. Le commerçant, ayant compris que notre héros ne possède que trente francs, cède et la lui vend pour ce montant tout en disant qu'il s'agit d'un cadeau à ce prix (cf. p. 77). Or, Som-Nian avait dû lutter pour obtenir cette montre. Après une longue dispute, il avait placé l'argent à côté de la montre. "La lutte s'égalisait. (...) Les yeux du vendeur jetèrent des éclairs furtifs." (p. 77)

Le temps de l'Européen que Som-Nian vient d'acquérir avec la réalisation de son rêve, il veut le dominer comme les Européens. Le narrateur nous fait savoir : "Désormais il allait lui aussi pouvoir mesurer le temps, dominer le temps, l'émietter à sa guise." (p. 77)

Pendant ces années, le monde colonial vit non seulement un changement temporel, et ceci, dans le sens d'une intégration dans une Histoire autre, mais aussi un changement sur le plan de l'espace : des lieux jusqu'alors inconnus comme l'école, l'église, l'usine et le commerce apparaissent.

2-6.2. LE TRAVAIL

Cette époque de l'histoire coloniale est également celle qui voit apparaître, à côté du paysan africain, des bonnes et des cuisinières, des employés de commerce et d'autres auxiliaires subalternes des Européens. Dans cet ouvrage de Bernard B. Dadié, un autre aspect du système du travail à l'époque coloniale nous est décrit. Il s'agit du sort des tirailleurs partis en guerre pour la France, lors de la deuxième guerre mondiale. D'après l'auteur, ceux-ci étaient considérés comme des héros. Et il commente :

> (...) revenir de cette Europe prodigieuse constituait déjà une promesse. Et il fallait les entendre parler de la France, ces tirailleurs! De la France qui, à travers leurs récits, paraissait un paradis. Urbanité, mouvement des rues et des magasins, vélocité des trains ; féerie des villes, la nuit ; travail des femmes dans les campagnes (...). Ainsi, nombreux étaient ceux qui se portèrent volontaires lors du recrutement militaire, parce qu'au retour, ils pouvaient en plus devenir interprètes, gardes de cercle, bras droit de l'Administrateur commandant le cercle. (pp. 17-18)

Cette présentation de l'origine du phénomène des "tirailleurs" et du genre de réintégration possible que ce service rendu à la France offrait à ses ressortissants, montre que la finalité d'un tel séjour à l'étranger était souvent l'attente des récompenses, une fois retourné au pays d'origine. Ayant acquis lors de ce séjour, des connaissances de la langue et de la civilisation française, les tirailleurs se révélèrent aptes à devenir des auxiliaires de l'administration française. De la même manière que pendant la guerre, ils montraient dans ce service, pourtant civil, les qualités de "maîtres" que les Français exigeaient, à ce moment de l'histoire coloniale de leurs subalternes. Ces comportements se comprennent en tant qu'adaptation d'une conduite que d'autres leur avaient montrée dans des situations différentes, leur permettant d'exercer une position de pouvoir par rapport à la population autochtone. Pourtant, ces anciens tirailleurs exigeaient de la population civile des comportements qui ne faisaient pas toujours partie de ceux connus et valorisés par les groupes autochtones. Les abus du pouvoir de ces gardes de cercle, dus à leur position d'intermédiaire entre la population autochtone et l'administration française, étaient, comme l'auteur le constate, difficilement contrôlables (cf. p. 18). Pourtant, il s'agissait d'actes connus, tant des Français que des autochtones. D'une part, ces derniers, à cause de leur position inférieure n'osaient pas se plaindre auprès de l'administration coloniale, et, d'autre part, ce comportement constituait une forme de défoulement de l'agressivité latente envers l'administration, défoulement dirigé contre un groupe autochtone dont, au bout du compte, ces agents faisaient partie.

2-6.3. LES EVOLUES

Les nouvelles de Bernard B. Dadié nous révèlent encore un autre aspect de cette réalité sociale ivoirienne sous l'administration coloniale. Il s'agit des rapports que les Africains plus ou moins *évolués* entretiennent avec l'administration française. Nous nous trouvons à l'époque qui fait juste suite à la deuxième guerre mondiale. A Grand-Bassam, un incident avait déclenché un mécontentement général. Un exploitant forestier avait incendié un village. Les notables de Grand-Bassam se réunirent et se dirigèrent vers l'endroit où se trouvait le commandant de cercle afin de protester contre cet acte. Or, cet événement sert de prétexte pour porter plainte auprès de l'administration française à propos de nombreuses questions jusqu'alors non-réglées. L'auteur nous fournit l'étendue des problèmes soulevés à cette occasion.

Et ils étaient des centaines, des milliers, ceux qui protestaient en silence contre le recrutement militaire, ceux qui se révoltaient contre la détestable habitude prise de cerner, à l'aube, les quartiers africains pour faire rentrer les impôts..., ceux qui gardaient encore toute chaude la brûlure d'une paire de gifles encaissées, la lancinante douleur jamais pardonnée d'un coup de pied dans les parties, bref tous ceux qui à tort ou à raison avaient une dent contre la gent blanche orgueilleuse et distante. (pp. 9-10)

Dadié nous fait savoir, ensuite, que selon les dires de la population, les notables adoptèrent, lors de cette rencontre, un ton nouveau envers le commandant de cercle. Les dignitaires portaient tous les médailles qu'ils avaient reçues pour avoir rendu service à la France, soit "(...) sur les champs de bataille, soit dans les divers bureaux de la colonie." (p. 10) Et l'auteur commente : "L'Administrateur commandant le cercle fut très fier de régner sur autant de vieux et autant de médailles, sur plus de médailles que de vieux." (p. 10)

L'ironie de ces propos devient évidente. Ces notables, n'ayant pas de comptes en banque bien fournis, possédaient, pourtant, des médailles octroyées par la France à différentes occasions et leur servant de décoration. Le caractère symbolique des médailles montre que ces notables avaient été beaucoup estimés à un moment de l'histoire coloniale française, et que la Métropole avait apprécié leurs services. La gloire liée à la médaille obtenue de la France valorise le statut social de ces notables face à l'administration française de l'époque et face à leurs pairs africains. Ce genre de distinction leur donne le droit moral de réagir lors d'une mésentente. En se décorant de leurs médailles, les notables utilisent cette force symbolique.

Lors de cette rencontre :

(l)es vieux profitèrent de la situation pour parler du prix dérisoire des produits coloniaux et des prix excessifs des marchandises importées ; de la détestable manie de la presse de se taire sur les méfaits quotidiens des Blancs, mais de se déchaîner lorsqu'un Nègre avait fait front. C'étaient des titres

119

flamboyants : "L'Occident menacé!", "L'Occident humilié", "Menace sur l'avenir de nos colonies" ; le monde se limiterait-il au continent blanc, uniquement à l'Occident? (p. 11)

Le but de Dadié n'est pas de décrire l'ensemble des faits sociaux liés à ces événements. Son ouvrage se comprend en tant qu'évocation littéraire de certaines situations particulières de l'époque coloniale, tout en révélant leurs aspects spécifiques, semblant souvent absurdes à première vue ; aspects qui révèlent, pourtant, la logique des rapports sociaux en question. Dans la nouvelle décrite ci-dessus, le pouvoir de l'administration française n'est pas mis en cause, et, ceci est dû au fait que les notables locaux utilisent les médailles françaises pour affronter l'administrateur français qui les considère, à cause de ces mêmes médailles, comme faisant partie intrinsèque d'un système social introduit par la France. Les protestations de ces notables peuvent ainsi s'intégrer dans l'ensemble de la politique d'association que la France pratiquait à l'époque. La médaille offrait aux deux parties la possibilité de sauvegarder les apparences, apparences qui sont pourtant fondamentales dans ces rapports sociaux, sans toutefois s'abstenir de critiquer des faits insupportables ou difficiles à vivre pour la population autochtone. L'issue de cette confrontation n'intéresse ni l'auteur, ni le lecteur. Le but de l'auteur est atteint dans la mesure où cette description sociale d'une situation particulière sous l'administration coloniale devient claire et permet au lecteur d'apprécier son caractère quasi-grotesque.

2-6.4. L'INSTRUCTION PUBLIQUE

A cette époque, l'enseignement dans les écoles de la colonie consistait avant tout à répéter ce que les élèves de la Métropole apprenaient. On négligeait d'enseigner aux Africains les situations et les événements spécifiques à leur continent où, du moins en ce qui concerne l'Afrique noire, les monuments étaient rares ou n'existaient même pas. Cependant, cet enseignement en partie idéologique contribuait à ce que certains Africains commencent à adopter des moeurs européennes et ils "(…) regard(aient) de travers les Européens qui vantaient les richesses de la culture africaine." (p. 24)

L'auteur continue dans cette description d'une réalité sociale caractérisée par l'interaction entre deux univers culturels différents et par l'émergence d'un syncrétisme jugé néfaste pour la société autochtone :

> Dangereux ennemis déguisés en brebis pour entraver notre monde, notre ascension, notre insertion dans le fantastique monde occidental. En effet, nous pensions que là-bas était l'Eden, un monde sans garde-de-cercle hargneux, sans commandant de cercle brutal, sans interprète sourd, cupide, sans justice indigène expéditive, sans prisons puantes, sans routes à entretenir gratis, sans plantations à créer pro deo. Qui n'aurait souhaité vivre dans un monde aussi merveilleux?... (p. 24)

Dadié insiste sur ce caractère merveilleux de l'image de l'Europe, diamétralement opposé à ce que l'Africain devait supporter chez lui. Cette image permet de rêver à une autre situation, là où l'Africain exécutait dans les pires conditions son travail. Celui-ci avait appris que c'était pour une meilleure obéissance. L'auteur tient à nous signaler que ces Africains restaient pourtant intégrés à ce monde qu'ils ne comprenaient guère, comme l'"engrenage dans le grand rouage" (p. 47). Cette attitude est expliquée dans la suite de la nouvelle :

> La civilisation, du reste, lui était présentée comme un long escalier à gravir, un tunnel à la sortie obstruée. Et il ne comprenait rien au système qui le reléguait au bas de l'échelle. (p. 47)

Dadié se caractérise ici par une appréciation sévère de la réalité sociale. Il conçoit la "civilisation" censée être l'élément essentiel de l'oeuvre coloniale, comme quelque chose donné de surcroît. Dans la suite de son argumentation, l'auteur précise ce point de vue. L'Africain, placé à l'autre bout de l'escalier à gravir, n'y comprenait rien. Il vivait les situations sociales, mais il ne comprenait pas cette notion d'ascension vers un autre univers culturel. Il ne remarquait que quelques rares indices. L'Africain maintenait cette différence dans la réalité sociale, et, donc dans son vécu quotidien. Il considérait cet autre stade à atteindre selon le discours et les idéaux français comme une merveille, un jardin d'Eden, ou encore un paradis, et ainsi des endroits et des situations qui, à ce moment de l'histoire sociale africaine, ne pouvaient être ni atteints ni vécus.

2-6.5. LES CHEFS DE CANTON

Dans une autre nouvelle, Dadié rappelle au lecteur les méfaits des chefs de canton.

> Des chefs de canton ne se permettaient-ils pas de chercher à faire grincer la machine administrative? Quelques-uns ne s'étaient-ils pas permis de s'opposer à la rentrée des impôts, à des recrutements de main-d'oeuvre? N'avait-on pas dans un certain nombre de villages osé porter la main sur des gardes-de-cercle? Et puis encore, des chefs imposés n'avaient-ils pas été contestés! (p. 48)

Cette description de différentes attitudes par rapport aux tâches administratives qu'on leur avait confiées démontre que ceux-ci se situent à la frontière des deux univers, et qu'ils agissent, tantôt en faveur de la population locale, tantôt en faveur de l'administration française. Ils contribuent ainsi au bon fonctionnement de l'administration coloniale, mais - et ici ressort l'ironie de l'auteur - ils s'opposent également et à l'occasion aux impôts et aux recrutements de la main-d'oeuvre. L'ambiguïté de leur rôle ressort de ces propos qui révèlent que ces chefs étaient souvent contestés, et ceci, surtout du fait d'une fonction qui leur était attribuée par l'administration coloniale. Cet office les distinguait des autres Africains, et les aspects particuliers liés à son exercice, contribuaient à ce que cette institution change de telle sorte qu'elle soit en partie liée à l'administration coloniale, et, en partie, à la population autochtone. La répartition du pouvoir à l'intérieur de la population autochtone amenait ainsi ces chefs à accepter des fonctions souvent ambiguës.

122

2-6.6. LES RAPPORTS SOCIAUX ENTRE LES AFRICAINS ET LES EUROPEENS

L'auteur ivoirien nous décrit les rapports entre les Blancs et les Noirs de cette époque de l'administration coloniale de la manière suivante :

Il y avait entre le Blanc et le Nègre une lutte sourde, constante, permanente, que les rapports officiels ne dévoilaient pas toujours. On laissait au temps le soin de tout aplanir, de faire accepter la situation de fait. (p. 49)

Cette lutte inégale faisait apparaître une acceptation des faits une fois introduite, tant de la part de l'Européen que de celle de l'Africain. Vers les années 50 où se déroulent une partie de ces histoires, ces deux groupes étaient déjà marqués par l'émergence d'un univers nouveau annonçant une symbiose entre ce qui était considéré comme *ancien* et ce qui était considéré comme *nouveau*; entre les systèmes sociaux des groupes autochtones et les aspects divers liés à l'introduction des systèmes sociaux, politiques et économiques de la puissance coloniale. Les groupes autochtones participant, d'une façon ou d'une autre, à ce système caractérisé par d'autres valeurs sociales n'avaient plus aucun intérêt à révéler le caractère spécifique des rapports de force sous-jacents à cette situation coloniale. Ils avaient commencé à y trouver leurs avantages, à s'intégrer lentement dans un mode de vie différent qui, à partir des années 40 et 50 de ce siècle, ne leur permettait plus de faire marche arrière. L'administration française de son côté, persuadée de l'utilité des colonies, tentait de s'arranger avec l'ensemble des phénomènes qu'elle avait créés, et, essayait de cette manière de stabiliser son influence, et ceci, dans le but de perpétuer ce régime particulier d'administration coloniale. L'acceptation des aspects que nous signale Dadié se faisait d'ores et déjà, même si les acteurs sociaux ne s'en rendaient pas toujours compte, en respectant la réglementation officielle de ces rapports.

Les gardes de cercle de l'époque, une catégorie de personnes étroitement liée au système d'administration française, avaient pour tâche de s'occuper des questions peu agréables à traiter pour l'administration blanche. Ils devaient trouver "(...) ceux qui ne s'étaient pas encore acquittés de leurs impôts ou qui étaient partis de leur cercle sans autorisation du chef de subdivision." (p. 92)

L'Européen quant à lui

(...) portait canne et barbiche, s'habillait de blanc. Le transport en hamac était à l'honneur. Même les élèves des Ecoles William Ponty, de médecine et de pharmacie, du groupe scolaire avaient droit à des porteurs pour rentrer dans leur village. N'étaient-ils pas les futurs auxiliaires du colon dont des guêtres achevaient l'accoutrement! (p. 92)

Cependant, la majorité de la population suivait encore un style de vie imprégné par des valeurs sociales provenant de systèmes sociaux autochtones. L'auteur nous informe :

Le Nègre producteur ne mesurait pas encore la marge de bénéfice que les intermédiaires faisaient sur "son dos". Il produisait, livrait et se taisait. Heureux de danser le soir, de dépenser lors des grandes cérémonies. Du reste, il ne respectait que l'or et non le "papier-monnaie" des Blancs. (p. 94)

La différenciation sociale introduite par la colonisation n'avait que peu d'importance pour l'Africain moyen. Les groupes autochtones ne se rendaient pas encore compte de la différence de vie entre eux et ces *évolués*. Selon Dadié, ils obéissaient, comme on le leur avait toujours demandé ; ils fournissaient tout ce qu'on leur demandait. Mise à part ces obligations, ils continuaient à suivre leur rythme de vie particulier.[39]

2-6.7. LE CHANGEMENT DU ROLE D'UN GARDE DE CERCLE

Dans une autre nouvelle intitulée "La folie de Mamadou Tassouman", Dadié évoque l'exemple d'un garde de cercle à qui on avait interdit d'utiliser la chicotte. La personne concernée fut surprise, douta d'abord de lui, et, ensuite, de l'ensemble des rapports entre les Blancs et les Noirs. L'auteur nous décrit cette situation à travers la perception et l'histoire personnelle de ce brigadier-chef.

Assommé par cette nouvelle inattendue, surprenante, contraire à toutes les règles de la politique pratiquée, conseillée, expressément recommandée, au point que le garde-de-cercle qui se montrait quelque peu humain était radié des cadres, le brigadier-chef eut le vertige. (...) Le monde lui parut à l'envers. Enfin quoi? Que s'est-il encore passé dans la tête des Blancs? (...) A leur service depuis trente ans et voilà comment ils le traitent. Pour eux, n'avait-il pas battu à mort des gens de son village qui refusaient de payer l'impôt? Et qui était le chef de village sinon son propre cousin? (pp. 81-82)

L'auteur profite de l'occasion pour préciser l'image du Français qu'a ce brigadier-chef : "Aujourd'hui avec vous, demain contre vous, sans aucune explication. Aujourd'hui ils chantent vos louanges, et demain, ils vous piétinent, sans vergogne." (p. 84)

Dadié nous révèle que l'utilisation de la chicotte permettait, dans le temps, à ces hommes d'obtenir un salaire supplémentaire aux leurs qui, par ailleurs, restait relativement minime. Dans cette nouvelle, nous sommes confronté à un exemple-type d'un personnage faisant partie de ce système social nouveau et ayant intégré quelques-uns de ses principes fondamentaux, au point de ne plus arriver à se rendre compte du changement de situation. On exige de lui alors un autre comportement, de telle sorte qu'il ne comprend plus le nouveau rôle que l'administration française veut lui faire jouer. Ce personnage révèle le rapport de force changeant. C'est encore lui qui fait apparaître la difficulté de ce genre de changement pour les Africains.

Laissons parler ce garde de cercle afin de mieux comprendre cette transformation spécifique des relations sociales, d'une part, entre les Africains, et, d'autre part, entre les Noirs et les Blancs, et ceci, à un moment spécifique de l'histoire coloniale.

Un garde-de-cercle qui ne frappe pas est-il un authentique garde-de-cercle? Un brigadier-chef qui ne sème pas la terreur est-il encore un chef? L'avoir hissé si haut et le laisser tomber. Les Blancs, des êtres inconstants, incompréhensibles. (...) "Ne plus frapper les indigènes", se rendent-ils compte de ce qui va se passer? La fin du garde-de-cercle, autrement dit la fin du Pouvoir. Ah, si l'ordre règne (...), c'est parce que le garde-de-cercle, la chicote toujours haute, accomplit consciencieusement sa mission! (p. 82)

Quelques pages plus loin, Dadié nous informe sur les effets psychologiques que ce changement aura sur le même personnage, et sur une population qui ne comprendra que lentement le genre de transformation des rapports sociaux.

Mais faire cela, à lui, le plus loyal des serviteurs? L'humilier, le dépouiller de ses attributs, de son sceau, le dégrader, oui, le dégrader, car ses médailles, il ne les porte pas toujours, quant à sa chicotte, son outil de travail, comment pouvait-il ne pas toujours l'exhiber? (p. 87)

Finalement, après avoir tenté d'écrire une lettre anonyme au Lieutenant-Gouverneur, le brigadier-chef se rend à l'endroit où le commandant de cercle devait annoncer la nouvelle. Et l'auteur commente par la voix de ce personnage :

Ces hommes blancs qui ne savent pas ménager l'honneur des autres, qui ne pensent qu'à eux seuls! Voilà que publiquement, un 14 juillet, il va crier que lui El Hadji brigadier-chef Mamadou Tassouman, n'était plus rien.

Tout à coup tout se brouille. Et le brigadier-chef se crut en France, montant à l'assaut d'une tranchée, baïonnette au canon. (p. 89)

Cet accès de folie présente un bon exemple du genre de dénouement des actions dans les nouvelles de Dadié. Le héros se met hors de la réalité sociale et se réfugie dans un rêve. Il refuse ainsi le sort qu'on lui réserve. Il ne peut accepter le changement dans les rapports de force, qui met en cause l'ensemble de sa conception de la vie sociale et de ces projets personnels. Ce brigadier-chef incarne un Africain, qui s'était pleinement adapté à l'administration coloniale. Cette ouverture vers un autre système culturel à l'intérieur duquel il trouvait ses avantages, l'empêche, dorénavant, de percevoir la transformation de son rôle avec netteté. Au début, notre héros avait accepté sa fonction de la même manière que l'Africain accepte généralement les traditions véhiculées par les Anciens. Donc, un ordre nouveau lui paraît impossible à supporter, voire impossible à imaginer avec toutes les conséquences que ceci entraînera dans son entourage social. Le refuge dans la folie, devant cette constatation d'une discontinuité, décrit ce sentiment d'impuissance face à un monde qui change selon des règles qui ne sont plus familières aux

Africains. L'opposition entre la conception du changement de la puissance coloniale et celle des groupes africains devient ainsi infranchissable. L'époque que le brigadier n'arrive pas à comprendre est celle du passage d'un monde africain à un monde où des valeurs occidentales sont de plus en plus acceptées. La conception particulière du changement que la France exprimait dans ses activités coloniales de l'époque ne pouvait être acceptée par cet homme intégré encore à un univers régi par d'autres règles sociales.[40]

L'auteur nous fait comprendre à travers des histoires traitant d'autres personnes que l'attachement à la culture africaine offrait une sécurité, permettant de s'affirmer comme Africain. Une scène à l'église, que Dadié nous décrit, souligne ce point de vue.

> Oh! il (le prêtre, US) ne savait pas qu'une fête en Afrique réunit tout le monde, aussi bien les vivants que les morts, sans omettre les génies! La résurrection, le Nègre ne la place pas à la fin des temps. L'existence chez lui n'est pas cloisonnée. (p. 35)

Sans vouloir discuter la problématique de la perception du temps des groupes autochtones, on constate que cette conception particulière est inconnue de l'Européen et qu'elle est une idée typiquement africaine difficile à admettre pour celui-ci. Or, cette citation exprime encore un autre aspect, et notamment celui qui consiste à tenir compte de l'ancrage historique et social de ces phénomènes et à localiser une mémoire collective face à un monde qui change sans arrêt.[41]

2-6.8. CONCLUSION : LA DEMONSTRATION DU CARACTERE AMBIGU DE CERTAINS ASPECTS DU MONDE COLONIAL

Le mot qui clôt le recueil de Dadié est "l'Avenir", en majuscule. Le temps historique s'ouvre donc vers un avenir qui doit tenir compte du passé, et, dans ce sens, également du passé colonial, une époque difficile à cerner où la culture africaine et l'héritage culturel occidental se mêlent. L'auteur souligne que, selon lui, la rupture entre ce qui était et ce qui devient, n'est plus à l'ordre du jour. Le lecteur a ainsi le droit et le devoir de tirer des conclusions de l'ensemble des nouvelles de Dadié qui lui permettent de comprendre la particularité d'un temps historique révolu et qui, en même temps, exigent de lui d'adopter une conception du développement plus adéquate au genre de changement ayant lieu en Afrique.

Nous avons démontré que Dadié arrive à faire parler les situations sociales de l'époque coloniale, en insistant sur le caractère ambigu des différents protagonistes, de leurs actions, de leurs conceptions face au changement introduit qui les touche immédiatement. Le dénouement des intrigues montre la plupart du temps des issues sortant de la "normalité". L'auteur arrive à faire comprendre au lecteur que la folie, les médailles que les chefs portent, la recherche d'un temps nouveau au moyen d'une montre doivent être compris en tant qu'indicateurs d'un changement qui ne s'intègre que difficilement au répertoire des actions des groupes autochtones. L'issue apparemment absurde de nombre de ces nouvelles ne révèlent que la difficulté de vivre une situation différente où deux conceptions de société s'opposent, coexistent d'une manière ou d'une autre, et où les autochtones seront finalement obligés de s'intégrer dans le but d'atteindre un avenir permettant une vie meilleure. L'objet de l'ensemble de ces nouvelles de Dadié est la description d'un développement sous l'administration coloniale qui fait apparaître des symbioses où la coexistence de deux modèles culturels différents aboutit à des situations souvent grotesques qui doivent être dépassées dans l'avenir.

2-7. Sembène Ousmane : "LES BOUTS DE BOIS DE DIEU"

2-7.1. BUT ET PROPOS DE L'OUVRAGE

Le titre du roman de Sembène Ousmane[42] est une métaphore pour décrire les êtres humains. Sa signification nous est expliquée à la page 72 du livre :

> Une superstition veut que l'on compte des "bouts de bois" à la place des êtres vivants pour ne pas abréger le cours de leur vie. (p. 72)

L'importance des êtres humains est signalée dès le début du roman : celui-ci est précédé d'une longue liste de personnages principaux, et la plupart des chapitres portent les noms de personnes. Le titre nous confronte avec l'intention de l'auteur. Il s'agit de décrire l'histoire des Africains lors d'une lutte dont le but était d'être reconnu comme des êtres humains à part entière et à qui on reconnaîtrait au moins quelques-uns des droits attribués aux Européens.[43] Cette signification sociale et politique du livre nous est révélée au début de l'ouvrage où Ousmane note :

> Les hommes et les femmes qui, du 10 octobre 1947 au 19 mars 1948, engagèrent cette lutte pour une vie meilleure ne doivent rien à personne : ni à aucune "mission civilisatrice", ni à un notable, ni à un parlementaire. Leur exemple ne fut pas vain : depuis, l'Afrique progresse. (p. 8)

La description de cette grève nous situe d'emblée dans l'Afrique coloniale française des années 40, caractérisée par la domination des Européens sur les Africains, par des rapports de force inégaux entre les deux groupes et par la volonté des Noirs d'affronter, au moyen d'une grève, une situation devenue insupportable. La lutte de ces ouvriers qui, dans la réalité historique, engageait des travailleurs de plusieurs pays de l'Afrique Occidentale Française, s'avère être une lutte contre un système d'inégalité sociale, contre des formes d'exploitation fondées sur des critères raciaux. Cette lutte d'une catégorie socio-professionnelle, des cheminots, engage dans le roman l'ensemble de la société coloniale : d'autres catégories de travailleurs, les

129

femmes, la hiérarchie autochtone établie par l'autorité coloniale, et, également les Européens et leurs privilèges. Ousmane considère sa description d'une réalité sociale comme un exemple africain du genre réaliste que Zola avait appliqué avec Germinal. L'auteur se sert d'une lutte historique des travailleurs, dont il transforme certaines caractéristiques particulières, pour démontrer que ce conflit rassemble toute la population africaine, à quelques rares exceptions près, comme les notables, le sérigne, les boutiquiers, et ceci, contre un ennemi blanc qui représente, quant à lui, une force que seule l'action collective arrivera à maîtriser. Ousmane utilise le schème classique de la lutte des classes pour montrer les particularités de ce conflit qui, en Afrique, possède des traits différents, et met en opposition un petit groupe de Blancs à une majorité d'Africains. Le combat de ces personnes est une lutte des êtres humains considérés comme des "enfants", comme appartenant à une "race inférieure", et, dont le but est d'obtenir un statut différent et une considération sociale réelle. La victoire finale des grévistes montre que cette grève a permis de changer leur vie. Les hommes et les femmes participant à ces événements se rendent compte qu'ils arrivent à faire bouger l'histoire et qu'ils disposent d'une force dont ils n'osaient même pas rêver.

2-7.2. BAKAYOKO, GUIDE SPIRITUEL DE LA GREVE

Ousmane nous décrit des scènes importantes dans son roman, où des foules humaines arrivent à déclencher des processus de changement : les travailleurs se rassemblant ; la marche des femmes de Thiès à Dakar ; la scène réunissant à l'hippodrome de Dakar les différentes autorités coloniales, les grévistes, les femmes et d'autres personnes impliquées dans cette grève. C'est à cet endroit même que la grève générale est décidée, qui, finalement, sera fondamentale pour l'issue du conflit. Le leader spirituel de toute cette population est un cheminot qui, par sa profession même, n'appartient plus au cadre africain traditionnel,[44] et qui, en tant qu'autodidacte - comme l'auteur lui-même -, a acquis une culture qui lui permet de faire face au pouvoir européen. Avant que ce personnage qui porte un nom de caste, Bakayoko, n'entre dans l'action du roman, différentes personnes nous donnent des renseignements sur lui.[45] Ils le décrivent sous différents angles : le public est informé sur ses qualités morales et intellectuelles, sur son influence et son savoir. Bakayoko est décrit comme celui qui sert de moteur aux différentes actions ; qui soutient moralement les grévistes par ses discours et des phrases qui restent dans leur mémoire. Sans la présence de ce personnage, les acteurs se sentent quelquefois comme paralysés, et seule l'évocation de ses paroles émises à différentes occasions leur permet de continuer leur lutte. Les grévistes se plaignent de son absence, et, quand Bakayoko arrive, finalement, ils se sentent soulagés. En peu de mots, il arrive à faire changer la situation. Les Européens, quant à eux, le considèrent comme un "tribun" (p. 58) et un "homme dangereux" (p. 264), qui sait utiliser la langue française dans des situations de conflit afin de trouver une issue à une impasse qui lui permet, ensuite, d'atteindre un autre stade de la grève. Mais Bakayoko sait également employer les langues autochtones. C'est ainsi qu'il arrive à inciter les groupes autochtones à l'action. Il est le point focal de l'ensemble des actions. Il est "l'âme de la grève", et ceci, au point que les autres acteurs le considèrent comme quelqu'un en fonction duquel l'ensemble des actions doit être déterminé.

Pour Ousmane, ce personnage représente quelqu'un qui vit sa destinée, qui arrive à manipuler les liens qui relient les ouvriers à la puissance administrative, et ceci, dans le but de changer cette situation inégale, de s'opposer à une force considérée longtemps comme inébranlable. Bakayoko utilise ses connaissances en fonction de diverses situations : il sait parler aux représentants de la Régie ; il est capable de s'adresser aux foules lors du meeting à Dakar ; il emploie son savoir de manière à ce que le déroulement de la grève puisse finalement aboutir à une victoire des travailleurs. Chaque événement est estimé à sa façon. Bakayoko s'oppose ainsi aux vieux, au sérigne, au gouverneur ; il encourage les femmes ; il prend ses distances quand les rapports de force ne lui semblent pas favorables. Pourtant, cet homme est étroitement lié à ce conflit par le biais de ses fonctions. Ousmane décrit notre protagoniste en lui faisant évoquer ses sentiments personnels lors de l'exercice de son métier :

Quand je suis sur la plate-forme de mon Diesel, je fais corps avec toute la rame, qu'il s'agisse de voyageurs ou de marchandises. Je ressens tout ce qui se passe au long du convoi, dans les gares, je vois les gens. Mais dès que la machine est en route, j'oublie tout. Mon rôle n'est plus que de conduire cette machine à l'endroit où elle doit aller. Je ne sais plus si c'est mon coeur qui bat au rythme du moteur ou le moteur au rythme de mon coeur. Pour moi, c'est ainsi qu'il en est de cette grève, nous devons faire corps avec elle ... (p. 324)

2-7.3. LA TRANSFORMATION SOCIALE ET LA GREVE

C'est en donnant la parole aux différents protagonistes que l'auteur, qui utilise d'ailleurs la plupart du temps le discours direct[46] - fait qui contribue à faire avancer l'action -, révèle un monde en mouvement et en transformation : les hommes et les femmes ressentent ce changement ; ils sont en quête d'une identité différente que cette lutte semble pouvoir leur donner ; ils ont la force morale de lutter pendant des mois, sans toujours savoir où trouver l'argent nécessaire pour manger et survivre. Ce combat qui dure longtemps est ressenti par les grévistes et leurs familles comme une épreuve qu'ils doivent subir avant d'atteindre un avenir prometteur. Dorénavant, le temps où l'Afrique était conforme aux traditions est révolu. Le présent confronte la population à une réalité incertaine que seul l'espoir en un avenir meilleur lui permet de vivre, en supportant des jours sans nourriture et l'humiliation éprouvée devant des boutiquiers qui ne veulent plus donner de crédits et qui collaborent avec l'administration coloniale en suggérant aux femmes et aux hommes de reprendre leur travail. Toutes ces actions et réactions font naître des êtres humains différents : "Et les hommes comprirent que ce temps, s'il enfantait d'autres hommes, enfantait aussi d'autres femmes." (p. 63) Cette lutte qui se déroule également dans l'âme et la conscience des grévistes, est décrite de cette manière :

Au début, les hommes avaient proclamé avec orgueil qu'ils avaient tué la "Fumée de la savane". Maintenant, ils se souvenaient du temps où pas un jour ne se passait sans voir cette fumée rouler au-dessus des champs (...). Tout cela avait été leur vie. Ils y pensaient sans cesse, mais gardaient jalousement ces pensées comme un secret, tout en s'épiant l'un l'autre comme s'ils avaient peur de voir le secret échapper à quelqu'un d'entre eux. Pourtant, ils sentaient confusément que la machine était leur bien commun et que la frustration qu'ils éprouvaient (...) leur était également commune. (p. 125)

La grève avait été déclenchée à cause d'un sentiment général d'injustice de la part des Africains. La citation suivante fait apparaître les motifs qui ont poussé les travailleurs à commencer cette grève. Tiémoko, un des protagonistes dans cette grève pose des questions :

C'est nous qui faisons le boulot (...), c'est le même que celui des Blancs. Alors, pourquoi ont-ils le droit de gagner plus? (...) Et quand ils sont malades, pourquoi sont-ils soignés et pourquoi nous et nos familles avons-nous le droit de crever? (...) En quoi un ouvrier blanc est-il supérieur à un ouvrier noir? On nous dit que nous avons les mêmes droits, mais ce sont des mensonges! La machine que nous faisons marcher (...) dit la vérité : elle ne connaît ni homme blanc, ni homme noir. Il ne sert à rien de (...) dire que nos salaires sont insuffisants. Si nous voulons vivre décemment, il faut lutter. (pp. 23-24)

L'auteur évoque la problématique de la rémunération du travail et de la sécurité sociale. Tiémoko réclame que les salaires soient égaux pour les deux groupes du moment où il s'agit du même genre de travail. Ensuite, l'auteur se plaint, à travers les paroles de ce personnage, qu'en cas de maladie les Européens soient soignés et non les Africains. Cette personne nous informe aussi que le discours officiel souligne que les droits sont, en effet, les mêmes, mais qu'il s'agit d'un discours plutôt euphémique et que la réalité sociale est bien différente. Ousmane prend l'exemple de la machine qui peut être manipulée soit par des Africains, soit par des Européens. Et il signale que cette machine révèle le jeu de force existant. Les salaires payés en exécutant les tâches liées à la machine sont considérés, en ce qui concerne les Africains, comme insuffisants.

2-7.4. LA DESCRIPTION DES DIFFERENTS PROTAGONISTES

Le récit nous offre un panorama de la situation sociale des années 40 de l'Afrique de l'Ouest ; y est montré le rôle de l'administration coloniale, les caractéristiques des notables locaux, l'inégalité des salaires et bien d'autres éléments qui font l'objet des revendications sociales des travailleurs de cette époque. Le rôle de certains personnages comme Fa Keïta, l'Ancien, est évoqué, qui revendique sans cesse que les grévistes se basent sur des fondements moraux dans l'ensemble de leurs actions, qui leur rappelle que la haine ne fait pas vivre un homme, qui leur parle du respect de la dignité humaine, des idées de justice et qui contribue ainsi à jouer un rôle dans la résolution des situations de conflit.

Le roman fait également apparaître le rôle des Européens de l'époque, leur racisme, leur situation privilégiée qu'ils risquent de perdre et qu'ils défendent dans cette lutte inégale. Finalement, ces Européens seront contraints de quitter le pays qui ne veut plus d'eux. Dejean, en tant que représentant du pouvoir économique de la Métropole, doit s'en aller ; Isnard qui tue deux enfants dans une situation de tension extrême est remplacé. Ousmane nous décrit également le sentiment d'insécurité de ces Européens face à la population autochtone qui, sur un plan quantitatif, est plus importante. L'auteur témoigne de leur position intellectuelle et morale dans cette grève et les présente comme des êtres humains qui désapprouvent tout changement, fait qui les oblige par la suite à partir et à renoncer à l'ensemble des privilèges qu'ils défendaient et que l'Afrique de l'époque leur offrait. Ousmane montre les caractéristiques particulières de ces personnages en nous présentant quelques éléments de leur vie, qui ont souvent pour but de déclencher des sentiments négatifs auprès du lecteur. L'auteur nous fournit ainsi une description détaillée de Dejean, représentant du pouvoir économique blanc :

Vingt ans auparavant, Dejean avait été un employé zélé. Il était arrivé à

134

la colonie avec l'intention de faire fortune rapidement. (...) Il avait très vite franchi les premiers échelons. (...) En 1938, alors qu'il était sous-chef de bureau, les métallos du dépôt avaient fait leur première tentative de grève. Dejean avait rapidement étouffé le mouvement et, pour le récompenser, la Direction l'avait nommé chef de bureau. (...) Lorsque les hommes de Vichy prirent les affaires en mains, le directeur général, qui n'était pas pétainiste, disparut. Dejean le remplaça. Depuis, il avait gardé le poste. (pp. 55-56)

Ousmane nous décrit ce personnage comme quelqu'un qui était venu à la colonie avec l'idée de faire fortune. Cette arrivée devrait coincider avec les années 30 de ce siècle. Dejean, alors jeune employé, appartenait à ces personnes qui préféraient une vie aux colonies à celle en Métropole. Il se fait remarquer par son travail zélé. En 1938, donc peu de temps avant la deuxième guerre mondiale, il étouffa un mouvement de grève, fait qui lui valut sa nomination comme chef de bureau. Lors de la prise de pouvoir de Vichy en France, le directeur général, n'étant pas en faveur auprès de Pétain, fut remplacé par Dejean.

2-7.5. LA DESCRIPTION DE LA GREVE

L'auteur nous fait ensuite connaître le comportement de Dejean au début de la grève. Celui-ci renseigne ses collaborateurs:

Messieurs, j'ai eu Dakar au fil tout à l'heure. Nous serons soutenus. Mais nous devons veiller à ce que cette histoire ne se prolonge pas. J'ai besoin de tous les renseignements possibles. Je connais les Noirs d'ici. Dans quelques jours, il y en aura déjà qui voudront reprendre. Peut-être même avant. Mais si ça dure, il faut prévoir dès maintenant les mesures qui seront appliquées. C'est simple : blocage des marchandises de première nécessité, riz, mil, maïs. Les boutiquiers seront prévenus. (p. 58)

Lors de cet entretien, Dejean informe ses collaborateurs sur la situation et les mesures à entreprendre. Il estime que les Africains vont rapidement reprendre le travail. Dans le cas contraire, il prévoit d'ores et déjà de bloquer la distribution des biens de première nécessité. Puis, Ousmane nous décrit la suite des événements et le début de la grève.

> Ainsi la grève s'installa à Thiès. Une grève illimitée qui, pour beaucoup (...) fut (...) une occasion de réfléchir. (...) (I)ls comprirent qu'un temps était révolu, le temps dont leur parlaient les anciens, le temps où l'Afrique était un potager. C'était la machine qui maintenant régnait sur leur pays. En arrêtant sa marche sur plus de quinze cents kilomètres, ils prirent conscience de leur force, mais aussi conscience de leur dépendance. En vérité, la machine était en train de faire d'eux des hommes nouveaux. Elle ne leur appartenait pas, c'était eux qui lui appartenaient. En s'arrêtant, elle leur donne cette leçon. (pp. 60-61)

La description de la grève permet à l'auteur de montrer qu'il s'agit d'un phénomène signalant que la période coloniale avait atteint un point critique. L'arrêt de la locomotive sur un itinéraire de quinze cents kilomètres nous fait comprendre que l'Afrique ne fournit plus uniquement des denrées alimentaires à l'Europe, et que la machine introduisait un autre genre de rapports sociaux. Les travailleurs salariés utilisent et manipulent la machine. Cette grève les transforme. Ils ne constituent plus une main-d'oeuvre qui accepte de façon passive les relations de travail, mais ce sont des hommes conscients de leur force, de leur contribution au travail, et ainsi à un régime économique qui contribue à les faire vivre, et, qui, à l'occasion de cette grève, leur permet d'apprécier à sa juste valeur leurs forces potentielles.

> Des jours passèrent et des nuits passèrent. Il n'y avait pas de nouvelles, sinon celles qu'apportait chaque heure dans chaque foyer et c'étaient toujours les mêmes : les provisions étaient épuisées, les économies mangées, il n'y avait plus d'argent sous le toit. On allait demander crédit, mais que disait le commerçant? Il disait : "Vous me devez déjà tant et moi je n'aurai même pas de quoi faire ma prochaine échéance. "Pourquoi ne suivez-vous pas les conseils qu'on vous donne? Pourquoi ne reprenez-vous pas?" (p. 61)

La poursuite de cette épreuve de force signifiait pour ces hommes des sacrifices immenses. Ils ne pouvaient plus donner d'argent à leurs épouses, ce qui avait pour conséquence que les provisions étaient vite réduites à rien et que les économies qui avaient été faites disparaissaient rapidement. Les femmes des travailleurs étaient obligées de recourir à la vente d'objets, comme, par exemple, des vélos et des montres, et, ensuite, de vêtements de valeur et de bijoux. Malgré tous ces efforts, la faim commença à s'installer. Pourtant, le moral était bon. Les activités politiques redoublèrent avec l'intention de ne pas céder devant cette épreuve de force.

Alors on utilisa encore un peu la machine : on apporta chez le prêteur les vélomoteurs et les vélos, les montres, puis ce fut le tour des boubous de valeur (...) et des bijoux. La faim s'installa ; hommes, femmes, enfants, commencèrent à maigrir. Mais on tenait bon. On multipliait les meetings, les dirigeants redoublaient d'activité et chacun jurait de ne pas céder. - (...) Et voici qu'à la surprise générale, on vit circuler des trains. Les locomotives étaient conduites par des mécaniciens venus d'Europe, des soldats et des marins se transformaient en chefs de gare et en hommes d'équipe. (pp. 61-62)

Le jour arriva, finalement, où les locomotives commencèrent à être conduites par des mécaniciens venus d'Europe, et, des soldats et des marins travaillant comme chefs de gare et comme hommes d'équipe.

Ce fut alors au tour de la peur de s'installer. Chez les grévistes, (...) un étonnement craintif devant cette force qu'ils avaient mise en branle et dont ils ne savaient encore s'il fallait la nourrir d'espoir ou de résignation. Chez les Blancs, la hantise du nombre. Comment, petite minorité, se sentir en sûreté au milieu de cette masse sombre? Ceux des deux races qui avaient entretenu de bonnes relations d'amitié évitaient de se rencontrer. Les femmes blanches n'allaient plus au marché sans se faire accompagner d'un policier : on vit même des femmes noirs refuser de leur vendre leurs marchandises. (p. 62)

Ces événements firent naître un sentiment de peur auprès des grévistes qui n'avaient pu imaginer que cette épreuve de force pourrait amener l'administration française à utiliser de la main-d'oeuvre métropolitaine. Les Européens ressentirent également ce changement de situation. Depuis des années, sûrs de leur supériorité, ils se voyaient contraints de s'habituer au fait d'être une petite minorité au sein d'une majorité d'Africains. On constate donc qu'il s'agit bien d'un conflit entre deux groupes sociaux différents, et non pas uniquement entre des employeurs et des employés.

Les femmes étaient les premières à être touchées. L'Africaine subissait l'augmentation des prix, conséquence de la grève, et, des mesures prises dans le but de porter préjudice aux grévistes :

la menace du commerçant de ne rien vendre ou uniquement à des prix exorbitants ; la vente des objets par l'Africaine qui, à d'autres moments, n'auraient jamais été vendus ou seulement à des prix conformes à leurs valeurs réelles. Cette situation faisait baisser les prix de ces marchandises que personne ne voulait acheter.

Les scènes de violence, de pénurie, de mort dans ce roman témoignent du réveil d'une force nouvelle, d'une dynamique déclenchée par une foule à l'intérieur du monde africain et colonial. Les Européens qui sont décrits ne sont que de simples représentants de ce système social. L'auteur ne leur accorde aucune estime. Ousmane véhicule un savoir qui met en cause l'ordre établi, qui montre les lacunes et les faiblesses de ces personnages face à des Africains qui semblent faire tout ce qu'ils peuvent pour améliorer leur situation. De ce fait, les Européens sont dans une position de défense, d'infériorité due au nombre et face à une masse africaine qui agit avec violence. Cette grève qui instaurera d'autres rapports sociaux se fonde sur des idéaux humains que l'auteur communique au lecteur. Le titre que S. Ousmane donne au livre, nous annonce déjà cette prise de position. Cette grève est donc une grève du monde ouvrier africain contre un oppresseur européen plus fort. L'auteur signale au lecteur que les ouvriers d'autres pays soutiennent les grévistes dans leur lutte, tandis que les notables africains, dont la position dépend plus au moins de l'ordre social établi,[47] s'opposent au conflit et incitent les grévistes à reprendre le travail. Or, cette grève contribue à un changement fondamental des attitudes des Africains. L'auteur nous fait savoir :

Quelque chose de nouveau germait en eux, comme si le passé et l'avenir étaient en train de s'étreindre pour féconder un nouveau type d'homme (...). "L'homme que nous étions est mort et notre seul salut pour une nouvelle vie est dans la machine, (...) qui, elle, n'a ni langage, ni race." (Bakayoko, US) Mais eux restaient muets. Seule se voyait dans leurs yeux une lueur de mauvaise extase qui contenait à la fois l'horreur grandissante de la famine et la douloureuse attente du retour de la machine. (...) Cette intrusion des forces de la nature contre la machine était un spectacle déchirant qui humiliait le coeur des hommes. (pp. 125-126)

Les grévistes commençaient à comprendre que la machine leur

signalait un autre mode de vie. Les différentes temporalités présentent dans la situation coloniale qui contribuent à créer "un nouveau type d'homme" (p. 125) sont évoquées. Cette symbiose particulière se joue autour de la question de la machine, de l'introduction d'un temps à venir et du dépassement d'un état antérieur. La description de cette grève occupe plus de deux cents pages. Or, ce conflit ne couvre qu'une quarantaine de jours. A cause de cette grève, les Africains ne peuvent plus nourrir leurs familles et ils voient la famine s'installer chez eux. Leur lutte est décrite comme une opposition aux forces de la nature : la famine, leur faiblesse, l'absence de pouvoir contre une machine qui les domine, et, finalement, l'utilisation des travailleurs venant de la Métropole.

Une fois par semaine seulement la "Fumée de la savane" courait à travers la brousse, conduite par des Européens. Alors les grévistes tendaient leurs oreilles, tels des lièvres surpris par un bruit insolite. Pendant un instant, le passage de la locomotive apaisait le drame qui se jouait dans leur coeur, car leur communion avec la machine était profonde et forte, plus forte que les barrières qui les séparaient de leurs employeurs, plus forte que cet obstacle jusqu'alors infranchissable : la couleur de leur peau. Puis, la fumée disparue, le silence ou le vent s'installait de nouveau. (p. 126)

Ousmane nous fait savoir que les grévistes se sentent profondément liés à la locomotive. L'utilisation de la main-d'oeuvre métropolitaine leur cause du mal et les déchire. La machine devient le symbole d'un temps nouveau que l'Africain doit accepter de son propre gré. L'employeur n'est évoqué que comme un obstacle en raison de sa couleur de peau, barrière qui ne peut être niée et qu'aucun rapport de force n'arrive à changer.

Il y avait maintenant plus de quarante jours que la grève durait. Nul indice de pourparlers, nul signe de reprise. Devant le spectacle de leurs familles affamées, les hommes s'énervaient, des querelles éclataient dans les familles, entre femmes d'un même homme. En effet, lorsqu'un gréviste venait de toucher sa part de soutien, il la remettait tantôt à l'une tantôt à l'autre de ses épouses, et il s'ensuivait parfois de véritables batailles. (p. 228)

Les jeunes apprentis africains inventaient un autre jeu de force. Ils s'amusaient à casser des vitres et des vitrines pendant la

139

nuit à l'aide des lance-pierres. Ils visaient des objectifs comme les phares des voitures et les pare-brise. Tout ce qui restait allumé la nuit leur servait de prétexte à continuer ce jeu de peur contre les Européens. Même les gardes-cercles n'y pouvaient rien. Les jeunes, au moindre bruit, se dispersaient et on n'arrivait plus à les attraper. Ils maîtrisaient ces lance-pierres de telle sorte que, pendant la nuit, ils pouvaient recommencer à détruire l'ensemble des cibles détruites la veille et que les Européens avaient déjà remplacés.

Dès lors le nouveau jeu était trouvé. Ils attendaient que la nuit se fît leur complice puis, par petits groupes pour mieux dépister les gardes et les soldats, ils envahissaient la zone européenne. (...) Tout ce qui brillait dans la nuit leur était bon, des fenêtres aux lampadaires. On avait beau, le jour venu, remplacer les ampoules ou les vitres, le soir suivant le sol était jonché d'éclats. (...) Quant aux Européens, le sentiment de gêne et d'inquiétude qui avait été le leur depuis des semaines, fit soudain place à une véritable panique. (p. 249 et suite)

Ce climat de peur, créé par des jeunes qui voulaient participer, d'une manière ou d'une autre, à cette épreuve de force, faisait surgir auprès des Européens la panique devant un ennemi qui sortait à peine de l'obscurité. L'inquiétude qui était la leur depuis le début de la grève, leur faisait évoquer l'effroi du Noir, de l'Africain, de l'autre qui, en réalité, se trouvait dans une situation sociale différente, beaucoup moins protégée et privilégiée. Dans ce sens, la grève avait l'aspect d'une lutte entre groupes sociaux se distinguant à cause de leurs statuts différents à l'intérieur d'un même ensemble social. Les privilèges des Européens coexistaient avec la situation de faiblesse des Africains qui essayaient d'améliorer leur sort. Le conflit fait naître, de la part des Africains, des sentiments de haine envers les Européens. Les Africains essaient de leur causer des ennuis et des dommages matériels. La méfiance envers les employés autochtones s'installe. La nuit, les Européens, se sentant impuissants devant toute attaque, recouraient, au moindre bruit, aux armes. Après le meurtre de deux enfants par Isnard, un Européen qui vivait depuis longtemps dans la colonie, Ousmane nous confronte, de nouveau, à une scène où la foule impose par ses actes la forme que prend la grève et son déroulement.

En passant devant le quartier des employés européens, la colère atteignit son paroxysme, les bras se levèrent, les bouches hurlèrent des injures, des mots sans suite qui jaillissaient comme une bave.

Devant la résidence de l'administrateur, les deux cadavres furent déposés à même le trottoir et les femmes entonnèrent un chant funèbre. (...) Peu à peu le chant s'éteignit et la foule entière demeura silencieuse. Mais ce silence voulait dire plus que les clameurs : il venait des feux éteints, des marmites et des calebasses vides, des mortiers et des pilons fendus (...). (p. 252)

Des pourparlers sont finalement décidés. Ousmane décrit alors l'attitude des Européens qui se signale par les premières concessions.

Ecoute, Victor, je suis venu de Dakar avec des consignes bien arrêtées et j'ai vu Dejean avant de venir ici. Il faudra faire tout le possible pour le réajustement des salaires ; pour le reste, je verrai et je ferai mon rapport, mais il faut se rendre compte qu'ils ont bien travaillé, les bougres! Savez-vous qu'à Bamako ils se sont emparés de l'un des leurs qui avait repris le travail, en se déguisant en gendarmes, et qu'ils l'ont jugé à notre barbe! (p. 263)

Les Français commencent à céder sur le point des réajustements des salaires, en reconnaissant que les Africains ont "bien travaillé". Or, la grève fait également naître des comportements chez ces derniers empruntés au répertoire d'actions des Européens. C'est ainsi qu'ils enlevaient un des leurs, qui avait repris le travail, en se déguisant en gendarmes. Edouard, l'inspecteur du travail et le représentant de la Régie, lors d'une discussion qui a pour but de décider d'une réunion entre les grévistes et les représentants de la Régie du chemin de fer, s'adresse à eux et leur fait savoir :

J'étais en train de préciser, dit-il, que je suis ici à titre de médiateur entre la Régie et vous. Vos revendications ont été étudiées à Dakar avec sérieux et en profondeur. Il en est qui se sont révélées justes, seulement elles se heurtent à des difficultés réelles. Le bilan de l'année dernière n'a pas été bon (...). La retraite devra être étudiée en fonction du niveau technique des intéressés, enfin le rappel de l'augmentation des salaires doit être envisagé en fonction du coût de la vie. (...) (N)ous pouvons nous rendre dès maintenant aux bureaux de la Régie. (pp. 271-272)

Et la voix narrative continue :

Dejean, le directeur, et ses plus proches collaborateurs, étaient déjà arrivés depuis un bon moment et l'attente leur était une dure épreuve. (...) Une discussion entre employeurs et employés suppose des employés et des employeurs. Lui, Dejean, n'était pas un employeur, il exerçait une fonction qui reposait sur des lois naturelles, le droit à l'autorité absolue sur des êtres dont la couleur de leur peau faisait non des subordonnées avec qui l'on peut discuter, mais des hommes d'une autre condition, inférieure, vouée à l'obéissance sans conditions. (p. 277)

La citation ci-dessus exprime clairement le point de vue de la Direction. Dejean exerce sa fonction en se fondant sur des bases naturelles : une différence de statut entre les Africains et les Européens. Il se révèle être ainsi un représentant de l'ordre ancien que les travailleurs commencent à contester. Il est persuadé de l'infériorité des Africains et de la nécessité d'une obéissance sans condition de leur part.

Mais céder sur la question des allocations familiales, c'était beaucoup plus que d'agréer un compromis avec des ouvriers en grève, c'était reconnaître pour valable une manifestation raciale, entériner les coutumes d'êtres inférieurs, céder non à des travailleurs mais à des Nègres et cela Dejean ne le pouvait pas. (p. 283)

La question des allocations familiales est selon Dejean liée à une manifestation de coutumes des êtres "inférieurs", des Africains, qu'il ne reconnait pas en tant que "travailleurs". Lors des négociations qui suivent la discussion entre les grévistes et l'inspecteur du travail, Dejean, en tant que représentant de la Régie, signale aux représentants syndicalistes que leurs revendications seront étudiées, mais que le bilan de l'année dernière oblige la Régie à écarter momentanément la question des allocations familiales. Dejean les informe aussi que la question de la retraite sera prise en compte et que les salaires seront réajustés en fonction du coût de la vie.

Mais les grévistes veulent plus. Et ainsi la grève continue. Après avoir montré son déroulement selon différents points de vue, et surtout celui des Européens sur place et celui des dirigeants syndicalistes, pendant les trois cents premières pages, l'auteur nous décrit une rencontre à l'hippodrome de Dakar entre le gouverneur, l'iman, le député et les grévistes.

Ces personnes tiennent des discours, et, notamment, le gouverneur qui évoque d'un ton paternel les tâches de civilisation que la France accomplit. Le député-maire fait savoir que cette grève a été déclenchée sans penser aux résultats et il avertit les grévistes : "(...) votre grève risque de faire arrêter, de faire reculer le progrès. La direction du chemin de fer a déjà donné son accord sur certaines des revendications, le reste est du ressort de l'Assemblée Nationale de Paris." (p. 336) Le sérigne, chef religieux de Dakar, tint un discours en reprenant "(...) le thème de ses sermons, mit en garde ses fidèles contre les mauvaises influences venues de "l'étranger" et fit l'éloge du Gouverneur et du député." (p. 334) A une autre occasion, il avait déjà remarqué: "Dieu nous fait coexister avec les toubabs français, et ceux-ci nous apprennent à fabriquer ce dont nous avons besoin, nous ne devons pas nous révolter contre cette volonté de Dieu dont les connaissances sont un mystère pour nous." (p. 194)

Bakayoko, en tant que représentant des grévistes, prend alors la parole. Il rappelle aux différents protagonistes qu'eux, les grévistes, considèrent leur grève comme justifiée et qu'ils la mènent pour un motif bien réel et que c'est pour cela qu'ils arrivent à en supporter les conséquences dans leur vie quotidienne. Le leader syndicaliste évoque, ensuite, les difficultés que ces gens éprouvent face à cette situation.

Depuis plus de quatre mois nous sommes en grève et nous savons pourquoi. Cela nous fait vivre une vie dure, sans eau, sans feu, sans nourriture. C'est un destin cruel pour un homme, davantage pour une femme, plus encore pour un enfant et pourtant nous le supportons. (...) Ce n'est pas avec des projets que nous allons nourrir nos familles! (pp. 337-338)

Le même personnage apprend aux personnes présentes sur l'hippodrome de Dakar le destin d'une femme âgée, la grand-mère Fatou Wade, qui a perdu son mari pendant la première guerre mondiale et un de ses fils lors de la dernière guerre mondiale. Comme récompense, elle a reçu de l'administration française des médailles dont elle ne peut apprécier la valeur réelle. Lors du conflit actuel, un autre de ses fils a été mis en prison.

Bakayoko propose donc au Gouverneur et au député-maire d'échanger les médailles qui ne servent à rien à cette vieille dame contre son riz quotidien et la libération de son fils (cf. pp. 339-340). A la fin de son discours, Bakayoko signalent aux personnes présentes :

> Et maintenant vous, maçons, menuisiers, ajusteurs, pêcheurs, dockers, fonctionnaires, agents de police, miliciens, employés du secteur public et du secteur privé, comprenez que cette grève est aussi la vôtre, comme l'ont déjà compris ceux du Dahomey, de la Côte d'Ivoire, de la Guinée et de la France. Il dépend de vous travailleurs de Dakar, que nos femmes et nos enfants connaissent des jours meilleurs. Nous avons un rocher qui se dresse sur notre route, tous ensemble nous pouvons le déplacer. (p. 340)

Le style direct que l'auteur utilise tout au long du roman donne à celui-ci un rythme, une vitesse particulière, et donne l'impression d'assister à la réalité historique alors, qu'en fait, le roman présente une version embellie de la lutte des grévistes.

> Le lendemain, la grève générale était déclenchée. Elle dura dix jours, le temps qu'il fallut pour que diverses pressions finissent par amener la direction de la Régie à reprendre les pourparlers avec les délégués ouvriers. (p. 341)

Etant donné que la grève revient de plus en plus chère à la compagnie qui perd des sommes importantes, cette grève générale la force assez vite à reprendre les négociations. Un des représentants des grévistes envoie à l'issue des négociations un télégramme à Bakayoko en lui signalant les résultats : "Conditions acceptées. Grève terminée. Reprise demain. Train direct Bamako-Thiès. Mettre roulant disposition, comité Thiès. Lahbib." (p. 365)
Et Ousmane nous informe :

> A la permanence du syndicat, seuls les six membres du comité de grève avaient appris la nouvelle. On connaissait le détail de la rencontre avec la Régie, on savait que le directeur avait signé avec les délégués. (pp. 371-372)

La décision est alors prise d'organiser une manifestation pour annoncer les nouvelles. Pourtant, les grévistes ne sont pas encore satisfaits. Comme condition supplémentaire, ils demandent, outre le remplacement de Dejean, qu'Isnard s'en aille. Un des représentants des grévistes nous informe :

> Dejean est peut-être déjà parti pour Dakar où il demandera à être remplacé, quant à Isnard, comme condition non officielle de l'accord, nous avons obtenu son rappel. (p. 373)

Isnard se révolte contre cette demande supplémentaire des Africains et essaie de les faire changer d'avis. Mais il était trop tard. Ousmane n'oublie pas de nous faire connaître son opinion.

> Qu'est-ce qui se passe, qu'on laisse ces sauvages, ces enfants décider? Ils ne savent même pas ce qui est bon pour eux! C'est à peine s'ils peuvent manier un marteau et on les prend pour des ouvriers! Tu verras, si ça continue, dans pas longtemps il n'y aura plus d'Européens en Afrique. (pp. 378-379)

Ce personnage qui apparaît peu apprécié, tout au long du déroulement de l'intrigue, se caractérise ainsi, tout comme celui de Dejean, par des propos racistes qui ne conviennent plus du tout à cette période de la colonisation. Vers la fin du roman, Fa Keïta, le sage, convoque les représentants des grévistes chez lui pour leur faire part de quelques réflexions qu'il considère comme importantes en ce qui concernent les rapports sociaux nouveaux qui sont en train de s'établir. Il les avait entendu parler du meurtre d'un gendarme, fait qui l'oblige à dire :

> Mais s'il faut le tuer, il faudra aussi tuer les Noirs qui lui obéissaient et les Blancs à qui il obéissait et où cela finira-t-il? (...) Mais faire qu'un homme n'ose pas vous gifler parce que de votre bouche sort la vérité, faire que vous ne puissiez plus être arrêté parce que vous demandez à vivre, faire que tout cela cesse ici ou ailleurs, (...) voilà ce que vous devez expliquer aux autres afin que vous n'ayez plus à plier devant quelqu'un, mais aussi que personne n'ait à plier devant vous. C'est pour vous dire cela que je vous ai demandé de venir car il ne faut pas que la haine vous habite. (p. 369)

L'auteur souligne ainsi par la voix de ce personnage que cette grève ne devait pas déboucher sur une autre éclosion de haine. Les devoirs des travailleurs ont changé. Ils doivent persuader dorénavant leurs collègues qu'on ne doit pas les gifler parce qu'ils disent la vérité, et qu'ils n'ont plus besoin de se mettre à genoux pour obtenir satisfaction de revendications justifiées.

2-7.6. CONCLUSION : LA GREVE DES TRAVAILLEURS AFRICAINS ET LES PROCESSUS DE TRANSFORMATION SOCIALE

Le sujet de ce livre d'Ousmane est bien la différenciation sociale entre les Africains et les Européens vers la fin de la colonisation française au Sénégal.[48] La grève qui eut effectivement lieu en Afrique de l'Ouest, et surtout au Sénégal[49], sert à Ousmane à démontrer l'inégalité des rapports entre les deux groupes, les différences de traitement au niveau de la rémunération du travail, les liens entre eux lors de ce conflit et leur affrontement dû à des revendications qui représentent beaucoup plus que la manifestation d'un rapport de force entre des employeurs et des employés.[50] En réalité, cette grève, qui se noue autour de la question de la main-d'oeuvre salariée naissante en Afrique, tourne autour de la machine, et, notamment, de la locomotive. Par la suite, cette machine contribuera à changer les rapports sociaux en Afrique et à faire naître une main-d'oeuvre africaine dorénavant dépendante d'une situation économique différente qui s'annonce avec l'utilisation des machines.

Or, la machine évoque ce qui est, à partir de cette période de la colonisation, commun aux groupes africains et aux Européens. La grève est le lieu où les rapports existants fondés sur des critères de race changent. La problématique des relations entre les Africains et les Européens ne peut plus être considérée sous cet angle. Ainsi, la grève a plus qu'une force symbolique. Elle met en cause tout un système de privilège, de traitement inégal et donc la stabilisation d'une inégalité sociale, devenue un système de caste, caractérisant cette immuabilité des rapports de force. Le déroulement de la grève montre la transformation des rapports sociaux à l'origine de ce conflit. Il révèle au lecteur deux mondes différents : le monde occidental, mis en cause par cette grève qui, pour l'Européen, apparemment, est à peine justifiée, et qui, pourtant, démontre le caractère patriarcal, voire même raciste, du système de travail existant. Les protagonistes blancs du roman se caractérisent par des prises de positions qui situent cette lutte à un niveau qui oppose des "bêtes noires" aux "êtres humains (blancs)".

Les grévistes apprennent beaucoup lors de ce conflit. Au début, ils ne se sentent pas à l'aise dans leurs rôles, mais ils sont persuadés que leurs revendications sont justifiées. Il s'agit d'une épreuve de force entre un groupe de dirigeants, appartenant à l'administration française, et un groupe de leaders syndicalistes, représentant les travailleurs africains. Ces derniers montrent un courage, lors de cette lutte sociale, qui dépasse de loin ce que les Français imaginaient. Ousmane rend donc compte de la révolte des Africains contre une différenciation sociale liée au système d'administration coloniale. Etant donné que l'auteur décrit une réalité sociale qu'il a lui-même au moins partiellement vécu, il ressent profondément ces personnages.[51] Ousmane est proche des gens qu'il décrit. Kesteloot considère ainsi que :

> (C)et homme du peuple y est profondément enraciné, et son "populisme" ne provient pas d'un choix d'intellectuel en crise de conscience, mais d'une expérience vécue qui lui fait trouver immédiatement le ton et les sentiments justes quand il parle des ouvriers ou des paysans. (1987 - p. 225)

Le roman d'Ousmane suggère une unité entre les cheminots et l'ensemble des autres travailleurs africains. Dans la réalité historique, la grève connaissait des dissensions qui étaient loin de correspondre à ce genre de soulèvement des travailleurs qu'Ousmane nous décrit.[52] Or, l'auteur comprend son roman comme une oeuvre de combat, cherchant délibérément une signification particulière.[53] Il veut communiquer un message socio-politique et faire connaître à son public le vécu quotidien de cette réalité sociale africaine fondée sur des vérités fondamentales, provenant soit de la tradition européenne, soit de la tradition africaine. Les changements qu'Ousmane a introduit par rapport aux événements historiques se justifient de cette manière. Le monde qu'Ousmane nous décrit est dans ce sens un monde en devenir, en rupture avec un monde d'antan et en quête du présent.[54]

2-8. CONCLUSION : LA LITTERATURE AFRICAINE FRANCOPHONE ET LA COLONISATION

La diversité des sujets traités par les écrivains de l'Afrique francophone révèle, malgré la multiplicité des phénomènes décrits une cohérence du vécu social, de la part de l'Africain sous l'administration coloniale française, qui peut être considérée à juste titre comme la perception de la vie quotidienne des Africains face à cette approche coloniale que la France pratiquait. Les auteurs font apparaître des situations de contact entre la population autochtone et l'administration française depuis les premières rencontres jusqu'à la fin de l'époque coloniale. Le genre de mémoire collective que les auteurs véhiculent nous fournit de multiples éléments de la vision de l'époque du point de vue du **colonisé**, et, avant tout, cette transformation historique initiée par l'oeuvre *civilisatrice* de la France en Afrique. Dans ce sens, les témoignages de ces auteurs présentent les changements spécifiques aux sociétés africaines face à la conception du développement qu'en avait l'administration française. Ces romans reflètent une conscience de groupe de la part des Africains face à un système colonial qui influençait de multiples caractéristiques de leurs systèmes sociaux, politiques et économiques.

Les romans que nous avons analysés montrent la difficulté qu'éprouvait l'Africain de l'époque face à une colonisation qui le confrontait à un ensemble social, culturel, politique et économique tout à fait différent du sien. Les auteurs présentent dans leurs ouvrages des phénomènes spécifiques à ce régime colonial et nous offrent ainsi leur vision des transformations entamées par les différentes puissances coloniales. Ils décrivent des situations où ces deux mondes étaient confrontés l'un à l'autre, où les tensions, les frictions, les ruptures apparaissaient, qui évoquaient cette confrontation de deux univers sociaux, les incompréhensions mutuelles, mais aussi les jeux de force et l'enjeu que représentait cette colonisation pour la France. Les descriptions qui nous font comprendre ces situations nous touchent en tant qu'être humain, et nous révèlent des actes passés sous silence par l'administration française. L'ensemble de cette littérature évoque un vécu quotidien qui décèle les tentatives de transformation de l'administration française, les réactions des autochtones et la difficile symbiose d'un monde africain et d'un monde européen. Ainsi, cette vision littéraire d'une transformation témoigne d'une période historique qui bouleversait les sociétés africaines, qui les confrontait au monde occidental et qui ouvrait des dimensions largement inconnues à ces sociétés qui, dans un laps de temps de quelques décennies, devaient accepter cette confrontation avec l'Occident devenue leur voie de "développement".

La plupart des romans analysés se comprennent en tant que témoignage d'une période particulière de la colonisation, des événements spécifiques et des vies vécues sous le régime colonial. Le narrateur, étant souvent le témoin des événements qu'il décrit, arrive à donner au roman un caractère de vraisemblance, et ceci, en créant une complicité avec le lecteur. Les actions et les pensées des héros sont décrites dans le but de faire comprendre au lecteur les difficultés que vivent ces personnages. Le public ressent ce cri intérieur des protagonistes devant une société qui ne leur accorde que peu de liberté d'expression et peu de possibilités de développer leur personnalité. La sensibilité extrême dont les auteurs témoignent révèle l'absence de liberté individuelle sous le régime colonial.

Les écrivains montrent que cette fusion entre deux systèmes sociaux, cette insertion dans une Histoire autre étaient, d'abord, réprouvées, et, ensuite, non sans pression de la part des Français, lentement acceptées, tout en étant sujettes à des révoltes, quelquefois silencieuses, des autochtones face à des abus résultant de ces conceptions et institutions très différentes de celles des sociétés autochtones. Les romans évoquent l'impuissance des Africains face à ces transformations, les collaborations naissantes, la différenciation des tâches et des rôles, et, la création de groupes connaissant une différenciation sociale naguère inconnue. Leur témoignage montre ce déchirement qui s'opérait à l'intérieur de la société africaine entre un monde traditionnel et familier, et un système occidental dont certains éléments commençaient à s'intégrer de plus en plus aux systèmes sociaux, politiques et économiques des sociétés autochtones.

Ces intellectuels africains engagés nous décrivent des phénomènes comme la transformation du monde du travail, le changement des rôles de la chefferie et l'opposition entre le système culturel européen et un système de valeurs africaines. Ce dernier avait de plus en plus de difficulté à ne pas suivre le genre de transformation conçue et élaborée par la France, et touchant l'ensemble des systèmes sociaux des groupes autochtones. Les écrivains qui traitent les périodes plus récentes font revivre les tensions de ce développement devenu un phénomène social global, dont les changements ne pouvaient plus être niés. Ils évoquent l'attitude de l'Africain face à ce changement, ses malaises, ses faiblesses, son désespoir, mais également la nécessité d'inclure, d'ores et déjà, cet aspect particulier de l'histoire récente de l'Afrique dans une logique du développement qui dépassera les situations ambivalentes et ambiguës, qui obligera à chercher des issues à des situations absurdes. Ils montrent la nécessité d'intégrer des aspects qui se révèlent souvent arbitraires et qui, en allant au-delà de leurs caractéristiques grotesques, devront atteindre l'objectif de concilier ce passé encore présent dans la mémoire collective de l'Afrique traditionnelle et les éléments venant d'un modèle occidental afin de créer une symbiose nouvelle promettant un avenir meilleur.

Il est intéressant d'évoquer brièvement la description du temps dans ces romans. Les auteurs font comprendre aux lecteurs que la conception traditionnelle du temps, celle où l'univers social était régi par des règles stables, où la continuité des actions était assurée et où le caractère immuable et statique de la société semblait être un trait prédominant, est révolue. L'univers que les auteurs francophones décrivent fait apparaître le clivage qui s'est opéré entre cette conception du temps et celle introduite par la société coloniale. Le temps devient un objet d'acculturation, liée à l'introduction des normes occidentales. La conception occidentale du temps se répand parmi les Africains, qui l'adoptent lentement, comme par exemple, avec l'achat d'une montre. De plus, ces changements ont eu des répercussions sur les normes, les comportements et les rôles sociaux. Le rythme de la vie en est influencé, et ainsi, tout un ensemble culturel qui s'inscrivait dans la durée, dans des racines spécifiques à la conception du temps des sociétés africaines. Les transformations des habitudes et des actions deviennent un élément permanent pour ces Africains, en mouvement vers un autre stade de l'histoire. Les contradictions que les écrivains évoquent démontrent ce caractère ambigu d'une réalité sociale où deux conceptions de temps se mêlent, deux conceptions de la vie humaine difficiles à vivre selon un schème de pensée cohérente. Que la transformation que la société africaine a vécue, pendant ce siècle, exige l'adaptation à des valeurs temporelles différentes devient évident. Au même moment, cette difficulté de lier deux conceptions est révélée par des actions qui montrent le déchirement de la société africaine, face à des traits culturels divergents où un dépassement de l'incohérence semble exiger l'adaptation aux normes occidentales.

Les écrivains communiquent aux lecteurs leur perception de situations difficiles à comprendre, et, par là, incitent leur public à réfléchir sur les issues qu'ils proposent et sur leurs conceptions spécifiques de cette réalité sociale coloniale. C'est ainsi que leurs oeuvres, tout en évoquant ce passé récent qu'était la colonisation française, transcendent cette vision et inaugurent des voies nouvelles pouvant conduire vers un futur où les contradictions, tensions et conflits seront résolus d'une autre manière ; ce qui permettra à ces sociétés de vivre des situations plus cohérentes, certes influencées par les péripéties des administrations européennes, mais promettant, malgré cela, un avenir différent qui offrira d'autres possibilités à ces sociétés largement refermées sur elles-mêmes avant la colonisation européenne. Dans ce sens, cette description des problématiques, que causait une adaptation d'un univers culturel occidental confronté à des conceptions africaines, nous semble nécessaire et utile pour la compréhension des processus de changement que l'Afrique a entamé dans ce siècle. Or, ce champ de recherche exige encore maintes autres analyses des phénomènes résultant de ces contacts, et, notamment, celles qui utiliseraient, cette fois, les approches analytiques de la réalité sociale que nous fournissent l'anthropologie, la sociologie et l'histoire.

NOTES

[1] Les citations de l'ouvrage de Pierre Sammy "L'Odyssée de Mongou" ont été faites selon l'édition d'Hatier, Paris, 1977.

[2] Cf. dans ce sens Bitterli-1976.

[3] On remarquera l'utilisation du titre "chef traditionnel". Dès cette époque, cette terminologie nous fait savoir que l'on commence à tenir compte - comme l'exemple de Mongou le démontre - du changement des attributions et des rôles de la chefferie.

[4] Cf. nos chapitres 2-4.6. et 3-2.7. (1993) sur le système du travail à l'époque coloniale.

[5] Cf. les chapitres 2-3. et 2-4. de ce livre.

[6] Nous estimons que les citations font voir des aspects particuliers des contacts entre les Européens et les Africains qu'un Européen aura des difficultés à imaginer. Dans ce sens, elles témoignent de la colonisation, et ceci, dans une forme littéraire.

[7] Les citations de l'ouvrage de Jean Ikelle-Matiba "Cette Afrique-là" ont été faites selon l'édition de Présence africaine, Paris, 1963.

[8] Cf., à ce propos, Chemain-1981.

[9] Cf., dans ce sens, le livre de Stoecker-1960 qui décrit la colonisation allemande au Cameroun d'un point de vue historique. Bien qu'à l'époque de la parution du livre, Stoecker soit encore citoyen de l'ancienne République Démocratique Allemande, et, qu'une partie de son argumentation soit écrite pour dénoncer un système politique autre que le sien, il donne des informations détaillées sur la période de la conquête allemande et confirme certains propos du narrateur. Or, il faut tenir compte du fait que d'autres puissances coloniales ont connu des expériences semblables et que ces aspects négatifs ne sont pas particuliers à la colonisation allemande, mais caractérisent, en général, les pratiques de la colonisation européenne en Afrique noire.

[10] Cf. par exemple le numéro spécial de la revue *Sociologie et Sociétés*-1990 consacré à la "Théorie sociologique de la transition" et notamment les articles de Godelier et d'Amin.

[11] Cf. dans ce sens, notre premier chapitre (1993).

[12] En ce qui concerne la problématique d'une mémoire collective : Halbwachs-1968.

[13] Cf. par exemple Cohen-1981, Todorov-1989 et Sayad-1991.

[14]Cf. dans ce sens, Bayart-1989.

[15]Les citations de l'ouvrage de Henri-Richard Manga Mado "Complaintes d'un forçat" ont été faites selon l'édition publiée par les éditions CLE, Yaoundé, 1970.

[16]Cf. Kaptué-1986 pour une description du système de travail au Cameroun sous l'administration française, établie par un historien d'origine africaine.

[17]Cf. dans ce sens, Kaptué-1986.

[18]Cf. pour de plus amples informations sur la situation économique Hopkins-1973 et Joseph-1986.

[19]Les citations de l'ouvrage d'Olympe Bhêly-Quénum "Un piège sans fin" ont été faites selon l'édition d'E. Grevin et Fils, Paris, 1960.

[20]Bakari est un ancien militant. Selon Battestini/Mercier-1964-8, ce pasteur "(...) a le sens de l'équité et aussi de son intégrité." Les auteurs interprètent son acte : "(...) plutôt que de se soumettre à la discipline de la cravache, il se poignarde."

[21]Cf., en ce qui concerne cette problématique, l'ouvrage de Nafziger-1988 qui démontre les mécanismes particuliers de cette différenciation sociale à l'intérieur des sociétés africaines. Son analyse permet d'apprécier les conséquences de cette inégalité sociale et les difficultés de parvenir à une redistribution des revenus à l'intérieur des systèmes sociaux qui fonctionnent selon des critères adoptés par les élites locales. Que cette situation critique ait contribué à l'émergence des mouvements sociaux, et, notamment, de ceux dirigé contre le pouvoir en place, n'étonne pas dans une situation où la majorité de la population est exclue de la participation aux bénéfices des richesses nationales. Ces mouvements démontrent la fragilité des systèmes politiques qui, même en utilisant des mesures répressives, n'arrivent plus à maîtriser la situation. Il devient alors évident qu'une redistribution systématique des privilèges, et, en particulier, la création d'autres formes de différenciation sociale, seront nécessaires. Nafziger discute dans son livre quelques-unes de ces solutions technico-économiques qui semblent s'imposer, vue l'inégalité sociale croissante dans ces pays, et qui va dans le sens de la marginalisation d'une population qui ne dépend parfois que de l'aide extérieure.

[22]Les citations de l'ouvrage de Mongo Beti "Ville cruelle" ont été faites selon l'édition de Présence africaine, Paris, 1971.

[23]Selon Mbock-1981-21 cette "cruauté" n'est pas seulement caractéristique de

la ville coloniale, mais concerne l'ensemble des rapports sociaux "(...) les hommes étant les gestionnaires de l'administration coloniale."

[24]Cf., pour une caractérisation des habitants de la ville et de ceux du village, le schème établit par Mbock-1981-20. Mbock distingue les villageois, qu'il considère comme honnêtes, naïfs, sans-gêne, joyeux, sensibles, cordiaux et respectant la vie humaine, des citadins, décrits comme déracinés, hypocrites, ayant des moeurs douteuses, montrant une fausse cordialité et un mépris de la vie humaine.

[25]Mouralis signala déjà en 1981-16 cette perspective particulière de l'auteur : "Celle-ci met l'accent sur les différenciations, les tensions, les crises et conduit par là même à l'élaboration d'une tout autre image de l'Afrique, qui en révèle justement le caractère tout à la fois diversifié et conflictuel."

[26]Cf., à ce propos, Mouralis-1981-16.

[27]Cf., dans ce sens, Mbock-1981-25.

[28]Mbock-1981-86 énonce : "Il se veut le porte-parole du petit peuple victime de la machine et des machinations coloniales."

[29]Cf., dans ce sens, Mouralis-1981-38.

[30]Mbock-1981-87 ne voit pas, là, un cas particulier au monde colonial, mais interprète la fuite de Banda et son désir permanent de changer de lieu comme "(...) la quête humaine du bonheur : une ouverture à l'optimisme."

[31]Cf., à ce propos, Mouralis-1981-30.

[32]Mbock-1981-86 caractérise ce livre comme une "oeuvre de combat, (dont le) message est d'opposition et de soulèvement".

[33]Beti-1978-22 précise son point de vue sur le genre de changement que la société africaine vivait à l'époque et exprime ainsi une approche sociologique de la réalité sociale africaine : "La société africaine est, comme toute société, un organisme vivant dont l'équilibre, par définition instable, se renouvelle sans cesse dialectiquement par une combinaison chaque fois différente de ses éléments, à moins que ce ne soit en en transformant quelques-uns et en obtenant une synthèse sans précédent. Comme toute autre société, la société africaine, si elle veut survivre, est condamnée à se transformer, donc soit à renoncer au moins à certaines de ses traditions, soit à les changer."

[34]Les citations de l'ouvrage de Bernard Binlin Dadié "Les jambes du fils de Dieu" ont été faites selon l'édition de 1980 publiée par CEDA, Abidjan ; CECAF, Kinshasa ; Hatier, Paris.

[35]Dadié-1967-123 définit le rôle de la légende dans la culture africaine de la

manière suivante: "Pour un peuple sans écriture, la légende est d'une importance capitale. C'est par elle que les anciens, aux jeunes, transmettent sous des formes faciles à retenir la cosmogonie, l'histoire de la tribu, les lois sociales, l'origine des divers produits, les croyances religieuses, la structure sociale, la vie économique, les relations avec les autres tribus, l'histoire des héros fabuleux, l'évolution de la civilisation, c'est-à-dire l'invention des castes, la fondation des villages, les liens totémiques entre un animal et un clan, et surtout le culte de l'amitié".

[36]Cf., dans ce sens, Quillateau-1967-135/153 ("Dialogue avec une oeuvre et un poète").

[37]On constate que le temps africain est marqué par une conception qui souligne la répétition, le déclin et la renaissance, et, se caractérise ainsi par une approche cyclique.

[38]Cette nouvelle démontre l'opposition entre le temps social africain et le temps mesurable et linéaire de l'Occident. Cf. dans ce sens aussi Dadié-1967-130 et 132.

[39]Cf., pour une description de ce genre de vie, Balandier-1985.

[40]Cf. en ce qui concerne la conception du changement de la France, notre communication (1991a): "L'évolution des sociétés occidentales et le système-monde, XIXe-XXIe siècle : Le cas de la France".

[41]Cf., dans ce sens, Dadié-1967-133.

[42]Les citations de l'ouvrage de Sembène Ousmane "Les Bouts de bois de Dieu" ont été faites selon l'édition de Presses Pocket, Paris, 1971.

[43]Cf., à ce propos aussi, l'interprétation de Makonda-1985-68.

[44]Cf., dans ce sens, Makonda-1985-54.

[45]Cf., à ce propos, Bestman-1981-180 et suite.

[46]Abastado-1984-74 constate que l'utilisation du discours direct permet à l'auteur, d'une part, d'exprimer des opinions différentes, et, d'autre part, de faire apparaître l'incertitude de la solution qui pousse son public à s'engager dans le combat, et, ainsi, à participer au déroulement de l'histoire.

[47]Cf., dans ce sens, Makonda-1985-42.

[48]Suret-Canale (cité selon Makonda-1985-50) constate : "Aux revendications de salaires se conjuguaient des revendications tendant à étendre aux Africains le bénéfice d'avantages réservés jusque-là aux Européens : par là, la lutte syndicale prenait un tour anticolonialiste, en s'attaquant non seulement aux formes classiques de l'exploitation capitaliste, mais à la discrimination

sociale spécifique du colonialisme."

[49]Cf. Suret-Canale-1978, qui analyse cette grève des cheminots africains d'A.O.F. Il montre le déroulement de la grève, ses implications politiques, les conflits entre les différentes parties, et, notamment, ceux concernant des revendications qui étaient loin d'être partagées à l'unanimité. Suret-Canale souligne que l'issue de la grève était beaucoup moins glorieuse que le roman de Sembène Ousmane le suggère, et, ceci, par exemple, en ce qui concerne le maintien de nombreux privilèges des Européens.
Abastado-1984-23 nous fait savoir : "Ainsi une grève eut lieu en avril 1947 ; décidée le 11, déclenchée le 19 - la veille de la visite du Président de la République française, Vincent Auriol, au Sénégal - elle fut aussitôt prise en considération, ne dura qu'une journée, et aboutit, sous l'arbitrage du Ministre de la France d'outre-mer, à un protocole d'accord. La grève d'octobre est due à ce que la Régie refusa d'appliquer cet accord. Le roman tait ce précédent et cet enchaînement ; il fait de la grève d'octobre un commencement absolu, le premier sursaut de conscience politique des travailleurs africains, et la première victoire sociale."

[50]Cf., en ce qui concerne la signification de ce roman aussi, l'interprétation d'Abastado-1984-36.

[51]Cf. sur la vie d'Ousmane : Abastado-1984-84 et Makonda-1985-7/8.

[52]Cf., dans ce sens, Abastado-1984-23.

[53]Abastado-1984-19 constate : "La narration d'autre part donne sens à l'histoire par référence à un système de valeurs morales, philosophiques, politiques. Le narrateur intervient, prend parti, explicitement par ces commentaires ou indirectement par la manière de présenter les faits et les personnages. (...) (Le récit, US) offre un savoir et une sagesse, une vision du monde et un idéal d'action. Il est un engagement de l'auteur et un moyen pour lui d'agir sur l'opinion."

[54]Si l'on considère le temps sous son aspect historique, Bestman-1981-247 a raison de constater : "L'univers que dépeint Sembène est un univers incertain, en rupture d'équilibre et le temps de ce monde déchiré est aussi un temps incertain : le passé est révolu, le présent par son agitation semble précaire, le lendemain est par définition imprévisible, insaisissable."

CHAPITRE III

LA COLONISATION DANS LA LITTERATURE DE L'AFRIQUE ANGLOPHONE

L'OEUVRE DE CHINUA ACHEBE

3-1. INTRODUCTION : Chinua Achebe

Les romans du Nigérian Chinua Achebe s'inscrivent dans une logique très différente de celle que nous avons trouvée dans les romans des auteurs de l'Afrique francophone. En effet, celui-ci fut influencé par la culture anglaise, et, notamment, par l'ensemble théorique et idéologique qui accompagnait la colonisation anglaise. De ce fait, ses romans montrent des particularités liées au caractère de cette administration coloniale. Achebe, contrairement aux écrivains de l'Afrique francophone, nous décrit dans ses romans la société dont il fait partie sous de multiples aspects.[1] Il nous révèle le caractère particulier de celle-ci, dans une époque de contact avec un univers étranger, à partir d'une vision partant de l'intérieur de la société ibo. L'auteur, appartenant à ce groupe, nous fait connaître pendant presque la moitié de son roman "Le monde s'effondre" cette culture africaine. Achebe nous signale :

> Dans le premier livre je raconte les traditions du village au moment des premiers contacts avec les Européens et les espoirs et les peurs de tous les habitants. Dans le second, qui est en fait le troisième de la trilogie, il s'agit de ma génération. Dans le livre qui manque, il s'agira de celle de mon père, de la génération de ceux qui ont été christianisés.[2]

Les personnages d'Achebe sont des individus complexes. Ils représentent différents types d'attitudes face à un changement considéré comme inévitable, et dont les romans nous démontrent les issues et les problématiques au niveau individuel et du groupe. Ces personnages ne sont jamais seuls. Ils sont entourés de nombreuses autres personnes qui nous font percevoir des aspects complémentaires de ce changement sous le régime colonial. Okonkwo, le protagoniste principal du roman "Le monde s'effondre", incorpore la voix du narrateur qui oriente le lecteur, qui interprète ses actions, qui parle pour son groupe[3] et qui nous révèle leurs valeurs et leurs conceptions. Achebe insiste, en particulier, sur les normes de cette communauté ibo qui lui permettent de situer la problématique du changement face à une tradition africaine. Le point de départ de ce changement est un monde traditionnel[4] et coutumier qui lie le passé au présent. Cette société s'affronte à un pouvoir blanc qui lui propose une autre culture, et ceci, sans que les acteurs concernés par ces processus de transformation ne se rendent toujours compte de son impact sur leurs systèmes sociaux.

Les romans d'Achebe évoquent un sentiment d'impuissance de la part des Africains obligés d'agir face à cette confrontation à la colonisation anglaise, et, ainsi, d'adapter les structures de leurs sociétés autochtones aux situations de contact créées par cette interaction. Pourtant, l'Anglais, conforme à sa doctrine de ne pas toucher aux domaines coutumiers, ne proposait aucun genre d'adaptation à cet autre univers culturel. L'Angleterre confrontait de manière directe certains aspects de son système économique, politique et social à la société autochtone. L'auteur nous démontre que cette approche anglaise contribuait à l'émergence d'un comportement influencé par l'insécurité que les différents protagonistes ressentaient. En dernier ressort, celle-ci signifiait que les autochtones étaient obligés de manière parfois désespérée de chercher leurs voies, - comme Obi dans le roman intitulé "Le malaise". Ainsi, ces Africains de l'Afrique anglophone ne possédaient pas comme ceux des territoires francophones un modèle à suivre. Ils s'opposent en tant qu'individu à cet autre univers culturel séparé de manière distincte des cultures autochtones. Les héros ont pour tâche de résoudre cette symbiose particulière que l'on leur demande. Or, Achebe nous révèle que ce devoir est trop lourd pour les Africains qui, pour la plupart d'entre eux, jusqu'à la fin du siècle dernier, n'ont même pas entendu parler de la culture occidentale. Leurs échecs se comprennent par cet affrontement de deux systèmes sociaux et culturels très différents. Les discussions que ces Africains mènent montrent l'ambiguïté de leurs situations ; les tentatives de réconcilier l'ancien et le nouveau ; les domaines touchés par cette transformation ; les réponses qui semblent possibles et qui diffèrent de façon frappante d'un personnage à un autre. Les acteurs d'Achebe révèlent la multiplicité des réactions face à cette transformation ; la difficulté de prendre une décision pertinente ; les conflits qu'une action nouvelle crée avec un système social africain qui lui oppose ses interdictions, ses contraintes et ses règles souvent incompatibles avec un discours européen qui se veut la plupart du temps universel.

La description du pouvoir européen, faite par Achebe est succincte, mais ne remplit pas beaucoup de pages. Il est intéressant de noter qu'il semble être relativement homogène. Les missionnaires connaissent leurs tâches autant que les administrateurs. La continuité historique que les trois romans d'Achebe présentent - du milieu du dix-neuvième siècle jusqu'à la période de l'indépendance du Nigéria - fait apparaître les changements de comportement et de l'idéologie sous-jacente. Cette description d'un univers européen, si limitée soit-elle, nous montre que les autorités britanniques font peu d'efforts pour comprendre les coutumes autochtones. Les administrateurs agissent en fonction de leurs comportements et de leurs habitudes d'"Européens", et, non pas en réfléchissant sur la culture africaine qui se présente à eux. Les Anglais semblent s'être habitués à un discours sur l'Africain qui paraît stéréotypé et qui ne tient pas compte des spécificités liées à ce continent. L'administrateur est celui qui, au moment où une difficulté se présente, agit en fonction de son répertoire d'action anglaise, ou bien en tant que représentant d'une culture différente qui essaie de comprendre les aspects de la société africaine auxquels on le confronte. De nombreuses oppositions entre Africains et Européens se résolvent de telle manière qu'ils évoquent, de la part des Anglais, une curiosité quasi-ethnologique face à des phénomènes qu'ils ne connaissent pas. L'auteur décrit ces Européens de manière presque objective : chacun d'eux a une personnalité particulière. Ils se distinguent des Européens souvent décrits de façon caricaturale par les romanciers de l'Afrique francophone.

Achebe considère la grande variété des points de vue, des situations décrites, des réponses possibles à cette demande de changement, non seulement en tant que situations qui amènent, de sa part, à une tentative de présenter des solutions, mais également en tant que possibilité de discuter, à l'aide de différents protagonistes, une problématique. Il sensibilise son public, par la voix narrative, à des situations auxquelles les lecteurs sont invités à trouver une réponse. Il exige de leur part l'appréciation qui s'impose. Achebe, comme tous les grands écrivains, nous présente des **situations humaines** qui se situent à l'intérieur des processus de changement que l'Afrique anglophone entama lors de l'époque coloniale, et qui concernent aussi la culture africaine, en général.

Dans ce sens, ses romans transcendent la situation particulière du Nigéria. Les situations que ces héros vivent résultent du contact avec une culture étrangère, et, en l'occurrence, celle de l'Angleterre. Les réponses possibles à cette situation conflictuelle ne peuvent qu'être cherchées en fonction de cette interaction avec la culture anglaise qui représente un univers relativement homogène face à des cultures africaines qui, quant à elles, sont bien différentes les unes des autres. Le fait que l'auteur choisisse de prendre comme exemple de ce changement sa culture d'origine, lui permet de décrire des situations "en contact", et, d'évoquer ainsi des phénomènes qui se présentaient, au moins en ce qui concerne l'Afrique noire anglophone, de manière relativement identique. Son public est non seulement amené à comprendre les différents protagonistes, mais aussi à établir lui-même les rapports entre ces deux cultures en interaction et à réfléchir sur la spécificité de cette situation sociale et sa problématique particulière.

Cette conception de l'oeuvre d'Achebe signifie que l'interprétation et l'explication des problématiques qui nous intéressent doit se faire de manière différente : nous ne pouvons évoquer des situations - comme cela l'a été fait pour les romans des écrivains de l'Afrique francophone -, mais nous sommes obligé d'analyser le comportement des individus à l'intérieur de cette société en transformation et leur signification particulière dans chaque phase de la colonisation qu'a connue le Nigéria. Or, ces protagonistes présentent des réponses à des situations de contact. Ceci exige une analyse approfondie de leurs évolutions personnelles face à l'ensemble de la transformation qu'Achebe nous décrit. Ce n'est que de cette manière, que nous comprendrons que la colonisation anglaise créait des solutions particulières à des problématiques spécifiques. Ces solutions feront apparaître une marge de manoeuvre des individus qui semble être beaucoup plus grande que celle que les auteurs de l'Afrique francophone concédaient à leurs héros. Les actions de ces protagonistes se comprennent en fonction d'une demande sociale exigée par une transformation introduite par la colonisation anglaise ; actions qui, pourtant, dépendent, en même temps, de l'univers culturel africain.

L'adoption d'un univers culturel anglais, différent et homogène, n'avait ainsi pas lieu dans les territoires de l'Afrique anglophone. Les choix étaient subtils quelquefois, et, souvent, il en existait plusieurs. Certes, les protagonistes africains de ces romans symbolisent des situations humaines, mais il est difficile de conclure à cette universalité d'une transformation que les écrivains de l'Afrique francophone nous font apercevoir. Le fait que ces auteurs anglophones décrivent des situations souvent particulières à leurs sociétés - comme par exemple aussi le Kényen Ngugi - évoque la possibilité d'une réponse plus variée à cette confrontation à un autre univers culturel, et ceci, surtout en fonction de la société d'origine. L'unité relative que la France cherchait, n'intéressait pas l'Angleterre qui soulignait surtout la situation particulière d'une culture donnée. Le fait que ces auteurs anglophones décrivent souvent la problématique de la transformation en mentionnant *in extenso* les particularités de différentes cultures, mais également le fait qu'ils cherchent à démontrer la spécificité des solutions adoptées, rendent compte de cette situation. Dans ce sens, l'oeuvre d'Achebe constitue une réponse à nos interrogations. Ses romans révéleront, tout au long de l'analyse qui suivra, la particularité de cette approche, ses différences et ses similitudes par rapport à la démarche française. L'oeuvre d'Achebe nous fournit ainsi une vue d'ensemble sur la conception du changement caractéristique de l'Africain des territoires anglophones.

3-2. Chinua Achebe : "LE MONDE S'EFFONDRE"

3-2.1. BUT ET PROPOS DE L'OUVRAGE

Ce premier roman[5] est en partie autobiographique et relate les premiers contacts des Ibo avec les Européens. La particularité du roman est de situer l'intrigue autour de certains personnages-clefs représentant d'une manière ou d'une autre des conceptions différentes face à cette transformation de leur société, conséquence de la confrontation avec le pouvoir européen. C'est ainsi que le protagoniste principal du roman, Okonkwo, représente l'homme traditionnel, solidement ancré dans les coutumes de sa société. Lui, fils d'un homme qui nous est décrit comme quelqu'un de mou, se veut fort, et se considère comme le représentant de l'ordre coutumier et veut maintenir les structures caractéristiques de sa société, sans y permettre le moindre changement. Son conflit personnel, et, notamment, son besoin exagéré d'apparaître comme quelqu'un de fort, ne lui permet aucune concession : à la moindre occasion, il souligne la nécessité de sauvegarder les valeurs autochtones. Dans le roman, il représente celui qui s'oppose par ses actes à ceux qui acceptent le dialogue et le changement de certaines attitudes. Okonkwo considère ces protagonistes comme des 'mous', représentant cet élément que l'auteur et son héros appellent, selon la tradition ibo, 'féminin'.[6] Les actes d'Okonkwo orientent le déroulement du roman. Les autres personnages se déploient autour de l'action principale. Ils représentent des personnages qui acceptent, de manière différente, les conséquences résultant de la confrontation au pouvoir européen. Obierika est l'homme d'action qui, contrairement à Okonkwo, réfléchit et essaie de trouver des compromis face à un pouvoir européen de plus en plus important et significatif pour le développement de la société autochtone. On y trouve également le fils d'Okonkwo, Nwoyé, personne sensible, qui, à la suite d'une dispute avec son père, s'en va et rejoint les missionnaires auprès desquels il trouve plus de compréhension qu'auprès de son père, pour qui il représente l'élément 'féminin' qu'Okonkwo avait appris à haïr. Cependant, seul Okonkwo, en s'opposant sans compromis au pouvoir blanc, subit un destin que l'on peut qualifier de tragique. Après un affront qu'il commet, lors d'une période de fête, contre les moeurs du clan et leurs Dieux, il doit quitter son village pour une période de sept ans qu'il passera auprès des parents de sa mère. Pendant cette période d'exil, il ne cesse de penser à son retour et de faire des projets pour sa réintégration dans la communauté ibo. Or, Okonkwo ne se rend pas compte que son groupe d'origine change pendant ces années et que les Européens acquièrent de plus en plus d'influence. C'est dans ce village des parents de sa mère que son ami Obierika, qui l'aide tout au long du roman, lui rend visite et lui fait comprendre que le pouvoir européen, entre-temps, s'est installé dans son village natal et que les temps ont changé. Okonkwo, n'étant pas là n'avait aucune possibilité d'agir contre cet ordre nouveau. Achebe montre ainsi à travers les réflexions d'Obierika le déroulement de l'implantation européenne.[7]

3-2.2. LES PREMIERS CONTACTS ENTRE LES AFRICAINS ET LES EUROPEENS

Après une description détaillée de la société ibo, Achebe fait référence pour la première fois dans le chapitre huit, à la page 91, à la société européenne. A cette occasion, différentes personnes évoquent l'histoire d'un albinos en faisant allusion à ce qu'on raconte sur les hommes blancs. "C'est comme l'histoire des hommes blancs qui, à ce qu'on dit, sont blancs comme ce morceau de craie". (p. 91)

Au chapitre quinze, le lecteur est finalement informé que les Européens ont détruit un village africain, après avoir appris que l'un des leurs avait été tué par un habitant du village. Cette première rencontre entre l'Européen et les Africains révèle la particularité de l'approche d'Achebe qui fait apparaître à travers les actions de différents protagonistes le genre de changement ayant alors lieu. "Abame a été balayé." (p. 167) L'ami d'Okonkwo, Obierika lui relate les événements. Quelques semaines auparavant, des fugitifs d'Abame arrivèrent dans leur village. Il s'agissait des personnes qui avaient pour la plupart des liens de parenté avec les habitants d'Umuofia. Ils racontèrent l'histoire suivante :

Pendant la dernière saison des semailles un Blanc était apparu dans leur clan. (...) Et il chevauchait un cheval de fer.[8] Les premiers qui le virent se sauvèrent, mais il resta là à leur faire des signes amicaux. (...) Les anciens consultèrent leur Oracle et il leur dit que l'étranger briserait leur clan et répandrait la destruction parmi eux. (...) Alors ils tuèrent le Blanc et attachèrent son cheval de fer à leur arbre sacré (...). J'ai oublié de vous dire une autre chose qu'a dit l'Oracle. Il a dit que d'autres hommes blancs étaient en route. (...) (C)e premier homme était (...) envoyé pour explorer le terrain. (pp. 167-168)

La première rencontre entre un Européen et ces Africains évoque donc des sentiments de peur de la part des Ibo. Les anciens du village consultèrent l'oracle qui leur apprit les buts de cet homme. Selon celui-ci, cet Européen et d'autres en route causeraient des dommages à leur groupe. Ceux-ci se décidèrent alors à le tuer et à attacher sa bicyclette à un arbre où les Européens qui le suivaient la trouvèrent, finalement. Ces derniers en déduisirent que les Africains avaient tué leur compatriote et décidèrent de détruire le village. Les Africains avaient réagi en fonction de l'oracle. Pourtant, ils ne tinrent pas compte de l'annonce de l'arrivée des autres Européens et du danger qu'ils couraient.

Ce genre d'incident, qu'Achebe évoque, semble avoir été très répandu lors de la période de la *pacification* anglaise. Et ceci à un tel point qu'une ordonnance rendait officielle ces répressions collectives, sans essayer de trouver le responsable de l'action.[9] L'auteur nous montre également l'ignorance des Africains et leurs conclusions hâtives. Les Européens revinrent afin de se venger. La suite du roman montre le déroulement ultérieur de ce premier contact entre la population autochtone et la population européenne.

Les trois hommes blancs et un grand nombre d'autres hommes ont encerclé le marché. Il faut qu'ils aient utilisé une médecine puissante pour se rendre invisibles jusqu'à ce que le marché soit plein. Et ils commencèrent à tirer. Tout le monde fut tué, sauf les vieux et les malades qui étaient chez eux et une poignée d'hommes et de femmes dans le *chi* était parfaitement éveillé et les fit sortir de ce marché. (p. 169)

Et Obierika résume : "Leur clan est maintenant complètement vide."(p. 169)

La réponse d'Okonkwo ne se fait pas attendre : "C'étaient des imbéciles (...). On les avait avertis du danger qui venait. Ils auraient dû s'armer de leurs fusils et de leurs machettes même en se rendant au marché." (p. 170) Obierika partage dans une certaine mesure l'avis de son ami.

Ils ont payé pour leur sottise, (...). Mais je suis terriblement effrayé. Nous avons entendu des histoires sur les hommes blancs qui fabriquaient de puissants fusils et de fortes boissons et emmenaient des esclaves au loin à travers les mers, mais personne ne croyait que ces histoires étaient vraies. (p. 170)

Ainsi, Obierika nous est présenté comme quelqu'un qui réfléchit sur les événements et qui se soucie de leurs conséquences. Il commence à apparaître comme quelqu'un, qui bien plus que son ami Okonkwo, est préoccupé du changement de certaines actions, et, en particulier, de celles dépourvues de sens. Dans l'ensemble du roman, Obierika nous est montré comme celui qui essaie de trouver un jugement pondéré, qui s'adapte au temps et qui, finalement, lors de la mort de son ami, a encore la force de lui faire un dernier éloge face à l'administrateur blanc.

Lors de la deuxième visite d'Obierika, celui-ci informe son ami des derniers événements ayant eu lieu dans son village natal, Umuofia. Les premiers missionnaires sont arrivés au village. Après avoir construit leur église, de multiples convertis les ont rejoints, qui comptaient parmi les exclus de la société autochtone : "Aucun de ses convertis n'était un homme dont la parole était écoutée à l'assemblée du peuple. Aucun d'eux n'était un homme titré. C'était principalement le genre de gens qu'on appelait *efulefu*, des hommes sans valeur, vides." (p. 173) Les chefs du groupe observaient ces événements avec inquiétude. Néanmoins, ils estimaient que cette situation ne durerait pas. Le motif principal de la visite d'Obierika était le fait que le fils de son ami, Nwoyé, se trouvait maintenant parmi les missionnaires.

Dans la suite du roman, Achebe nous décrit l'arrivée des missionnaires à Mbanta, le village d'exil d'Okonkwo.

L'arrivée des missionnaires avait causé une émotion considérable dans le village de Mbanta. Ils étaient six et l'un d'eux était un Blanc. Hommes et femmes, tout le monde sortit pour voir le Blanc. (...)

Quand ils furent tous rassemblés, le Blanc commença à leur parler. Il leur parlait par l'intermédiaire d'un interprète qui était un Ibo, bien que son dialecte fût différent et dur aux oreilles de Mbanta. (p. 174)

L'Européen leur parla d'un autre Dieu, évoqua leur aveuglement de païens et l'avenir prometteur de ceux qui se joindraient à lui (cf. p. 175). En plus, il annonça aux villageois qu'il avait l'intention de rester parmi eux, et ceci, dans le but de leur apprendre le message de la religion chrétienne (cf. p. 176). Achebe nous décrit, ensuite, l'impression que le missionnaire avait fait sur Okonkwo et Nwoyé, son fils.

Quand il eut fini, Okonkwo était parfaitement convaincu que l'homme était fou. Il haussa les épaules et s'en alla tirer son vin de palme de l'après-midi.

Mais il y avait un jeune garçon qui avait été captivé. Son nom était Nwoyé (...). L'hymne sur les frères assis dans les ténèbres et dans la crainte paraissait répondre à une question vague et persistante qui hantait sa jeune âme. (p. 177)

Okonkwo persuadé des valeurs ancestrales estime que cet homme doit être fou. Selon lui, cette expression d'une différence ne peut exister. Or, Nwoyé en entendant les chansons "(...) éprouva un soulagement intérieur pendant que l'hymne se répandait dans son âme assoiffée." (p. 178)

Le chapitre dix-sept est consacré à la description de l'installation des missionnaires à Mbanta. Ils avaient demandé aux Anciens du village de leur donner un terrain où ils pouvaient construire leur église. Ceux-ci, pour mettre leur Dieu et son influence à l'épreuve, décidèrent de leur donner un terrain dans une forêt "maudite".

Une "forêt maudite" était donc toute animée de forces sinistres et de puissances de ténèbres. (...) Donnons-leur un morceau de la Forêt Maudite. Ils se vantent de remporter la victoire sur la mort. Donnons-leur un vrai champ de bataille où ils puissent montrer leur victoire. (pp. 179-180)

Les missionnaires acceptèrent volontiers le terrain que les notables du village leur octroyaient. Ils commencèrent à nettoyer la forêt et à construire l'église. Achebe nous décrit de manière détaillée ces événements qui se révéleront significatifs pour le déroulement des transformations ultérieures, à l'intérieur de la société africaine.

Les habitants de Mbanta s'attendaient à ce qu'ils soient tous morts dans les quatre jours. Le premier jour passa et le second et le troisième et le quatrième, et aucun d'entre eux ne mourut. Tout le monde était intrigué. Et alors il devint connu que le fétiche de l'homme blanc avait d'incroyables pouvoirs. (pp. 180-181)

Le narrateur revient alors à Nwoyé qui, dès la première journée de l'arrivée des missionnaires, avait été attiré par leurs paroles. Mais il n'avait pas encore le courage d'avouer son attitude. Okonkwo lui imposait trop de respect pour qu'il osât s'approcher des missionnaires. "Mais chaque fois qu'ils venaient prêcher en plein air sur la place du marché ou sur le terrain de jeu du village, Nwoyé était là." (p. 181) Nwoyé continua à hésiter pendant quelques jours encore. Il avait même peur d'entrer dans la petite église. Entre-temps de multiples convertis s'étaient joints aux missionnaires. La suite des événements étonna les villageois.

Les villageois étaient si certains du destin fatal qui attendait ces hommes qu'un ou deux convertis jugèrent sage de suspendre temporairement leur fidélité à la foi nouvelle.

Enfin le jour vint où tous les missionnaires auraient dû être déjà morts. Mais ils étaient toujours vivants, et construisaient une nouvelle maison de terre rouge et de chaume pour leur instructeur (...). Cette semaine-là, ils gagnèrent une poignée de convertis de plus. (p. 182)

Etant donné que les missionnaires ne semblèrent avoir subi aucun effet négatif de l'endroit où ils avaient construit leurs maisons, des autochtones, comptant parmi les exclus de la société africaine, continuaient à se joindre à eux : notamment, des femmes ayant eu des jumeaux, des hommes exclus d'une manière ou d'une autre, mais aussi, finalement, des gens comme Nwoyé, pour lesquels la nouvelle religion paraissait annoncer un temps nouveau qui respecterait leur sensibilité trop souvent choquée face aux moeurs et coutumes du groupe. Et, puis, le jour arriva où un cousin d'Okwonko constata que Nwoyé se trouvait parmi les chrétiens. Il alerta Okonkwo qui appela à son tour son fils. Une dispute s'ensuivit entre le père et le fils. Nwoyé décida alors de se rendre à Umuofia où les missionnaires avaient déjà installé une école. Il avait l'intention d'y suivre leurs enseignements et déclara dorénavant au sujet d'Okonkwo : "Ce n'est pas mon père." (p. 174)

Nwoyé rompit définitivement avec celui-ci. Il retourna à l'église et annonça à Monsieur Kiaga qu'il avait décidé d'aller à Umuofia, où le missionnaire européen avait créé "(...) une école pour apprendre aux jeunes chrétiens à lire et à écrire." (p. 184) Okonkwo essayait de comprendre l'attitude de son fils. Il en tira la conclusion "(...) que Nwoyé ne valait pas la peine qu'on se batte pour lui." (p. 184) Il continua ainsi à argumenter en évoquant la faiblesse de son fils et son caractère "féminin", genre d'argumentation qu'il n'abandonnera plus dans le roman. Son attitude rigide, sa non-adaptation à des événements nouveaux s'expliquent par cette obsession de paraître fort, de sauvegarder les coutumes et, finalement, de vivre un contre-modèle face à un père considéré comme faible. Achebe nous le fait savoir :

> Maintenant qu'il avait le loisir d'y songer, le crime de son fils ressortait dans toute son énormité. Abandonner les dieux de son père et aller se pavaner avec une bande d'hommes efféminés qui caquetaient comme de vieilles poules était le dernier degré de l'abomination. (p. 184)

La conversion de Nwoyé montre à quel point le protagoniste principal est entouré des personnages qui s'opposent à ses convictions. La colère subite de son père pousse Nwoyé à accepter cette religion, qui n'écarte pas ceux qui s'opposent à l'ordre traditionnel jugé trop rigide. Au contraire, les exclus de la société autochtone sont les bienvenus. La victoire de l'église chrétienne coïncide ainsi avec la transformation de la société autochtone qui se débarrassa de quelques-uns de ses membres, et leur permit d'obtenir un statut qu'ils ne pouvaient acquérir dans la société africaine. La présence des missionnaires à Mbanta fait émerger des conflits à l'intérieur de la société africaine. Okonkwo est partisan de leur expulsion. Mais personne ne le suit. Puis, les habitants du village apprennent que les Européens, outre leur religion, avaient amené un genre de gouvernement nouveau. "On disait qu'ils avaient bâti un lieu de jugement à Umuofia pour protéger ceux qui suivaient leur religion." (p. 188) Après le meurtre d'un python sacré par un converti, et donc d'un animal représentant la force divine, les villageois décidèrent d'exclure les convertis de la vie du village.

Cette nuit-là, un homme qui agitait une cloche traversa Mbanta de long en large en proclamant que les adeptes de la foi nouvelle étaient dorénavant exclus de la vie et des privilèges du clan.

Les chrétiens avaient grandi en nombre et formaient maintenant une petite communauté d'hommes, de femmes et d'enfants sûrs d'eux et confiants. (p. 193)

Les membres de l'église chrétienne apprennent la nouvelle au moment où ils partent chercher "(...) de la terre rouge, de la craie blanche et de l'eau pour ravaler les murs de l'église en l'honneur de Pâques." (p. 193) Ils reviennent avec des paniers et des pots vides. "Et une des femmes déclare : "Le village nous a mis hors la loi (...).""" (p. 194)

Or, le converti ayant commis ce crime, tomba malade la nuit même et mourut dans la journée (cf. p. 195). Les habitants du village se sentirent rassurés. "Sa mort montrait que les dieux restaient capables de mener leur propre combat. Le clan ne voyait plus de raison maintenant de molester les chrétiens." (p. 195)

3-2.3. LA DEUXIEME PHASE DES TRANSFORMATIONS DE LA SOCIETE AUTOCHTONE

Dans la suite du roman, le narrateur décrit le retour d'Okonkwo après sept ans d'exil. Selon lui, Umuofia avait surtout changé à cause des activités des missionnaires. L'influence de leur religion grandissait parmi la population autochtone et annonçait une transformation des structures sociales. L'auteur nous communique l'impression d'Okonkwo :

171

Umuofia avait bel et bien changé pendant les sept années où Okonkwo avait été en exil. L'église était venue et en avait égaré beaucoup. Non seulement les gens de petite naissance et les intouchables, mais parfois un homme de valeur, s'y étaient affiliés. C'était le cas d'Ogbuefi Ugonna, qui avait acquis deux titres, et qui, comme un fou, avait coupé l'anneau de cheville de ses titres et l'avait jeté pour rejoindre les chrétiens. (p. 210)

Achebe nous fait savoir que d'autres changements encore avaient eu lieu. En effet, outre la religion, les Européens avaient instauré une administration locale. "Ils avaient bâti un tribunal où le Commissaire de District jugeait les affaires dans son ignorance. Il avait des messagers de la Cour qui lui amenaient les hommes à juger." (p. 211) Ces messagers venant d'un autre endroit étaient haï à Umuofia non seulement "(...) parce qu'ils étaient étrangers (mais) en même temps (...) arrogants et brutaux." (p. 211)

Achebe nous décrit le comportement de ces autochtones au service des Européens :

On les appelait *kotma* (...). Ils gardaient la prison, qui était pleine d'hommes qui avaient contrevenu à la loi du Blanc. Certains de ces prisonniers avaient jeté leurs jumeaux et certains avaient molesté les chrétiens. Ils étaient battus dans la prison par les *kotma* et on les faisait travailler chaque matin : ils nettoyaient le domaine du gouvernement et ramassaient du bois pour le Commissaire blanc et les messagers de la Cour. Certains de ces prisonniers étaient des hommes titrés qui auraient dû être au-dessus d'occupations aussi viles. (p. 211)

Ces autochtones avaient ainsi des pouvoirs sur les personnes jugées coupables selon la juridiction anglaise. Ils agissaient comme intermédiaires aux points de rencontre des deux cultures. Ces *kotma* travaillaient pour le Commissaire européen, en s'opposant par leurs actes à des compatriotes par rapport auxquels ils possédaient un statut social différent conféré par l'administration anglaise.

Obierika discuta finalement de la problématique du changement avec Okonkwo. Il essaya de faire comprendre à celui-ci qu'un temps nouveau avait commencé et qu'un nouvel ordre venait d'être installé. Selon lui, cela signifiait pour les Ibo que leurs coutumes étaient de plus en plus en danger. Le titre du roman commence lentement à se justifier.

Nos propres hommes et nos propres fils ont rejoint les rangs de l'étranger. Ils se sont affiliés à sa religion et ils l'aident à maintenir son gouvernement. Si nous essayions de chasser les hommes blancs d'Umuofia, nous nous apercevrions que c'est facile. Ils ne sont que deux. Mais qu'adviendrait-il des nôtres qui ont adopté leurs coutumes et à qui on a donné le pouvoir? Ils iraient à Umuru et amèneraient les soldats, et nous serions comme Abame. (p. 212)

Obierika estime que l'Européen avait adopté une démarche très efficace :

Il est venu tranquillement et paisiblement avec sa religion. Nous nous sommes amusés de sa sottise et nous lui avons permis de rester. Maintenant il a conquis nos frères, et notre clan ne peut plus agir comme un seul homme. Il a placé un couteau sur les choses qui nous tenaient ensemble et nous sommes tombés en morceaux. (p. 213)

Or, Obierika, lui, sait juger de façon juste. Il appartient à ceux qui tentent de maintenir ce qui pouvait être sauvegardé dans ce processus de transformation que l'Afrique commençait à peine à entamer. Il représente donc ceux qui s'associent à un ordre nouveau sans pour autant perdre de vue leurs coutumes. Okonkwo, quant à lui, représente l'ordre ancien et échoue par son obstination. Son fils Nwoyé se détourne du monde autochtone qui ne lui permet plus de vivre selon ses idéaux. Il adhère à la nouvelle religion et est ainsi considéré comme n'appartenant plus au groupe ibo.[10] La suite de l'histoire de sa vie nous sera décrite dans le roman d'Achebe "Le malaise", où il représente un catéchiste retraité qui a un fils qui se révolte contre son père en soutenant une particularité de la culture occidentale nouvellement introduite. Or, ce prolongement des effets du père au fils devrait être considéré - et ceci, trois fois dans les romans pris en considération -, non sous un aspect psychologique[11], mais plutôt comme l'expression d'un phénomène de transformation lié à une nouvelle génération. En effet, si les trois protagonistes s'opposent à leur père, cette confrontation est la conséquence d'un processus de changement que le Nigéria vivait à cette époque. Le rôle d'Okonkwo ne s'explique que par sa participation à une transformation historique qui atteignait la société ibo et ses valeurs fondamentales. Le but d'Okonkwo était de sauvegarder ces normes. Nwoyé, son fils, s'opposa à cette rigidité et s'allia à la religion chrétienne nouvellement installée dans les alentours du village. Dans le roman "Le malaise", Obi s'oppose à son père par son adhésion aux valeurs occidentales.

Achebe nous signale encore d'autres changements : un centre commercial fut ouvert où des produits comme l'huile de palme et la noix de palme furent vendus contre de l'argent. L'introduction de la valeur marchande de ces produits leur attribuait une fonction nouvelle dans la société autochtone qui, dorénavant, participait à une économie basée sur l'argent (cf. p. 215). Le commerce et, avec lui, l'introduction de la valeur de l'argent commence à changer la société autochtone. De plus, les autochtones se rendent compte de l'intérêt de l'enseignement des Européens. "Un des grands hommes de ce village se nommait Akunna, et il avait donné un de ses fils pour qu'il acquière la science de l'homme blanc dans l'école de M. Brown." (p. 216)

En effet, le missionnaire avait demandé aux villageois de lui envoyer leurs enfants. Or, les familles régnantes n'avaient envoyé, au début, que des esclaves ou des enfants paresseux (cf. p. 218). Ce premier missionnaire agissait de manière à ne pas toucher aux coutumes ibo et arrivait ainsi à s'assurer la neutralité des villageois qui acceptaient l'adhésion des "éléments sans valeur" à cette nouvelle religion.[12] Le missionnaire faisait savoir aux autochtones que :

(...) les dirigeants du pays dans l'avenir seraient des hommes et des femmes qui auraient appris à lire et à écrire. Si Umuofia refusait d'envoyer ses enfants à l'école, des étrangers viendraient d'autres endroits pour les diriger. Ils pouvaient déjà le constater au Tribunal indigène, où le Commissaire de District était entouré d'étrangers qui parlaient sa langue. (pp. 218-219)

Les arguments du missionnaire portaient finalement leurs fruits. Même des personnes de trente ans se mirent à fréquenter alors l'école :

Quelques mois d'école suffisaient pour faire de vous un messager de la Cour ou même un de ses greffiers. Ceux qui restaient plus longtemps devenaient maîtres d'école. (...) Depuis le tout premier début la religion et l'éducation marchèrent la main dans la main. (p. 219)

Tout ceci signifie que notre protagoniste devint de plus en plus isolé dans sa lutte contre la religion chrétienne et le pouvoir européen. Les Ibo se montraient relativement ouverts à cette proposition venant de l'extérieur de leur système social. L'adoption de nouvelles moeurs signifiait la négation de l'opposition qu'Okonkwo proclamait.

Okonkwo était obligé de constater que "(l)e clan avait subi une transformation si profonde au cours de son exil qu'il était à peine reconnaissable. La religion et le gouvernement nouveaux et les boutiques occupaient beaucoup les yeux et les esprits des gens." (p. 220) Notre protagoniste déplorait beaucoup cette situation. "Il se lamentait pour le clan, qu'il voyait se briser et tomber en morceaux, et il se lamentait sur les hommes belliqueux d'Umuofia, qui étaient devenus si inexplicablement ainsi mous que des femmes." (p. 221)

La fermeté de l'attitude d'Okonkwo ressort de nouveau. Il n'avait pour but que de maintenir des coutumes de son clan, sans admettre la moindre tentative de transformation. Il continuait à opposer les principes "mâle" et "féminin", tout en considérant que les hommes de son groupe étaient devenus de plus en plus efféminés.

Puis, un événement arriva qui opposa les deux univers culturels. Avec l'arrivée d'un autre missionnaire, Monsieur Smith, le conflit s'aggrava. Celui-ci refusa d'accepter une coexistence de son église avec les coutumes autochtones, fait qui eut pour conséquence la résurgence du conflit opposant le groupe ibo et les chrétiens. Lors d'une fête, un converti trop convaincu de sa mission, démasqua un *egwugwu*,[13] acte qui provoqua la colère des villageois. Pendant une réunion, ayant pour but de discuter du comportement à adopter vis-à-vis du missionnaire, le chef des *egwugwu* se montra pourtant conciliant et proposa de permettre aux chrétiens de rester si le missionnaire acceptait leurs existences respectives. Ajofia, lors de la discussion préparant la rencontre avec le missionnaire leur dit :

Nous ne pouvons laisser l'affaire en ses mains parce qu'il ne comprend pas nos coutumes, exactement comme nous ne comprenons pas les siennes. Nous disons qu'il est stupide parce qu'il ne connaît pas nos moeurs, et peut-

175

être dit-il que nous sommes stupides parce que nous ne connaissons pas les siennes. Qu'il parte. (pp. 230-231)

Cette citation exprime les méconnaissances réciproques, l'ignorance mutuelle des normes sociales de l'autre et l'attitude du mépris face à cette culture différente. Lors de l'affrontement entre les deux groupes qui suivit cette discussion, le missionnaire n'accepta pas la proposition des villageois. Les Africains agirent alors comme bon leur semblait. Achebe nous le fait savoir : "Quand les *egwugwu* partirent l'église de terre rouge que M. Brown avait bâtie était un tas de débris et de cendres." (p. 231)

3-2.4. L'AFFRONTEMENT FINAL DECLENCHANT LA TRANSFORMATION DE LA SOCIETE AUTOCHTONE SELON LES NORMES DE L'ADMINISTRATION ANGLAISE

Le Commissaire de District étant parti en mission, le missionnaire n'alla le voir qu'à son retour. Les autochtones trouvaient ce comportement normal. "Il n'y avait rien d'étrange à cela." (p. 234) Quelques jours plus tard, le Commandant envoya son messager pour demander aux notables du village de venir le rencontrer. Encore une fois, l'auteur nous fait savoir : "Cela non plus n'avait rien d'étrange." (p. 234)

Une discussion eut lieu pour savoir si les dignitaires locaux allaient voir le Commandant, avec ou sans armes. Par politesse et en faisant confiance à l'administrateur anglais, six hommes s'y rendirent et enlevèrent leurs machettes dès le début de la rencontre. Ils seront vite convaincus qu'ils étaient trop conciliants. Au cours d'une brève mêlée avec les gardes, on les arrête et les met en prison où on les maltraite. Ensuite, une amende est exigée de la part des villageois pour libérer ces notables.

Le Commissaire leur fait savoir les conditions qu'il exige :

Nous ne vous ferons aucun mal, (...) si seulement vous êtes d'accord pour coopérer avec nous. Nous vous avons apporté, à vous et à votre peuple, une administration paisible afin que vous puissiez être heureux. (...) Mais nous

176

ne vous permettrons pas de maltraiter les autres. Nous avons un tribunal où nous jugeons les affaires et où nous administrons la justice tout comme cela se fait dans mon propre pays sous une grande reine. (p. 235)

L'administrateur nie ainsi l'existence des coutumes autochtones et oblige les dignitaires locaux à écouter un monologue que ceux-ci comprennent de manière différente. L'Anglais leur signale qu'une administration paisible a été instaurée pour leur bienfait, et qu'il ne leur incombe pas de rendre la justice. [14] Les villageois, quant à eux, décident de payer l'amende, et, Okonkwo et les autres sont alors relâchés (cf. 239 et suite). Mais les notables organisent, par la suite, une réunion pour discuter des mesures à prendre. Obika y exprime l'opinion selon laquelle il faudrait combattre les Européens, mais il reste le seul dans cette idée d'opposition.

Si nous combattons l'étranger, nous frapperons nos frères et verserons peut-être le sang d'un membre du clan. Mais nous devons le faire. Nos pères n'ont jamais rêvé d'une telle chose, ils n'ont jamais tué leurs frères. Mais jamais un homme blanc n'est venu parmi eux. C'est pourquoi nous devons faire ce que nos pères n'auraient jamais fait. (p. 247)

Le Commissaire ayant appris qu'une réunion avait lieu, envoie ses messagers ordonner aux notables d'y mettre fin. L'occasion est alors venue pour Okonkwo de ne plus retenir sa haine. "Il bondit sur ses pieds dès qu'il vit qui c'était. Il se dressa devant le messager en chef, tremblant de haine, incapable d'articuler un mot." (p. 248) Le chef des messagers lui demanda de le laisser passer. Mais Okonkwo lui pose la question : "Que venez-vous faire ici?" Et le messager répondit : "L'homme blanc dont vous ne connaissez que trop le pouvoir a ordonné que cette réunion cesse." (p. 248)
Okonkwo réagit :

En un éclair Okonkwo avait tiré sa machette. Le messager se baissa pour éviter le coup. Ce fut inutile. La machette d'Okonkwo descendit par deux fois, et la tête de l'homme gisait près de son corps en uniforme. (...) Il savait qu'Umuofia n'entreprendrait pas de guerre. Il le savait parce que les hommes avaient laissé les autres messagers s'échapper. Ils s'étaient laissés emporter par le tumulte au lieu d'agir. (pp. 248-249)

Les autres messagers repartent sans que les villageois interviennent. Okonkwo, se sentant seul dans son combat face au pouvoir européen, s'éloigne. En vain, il avait espéré provoquer des réactions de la part de ses compatriotes. Ceux-ci ne partageaient plus ses convictions qui, pendant ses années d'exil, avaient pris une telle dimension qu'il n'estimait plus à sa juste valeur le changement qui avait eu lieu avec la conversion massive des autochtones et leur désintérêt face à un adversaire qu'ils avaient appris à juger plus fort qu'eux. Okonkwo ne pouvait et ne voulait pas s'adapter à ce changement. Il persévérait dans ses opinions tandis que la population autochtone subissait et adoptait lentement les mesures liées à cette transformation. Okonkwo estima ainsi sa mission terminée et refusa de participer à la transformation ultérieure du groupe. Son suicide, face à cet échec, symbolise le constat du refus du groupe d'admettre ses principes et l'acceptation du fait que les Ibo ne pourraient plus jamais être ce qu'ils étaient, ce que lui, Okonkwo, considérait comme juste.

Quand le Commissaire de District arriva au domaine d'Okonkwo à la tête d'une troupe armée de soldats et de messagers de la Cour, il trouva un petit rassemblement d'hommes (...). Il avertit les hommes, qu'à moins qu'ils ne lui livrent immédiatement Okonkwo, il les mettrait tous en prison. (p. 251)

Ceux-ci répondirent: "Nous pouvons vous amener où il est". (p. 251)

Okonkwo avait déjà choisi sa propre justice. Sa mort révèle l'échec d'une lutte contre un envahisseur, considéré comme le plus fort, et l'acceptation du fait que les actes ultérieurs du clan se feront, dorénavant, en tenant compte du pouvoir européen.

Les dignitaires locaux menèrent donc le Commissaire à l'endroit où Okonkwo s'était pendu. Ils lui suggérèrent de faire descendre le corps, car étant donné qu'un suicide constituait un crime dans leur société, ils n'avaient ni le droit de le faire descendre, ni de l'enterrer (cf. p. 252). Achebe nous fait alors savoir que "(l)'administrateur résolu qui était en lui laissa la place à l'homme curieux de coutumes primitives." (p. 252)

Les notables lui apprennent que "(c)'est une abomination pour un homme de se défaire de sa propre vie. C'est une offense à la Terre, et un homme qui la commet ne peut être enterré par les membres de son clan." (pp. 252-253)

Ainsi, l'occasion se présente de donner la parole à l'administrateur anglais représentant le pouvoir étranger. Achebe signale que l'administration coloniale a "le dernier mot". Ce sera sa conception de la transformation qui triomphera. Le fait que l'administrateur anglais se montre intéressé, symbolisait cette curiosité à l'égard d'une culture différente que les Anglais essayaient de comprendre. Pourtant, ils ne considéraient jamais ces cultures comme représentant des ensembles cohérents qui devaient être transformés selon les normes et les valeurs anglaises.

Au cours des nombreuses années pendant lesquelles, il s'était démené pour apporter la civilisation à diverses parties d'Afrique il avait appris un certain nombre de choses. L'une d'elles était qu'un Commissaire de District ne doit jamais assister à des détails aussi peu nobles que le décrochage d'un pendu. (...) Dans le livre qu'il se proposait d'écrire, il insisterait sur ce point. (...) L'histoire de cet homme qui avait tué un messager et s'était pendu serait intéressante à lire. (...) Il avait déjà choisi le titre du livre, après y avoir beaucoup pensé : *La Pacification des Tribus primitives du Bas-Niger*. (pp. 253-254)

L'administrateur considérait donc le suicide d'Okonkwo comme un sujet de discussion du livre qu'il avait l'intention d'écrire. Il n'essaya pas de comprendre cet acte selon sa signification dans l'univers culturel de la société ibo. La mort de notre protagoniste symbolise l'incompréhension de deux mondes, l'échec du monde autochtone africain qui dorénavant devait changer selon une approche proposée plus ou moins par une puissance étrangère plus forte que celui-ci. La naïveté dont font preuve les Africains, au début du livre, et leur innocence font place au constat de leur faiblesse, d'une fatigue dans un combat dont ils ne comprennent guère les règles, où leur insouciance continue à être exploitée et les oblige finalement à céder. "Le monde s'effondre" est ainsi la description d'une destruction systématique d'un univers africain face à un univers culturel régi par d'autres règles. Le suicide d'Okonkwo, le seul qui osait encore croire à la perpétuation de la culture autochtone malgré l'influence occidentale, souligne que certaines valeurs d'antan ne trouvaient plus aucun écho parmi les autochtones.[15] Le pouvoir européen réussissait ainsi à ouvrir des voies nouvelles et à persuader le groupe autochtone de sa faiblesse. Le temps était révolu où ces groupes se moquaient des Européens. Dorénavant, ils étaient obligés d'agir en fonction des intérêts et des règlements de cette puissance étrangère. Le contact qui avait eu lieu laissa des traces. Les Africains étaient alors persuadés qu'ils devaient agir en commun avec l'administration européenne. La lutte, qui avait eu lieu au début du contact entre les deux univers différents, faisait place à l'obligation de suivre la voie indiquée par l'administration anglaise.[16]

3-2.5. CONCLUSION : LES PREMIERS CONTACTS ENTRE L'ADMINISTRATION ANGLAISE ET LES GROUPES AUTOCHTONES DECISIFS POUR LA TRANSFORMATION ULTERIEURE DE CES DERNIERS

Récapitulons la démarche de l'auteur! Achebe nous décrit, dans la première partie de son livre, la société ibo comme elle était avant l'influence de la colonisation anglaise. Après les premiers contacts assez meurtriers entre Africains et Européens, représentés par les événements se déroulant à Abame, les missionnaires arrivent. Ce sont eux qui s'opposent aux coutumes africaines, qui arrivent à s'allier les exclus de la société ibo et à en faire des adeptes fidèles. En prêchant l'amour, l'égalité et la bonté, la nouvelle religion les attire et arrive ainsi à accroître lentement son influence. L'autre moyen dont la colonisation anglaise disposait à l'époque pour transformer la société autochtone était l'école où les Africains apprenaient la culture anglaise. Ces connaissances étant acquises, elles pouvaient ensuite être utilisées pour occuper des postes administratifs qui conféraient un certain pouvoir. Les Africains qui suivaient cette voie optaient ainsi pour un changement lié à cette acceptation de certaines valeurs de la société occidentale.[17]

L'action des Anglais avaient certes un impact sur les cultures autochtones. Leur démarche était pourtant subtile. Ils utilisaient les moyens idéologiques à leur disposition en attirant vers eux l'ensemble de la population insatisfaite par la société autochtone. Ces "détournements" volontaires symbolisent le fait que les institutions autochtones étaient obligées de changer malgré elles, tout en tenant un discours officiel qui niait les transformations dues à la colonisation anglaise. La société autochtone subissait l'influence de la colonisation, mais contrairement à l'approche française, les conséquences étaient moins évidentes. Les Anglais s'intéressaient avant tout aux institutions politiques. Ils agissaient contre et avec ce pouvoir politique autochtone qui était l'élément le plus important de la société africaine. Les chefs qui affrontaient les Européens décidaient de l'avenir de leur groupe. C'étaient eux qui subissaient les premiers ces influences, et, à travers leurs actes, l'ensemble de la population concerné. Les directives de l'administration anglaise étaient souvent imposées par la force ; ils fatiguaient ces hommes ; ils leurs signalaient qu'un changement était inévitable. Les différents protagonistes du roman "Le monde s'effondre" montrent plusieurs issues possibles. Okonkwo échoue en insistant sur le maintien des coutumes autochtones ; Nwoyé s'allie au pouvoir européen en tournant le dos à la société autochtone. Seul Obierika et, avec lui, d'autres personnages qui réfléchissent, acceptaient la transformation de certains éléments de leur société, sans s'opposer à un pouvoir européen dont ils considéraient qu'il fallait tenir compte dans l'avenir.

Dans ce sens, ce roman d'Achebe nous montre les premiers mécanismes ayant contribué à la transformation de la société autochtone confrontée à l'implantation anglaise. Il s'agit de mécanismes plutôt indirects, conformément à la politique de l'administration coloniale anglaise. La société autochtone changeait, même si le discours officiel ne permettait pas d'apercevoir la spécificité de ce changement. Les Africains, et ici Achebe est catégorique, croyait au début de la colonisation anglaise, à la politique officielle de coexistence et à la reconnaissance d'une différence. Ils avaient confiance dans les paroles émises, mais avaient été obligés de constater à plusieurs reprises que le discours de l'Européen différait de ses actes. Achebe nous montre ainsi les points faibles de la société autochtone : la confiance en l'Européen, l'hospitalité que la société autochtone leur accorda, faits qui contribuèrent finalement à son échec. L'auteur nous décrit aussi des faits qui nous informent que la société autochtone aurait pu contrôler ces changements, notamment par les décisions de ses chefs qui, pourtant, montrèrent le même genre de naïveté face à un étranger plus fort qu'eux.

3-3. Chinua Achebe : "LA FLECHE DE DIEU"

3-3.1. BUT ET PROPOS DE L'OUVRAGE

Le deuxième roman de Chinua Achebe[18] nous présente une époque où le pouvoir administratif anglais est déjà établi. Le roman relate l'histoire d'un grand-prêtre, nommé Ezeulu, qui représente un personnage ancré dans les traditions de son groupe, mais en même temps ouvert aux suggestions de l'administration anglaise.[19] Cette dernière doit admettre son pouvoir sur les affaires concernant son clan. A partir du moment où l'administration anglaise ne tient plus compte de son pouvoir, et, en particulier, en l'arrêtant au chef-lieu du commandant de la région, le grand-prêtre refuse d'admettre leur existence. En rentrant chez lui, il fait comme si cette absence de 40 jours n'avait pas existé. Ce comportement aura, ensuite, des conséquences néfastes pour la population autochtone qui attend de lui l'annonce de la Fête de la Nouvelle Igname, et, ainsi, l'autorisation officielle de commencer la récolte des ignames. L'amnésie apparente du grand-prêtre le pousse à ne pas tenir compte des conseils des autres chefs qui l'avertissent pourtant que la récolte pourrira si Ezeulu ne revient pas sur sa décision. Etant donné que ces chefs n'ont pas le même statut que le grand-prêtre, qui, selon la coutume, est le porte-parole du Dieu Ulu, ils seront, finalement, contraints de laisser le choix de cette date à Ezeulu. Or, le mécontentement croît parmi la population africaine qui a l'impression que son grand-prêtre veut lui faire du tort, alors qu'il doit les prévenir, selon la conception traditionnelle de sa tâche, d'événements dangereux en utilisant ses facultés divinatoires.

En effet, il s'agit dans ce roman d'une description d'un combat entre deux forces : d'une part, l'administration anglaise et la religion chrétienne, et, d'autre part, le pouvoir d'Ezeulu. Or, ce dernier s'aperçoit que les temps ont changé. Mais, par son refus catégorique d'annoncer la fête de la Nouvelle Igname, il s'oppose à ce changement et à une population qui, selon lui, avait déjà adopté trop d'actions dirigées vers un avenir qu'il n'approuve plus. Selon Ezeulu, Ulu aurait demandé ce retard de la cueillette, mais, aux yeux des autochtones, le grand-prêtre veut maintenir son pouvoir et la conception d'un temps propre à lui. L'église chrétienne constatant le désarroi des autochtones et la position ambiguë du grand-prêtre, profite de cette situation en proposant aux Africains de lui apporter les ignames que la nouvelle religion sanctifiera. Cette logique plus acceptable affaiblit le pouvoir du grand-prêtre, car elle démontre que l'église chrétienne est plus favorable à la population autochtone que son guide spirituel. En accord avec son Dieu Ulu - Achebe nous décrit en détail ces rapports spirituels -, Ezeulu essaie de sauvegarder le pouvoir autochtone et sa conception du temps. Son arrestation ne compte pas dans cette vision d'un avenir. Il a passé cette séquestration loin de son groupe et tente alors d'effacer son caractère arbitraire et les conséquences qu'il pressent. Son geste signifie un dernier effort pour sauvegarder l'univers traditionnel africain.

L'action de l'église triomphera finalement, car, après avoir annoncé la date de la Fête de la Nouvelle Igname, le fils d'Ezeulu meurt lors d'un rituel. Le grand-prêtre se rend compte que son comportement n'était pas en accord avec les règles du groupe et qu'il exigeait une sanction. Réalisant qu'Ulu le punissait, Ezeulu perd la raison et ainsi la dernière possibilité d'avouer sa faute. Le dédoublement de sa personnalité lui sert de refuge, car le prêtre qu'il était, n'a plus sa raison d'être. La folie lui permet d'échapper au changement que les Européens ont apporté. En tant qu'être qui n'est plus responsable de ses actes, il peut continuer à manifester cette résistance au changement, qui était sa dernière mission.

L'interaction du pouvoir blanc et d'Ezeulu doit être considérée selon deux logiques différentes : l'administration blanche s'oppose à lui, en lui faisant comprendre ce qu'elle attend de lui, et lui, de son côté, en tant que grand-prêtre, ne peut accepter ce que cette administration lui demande. Sa présence auprès des administrateurs anglais signifie, pourtant, qu'il s'intègre *nonens volens* dans leur conception de la durée. Puis, après son retour, et après maintes réflexions sur la transformation entamée, Ezeulu essaie de s'opposer à son peuple en repoussant la date de la Fête de la Nouvelle Igname. La religion chrétienne tente de profiter de cette situation que l'administration anglaise a créée malgré elle. Le refus d'Ezeulu, devant une récolte qui risque de pourrir, sert de prétexte à l'église pour avoir de nouveaux adeptes. Le mécontentement des autochtones trouve ainsi une issue dans une institution qui s'avéra finalement apte à canaliser leurs activités et à leur offrir une issue qui paraît acceptable, sans que la population ne se rende compte des implications ultérieures de ses actes.

Dans la préface du livre, l'auteur nous informe sur la signification de son roman. Achebe veut

> (...) rendre hommage à ceux qui sont constants, les descendants spirituels de cet homme magnifique, Ezeulu, afin qu'ils nous pardonnent. S'il avait été épargné, Ezeulu aurait pu constater par la suite que son destin est parfaitement conforme à sa grande destinée historique de victime, car il consacrait par son déchirement la défection de son peuple et l'amenait ainsi au niveau d'un passage rituel. (pp. 9-10)

L'emprisonnement réel, en 1931, d'un grand-prêtre de l'époque, qui, en effet, refusa pendant les deux mois suivant son arrestation d'annoncer le début de la récolte[20], est utilisé par Achebe comme matériel historique autour duquel il construit son roman. Le "passage rituel", auquel il fait allusion, représente la victoire de l'univers occidental face à une culture africaine qui n'arrive plus à exercer le rôle qui lui avait été attribué dans cette transformation que les sociétés africaines étaient censées accepter depuis le commencement de la colonisation européenne.

3-3.2. LE POUVOIR DE L'ADMINISTRATION ANGLAISE

Dès le début du livre, Achebe nous confronte aux doutes que ce grand-prêtre avait par rapport à son office : "Chaque fois qu'Ezeulu mesurait l'immensité de son pouvoir sur l'année, les récoltes et, par conséquent, les gens, il se demandait si ce pouvoir était réel." (p. 14) Il nous annonce ainsi que l'intrigue se jouera autour de ce pouvoir du grand-prêtre, dont lui-même remet en cause le sens. Lors d'une dispute entre les six villages couverts par son pouvoir, et, notamment, sur une question de terrain entre deux villages, l'administrateur blanc, Winterbottom, avait pris le parti d'Ezeulu, en appuyant ce que celui-ci disait (cf. p. 18). Les relations d'estime réciproque entre les deux hommes dataient de cette époque.

C'était ce qui exaspérait ses ennemis : que l'homme blanc dont personne ne connaissait ni le père, ni la mère, vienne leur dire la vérité qu'ils connaissaient tous mais que personne ne voulait entendre. Cela présageait la chute du monde. (p. 18)

L'entente entre les deux responsables fut, à partir de ce moment, considérée comme le signe d'un affaiblissement de l'univers autochtone. La "chute du monde", cette vision d'une apocalypse, ne pouvait concerner que l'univers africain. Achebe avertit le lecteur dès le début sur l'issue du roman. L'administration britannique, conformément à son rôle plus important lors des événements que ce deuxième roman relate, est décrite de manière plus détaillée. L'auteur met l'accent sur la compréhension des tâches des Européens. En ce qui concerne Winterbottom, le Commandant du Cercle, il se caractérise, malgré des débuts peu encourageants dans les services administratifs du Nigéria, il y a quinze ans, par "(s)a foi inébranlable en la valeur de la mission britannique en Afrique" (p. 46) qui lui permet de préférer le climat et le style de vie du Nigéria à une vie en Angleterre. Il est caractérisé comme quelqu'un de pragmatique qui révélera en s'opposant à Ezeulu, le caractère profane de ses activités, mais aussi une attitude de frustration face à une politique d'administration anglaise qu'il considère ainsi : "Des mots, des mots, rien que des mots. Civilisation, mentalité africaine, atmosphère africaine." (p. 79)

Le drapeau britannique de l'Union Jack, qui flottait devant sa villa, montrait qu'il était le représentant du roi dans le cercle. (...) M. Clarke était son adjoint. Il y avait quatre semaines seulement qu'il était arrivé au poste (...). (p. 48)

Clarke, bien que décrit comme quelqu'un qui réfléchit plus sur les événements que Winterbottom, montre dans l'ensemble du roman une faiblesse de caractère liée à un comportement incohérent : malgré sa vision idyllique du travail dans l'administration coloniale, il ne sait pas mettre en accord ses actes et ses idées.

Achebe nous fournit par la suite plusieurs détails sur la vie sociale de ces administrateurs anglais. Elle tourne autour de ce que l'auteur nomme un club et une bibliothèque, où on trouve des quotidiens datant de plusieurs mois.

> Le club était situé dans l'ancien mess du régiment, que l'armée avait abandonné après avoir accompli son oeuvre de pacification dans ces régions pour continuer ailleurs. (...) A présent, la salle du mess faisait office de bar et l'avant-salle de bibliothèque où les membres pouvaient lire les journaux qui dataient de deux ou trois mois, ou les télégrammes de l'agence Reuter, dix mots, deux fois par semaine. (pp. 48-49)

Ensuite, il nous signale les habitudes que ces expatriés avaient adoptées pour maintenir un genre de vie social adapté à leur statut.

> Tony Clarke s'était habillé pour le dîner, bien qu'il lui restât encore plus d'une heure d'attente. S'habiller pour le dîner était très ennuyeux, dans la chaleur, mais de nombreux côtiers expérimentés lui avaient dit que c'était obligatoire. Parce que négliger cela pouvait être le premier pas sur la pente glissante de désaveux encore plus grands. (p. 49)

Le jeune administrateur se met, alors, à la lecture du livre auquel Achebe avait fait allusion à la fin de son premier roman. Ce qui donne l'occasion à l'auteur de nous donner de plus amples détails sur son contenu, que le jeune administrateur trouve d'ailleurs relativement ennuyeux.

> (I)l était en train de lire, à présent, le dernier chapitre de *La Pacification des Tribus Primitives du Bas Niger*, de George Allen, que le capitaine Winterbottom lui avait prêté. (...) Il fallait dire néanmoins que ce livre était assez ennuyeux, le ton était beaucoup trop suffisant à son gré. (p. 49)

Puis, Achebe nous informe sur les observations d'Allen concernant le genre des personnes qui devraient consacrer leur vie aux colonies. "Mais, ceux qui cherchent une vie active, ceux qui peuvent traiter les hommes comme d'autres traitent les objets, ceux qui peuvent maîtriser des situations importantes, amadouer les événements, modeler les destinées et voguer sur la crête des vagues du temps seront accueillis à bras ouverts par le Nigéria."

(pp. 49-50) Selon Allen donc, ceux qui considèrent les Africains comme des *objets*, qui arrivent à orienter leurs vies et suivre un changement nécessaire, seront aptes à travailler dans ce service.

L'auteur donne aussi des informations sur la vision que les administrateurs anglais ont de leur pratique administrative. "Non seulement nous promettons à ces vieux tyrans sauvages de leur assurer leurs trônes, ou plus vraisemblablement leurs peaux de bêtes pouilleuses - non seulement nous faisons cela, mais nous nous donnons la peine pour inventer des chefferies là où il n'y en avait pas." (p. 53) L'administrateur anglais se révèle ici comme quelqu'un qui justifie la distinction entre les Européens et les Africains, et, en particulier, en considérant les chefs, nommés par eux, comme des *sauvages*. Puis, Winterbottom donne un conseil à son jeune collègue :

> Vous devez vous souvenir d'une chose lorsque vous traitez avec des indigènes, tout comme les enfants ce sont de grands menteurs. Ils ne mentent pas seulement pour éviter des ennuis. Parfois ils desservent une bonne cause avec un mensonge inutile. (p. 55)

Une note du Lieutenant Gouverneur les informe sur la politique à suivre, en ce qui concerne l'administration de la région. La création d'une élite africaine est évoquée, ainsi que l'importance de ne pas détruire les caractéristiques typiquement africaines.

> A la place d'un gouvernement direct par le truchement d'agents administratifs, il y a une autre méthode qui (...) consiste à essayer de bâtir une civilisation supérieure sur la couche indigène profondément enracinée qui a ses fondations dans le coeur, l'esprit et la pensée des gens. De cette manière on pourra la bâtir plus facilement, tout en la moulant et l'établissant sur des bases conformes aux idées modernes et à des normes plus élaborées, (...). Nous ne devons pas détruire l'atmosphère africaine, la mentalité africaine, fondation entière de sa race ... (p. 79).

Achebe nous donne ainsi des informations sur cette politique coloniale qui essaie d'utiliser les groupes au pouvoir, afin de les familiariser avec ce que l'administration anglaise appelait une *civilisation supérieure*. En reproduisant la note de l'administrateur anglais, l'auteur montre que les Africains doivent être confrontés à d'autres valeurs, qui tiendront cependant compte des fondements existants. Dans la suite du roman, Achebe décrit les comportements abusifs de certains chefs nommés par l'administration anglaise. Winterbottom avait refusé d'accepter ces abus, mais son supérieur hiérarchique réinstalla à son retour des vacances le chef en question. L'ensemble de cette description du pouvoir colonial anglais fait ressortir que ces personnages ont beaucoup plus de profils que ceux que l'on rencontre la plupart du temps dans les romans des écrivains de l'Afrique francophone.

> Trois ans auparavant, on avait fait des pressions sur le Capitaine Winterbottom afin qu'il nomme malgré lui un chef de canton à Okperi. Après de longues discussions il jeta son dévolu sur un certain James Ikedi (...). Trois mois après avoir reçu sa nomination, le Capitaine (...) commença à entendre des rumeurs à propos de certains abus. (...) Le Capitaine fit une enquête minutieuse à ce sujet (...). Il décida de suspendre cet homme pendant six mois (...). Trois mois après, cependant, le Chef-Résident qui revenait de vacances (...) ordonna que le fripon soit réintégré dans ses fonctions. (p. 80)

L'auteur décrit de manière détaillée ce comportement d'un chef qui, avec l'aide d'un "chef de chantier", arrivait à profiter de sa position et à prétendre que les excès que les groupes autochtones subissaient, trouvaient leurs origines dans l'administration anglaise.

> Le Capitaine Winterbottom avait lui-même achevé et approuvé le plan des routes et des égouts et, dans la mesure du possible, il avait essayé de ne pas toucher aux fermes. Mais ce chef de chantier fit le tour du village, intimida les villageois et leur dit que si ces derniers ne lui donnaient pas d'argent, la nouvelle route passerait au milieu de leur concession. (...) Et pour les convaincre qu'il parlait sérieusement, il démolit effectivement la concession de trois personnes (...). Inutile de dire qu'une bonne partie de cette taxe illégale revint au chef Ikedi. (pp. 80-81)

La construction d'une route sert à Achebe à démontrer les effets néfastes des abus de la chefferie nommée par l'administration anglaise. L'enjeu lié à cette route fait apparaître une des causes du changement de la société autochtone. En même temps, cette construction symbolise sa transformation. La route devient un prétexte pour obtenir des sommes d'argent considérables n'ayant aucun rapport avec les prévisions de construction, révélant ainsi l'abus de pouvoir des intermédiaires africains face à la population autochtone. Le chef de chantier pouvait extorquer de l'argent aux autochtones, tout en restant couvert par la chefferie administrative, qui renvoyait la responsabilité de tout cela à l'administration anglaise.

3-3.3. LE ROLE D'UN INTERMEDIAIRE TENTANT DE CONCILIER LES CONCEPTIONS ANGLAISES ET CELLES DES GROUPES AUTOCHTONES

Dans la suite du roman, Achebe nous signale que Monsieur Wright, le chef du chantier, avait l'intention de terminer cette route le plus tôt possible afin de pouvoir s'en aller avant la saison des pluies. Pour ce faire,

(i)l lui fallait employer une main-d'oeuvre non salariée. Il demanda la permission de le faire et, après mûr examen de la question, le capitaine Winterbottom donna son accord. Dans sa lettre d'autorisation, il précisa que l'Administration Britannique n'avait pour politique de recourir à cette méthode que dans des circonstances très exceptionnelles... (p. 106).

Cette demande provoqua des réactions hostiles de la part des autochtones. "Quand on dit que tout travail mérite salaire, il ne faut pas en exclure les indigènes." (p. 106) Néanmoins, les notables d'Umuaro décident de charger de cette tâche

(l)es deux derniers groupes d'âge qui devaient être admis à passer à l'état d'adulte complet. (...) Tout ce que M. Wright demandait, c'étaient deux jours par semaine. Ainsi les deux groupes s'organisèrent-ils pour travailler séparément un Eke sur deux. A ces occasions, l'homme blanc délaissait l'équipe de salariés qu'il avait transformée en une force ordonnée et assez spécialisée, pour surveiller la foule libre mais indisciplinée des jeunes gens d'Umuaro. (pp. 106-107)

Parmi les personnes qui accomplirent ce travail bénévole, il se trouvait une personne qui travaillait depuis un certain temps pour les Européens et qui servait d'intermédiaire entre ceux-ci et les travailleurs africains. Il s'agissait d'un Africain converti, ayant vécu longtemps auprès des missionnaires.

Bien qu'il fût plus vieux que les jeunes gens de ces deux groupes d'âge, le menuisier Moïse Unachukwu était venu les organiser et leur transmettre les ordres de l'homme blanc parce qu'il connaissait la langue de ce dernier. Au début, M. Wright était plutôt enclin à ne pas lui faire confiance, car il se méfiait de tous les indigènes "arrivés", mais bientôt, il le trouva d'une grande utilité et pensait même lui donner une petite récompense, lorsque la route serait terminée. (p. 107)

Cet intermédiaire, malgré la méfiance que le chef de chantier éprouvait envers lui, au début, se révèle si utile que Wright commence à penser à récompenser ses activités. A la page 112, Achebe nous décrit une scène dans laquelle plusieurs personnes, entre autres Obika, le fils d'Ezeulu arrivent en retard, ce matin-là, au chantier et font rire leurs compagnons par des attitudes d'ivrognes.

Cela fit rire encore plus fort ses compagnons. Il essaya de passer devant M. Wright qui, incapable de contenir plus sa colère, le frappa violemment de son fouet. Celui-ci claqua encore et, cette fois-ci, atteignit Obika près de l'oreille, ce qui le rendit fou de rage. Il laissa tomber sa machette et sa houe et chargea. Mais Moïse Unachukwu s'interposa entre les deux hommes. Au même moment, les deux assistants de M. Wright accoururent et maîtrisèrent Obika, tandis que celui-ci recevait une demi-douzaine de coups de fouet en plus, sur son dos nus. Il ne lutta pas du tout. (pp. 112-113)

La plaisanterie n'était pas du goût de Monsieur Wright qui se dirigea vers le fils d'Ezeulu et lui donna plusieurs coups de fouet. Ce comportement d'un Blanc envers un Africain estimé de ces pairs provoqua la fureur de celui-ci. Obika commença à attaquer Wright, mais deux des assistants de celui-ci arrivèrent à le maîtriser. Le menuisier, conformément à sa position d'intermédiaire entre les Africains et les Européens, prit alors parti pour l'Européen en invoquant le pouvoir de celui-ci. L'ambiguïté de son rôle devint évidente dans cette tentative de réconcilier les exigences de deux univers culturels différents. Son appartenance à un système social influencé par des valeurs occidentales ne lui procura aucune estime de la part des Africains. Ceux-ci lui reprochèrent de "(...) faire la cuisine comme une femme chez l'homme blanc et lécher ses assiettes ...". (p. 115) L'interprétation que le menuisier donna de la scène, opposant Obika et Wright, lui servit à faire comprendre aux Africains ce qu'Obika était en train de faire, et ceci, d'un point de vue européen. Moïse justifie son attitude en ces termes :

Es-tu fou de t'attaquer à l'homme blanc? hurla Moïse Unachukwu, abasourdi par l'étonnement. J'ai appris que personne n'est mentalement sain dans la maison de ton père. (p. 113)

Après les avertissements de Wright qui suivent cette scène, les jeunes se remettent de nouveau au travail. Mais la discussion reprend ensuite et :

(...) quelqu'un suggéra qu'on aille voir les anciens d'Umuaro, pour leur dire qu'on ne pouvait plus travailler sur la route de l'homme blanc. Mais quand les orateurs, les uns après les autres, évoquèrent les implications d'une telle décision, personne n'y tint plus. Moïse leur dit que l'homme blanc répliquerait en enfermant tous leurs dirigeants dans la prison d'Okperi. (p. 115)

Et il continua :

(...) je puis vous assurer qu'il n'y a pas moyen d'échapper à l'homme blanc. Il est ici. (...) L'homme blanc effacera toutes nos coutumes, (...). Je sais qu'en ce moment, ce que je dis passe au travers de vos oreilles, mais cela va arriver. (...) Oui, nous parlons de la route de l'homme blanc. Mais lorsque le toit et les murs d'une maison s'écroulent, le plafond ne résiste pas. L'homme blanc, la nouvelle religion, les soldats, la nouvelle route font tous partie d'une même chose. L'homme blanc a un fusil, une machette, un arc et il porte le feu dans sa bouche. Il ne se bat pas avec une seule arme. (p. 116)

Moïse défend la cause de l'Européen. En même temps, il avertit ses compatriotes que l'oeuvre de civilisation des Européens aura des conséquences beaucoup plus profondes que ceux-ci ne sont encore prêts à admettre. En connaissance de cause, il leur signale que l'administration, la religion et les travaux qu'ils exécutaient font partie d'un même ensemble. Achebe se sert de ce personnage pour apprendre à son public le but ultime de cette mission *civilisatrice* de l'Angleterre : il s'agit selon lui de la destruction des coutumes africaines. Moïse évoque les différentes possibilités d'agir et les moyens dont l'Européen se sert pour atteindre son but. Puis, un autre collaborateur des Européens, Nweke Ukpaka, prend la parole:

> Je sais que plusieurs d'entre nous veulent se battre avec l'homme blanc. Mais seul un imbécile peut se battre contre un léopard les mains nues. (...) Nous ne lui demandons pas de nous rendre visite. (...) Nous ne lui avons fait de mal en aucune façon. Pourtant il est venu tout bouleverser chez nous. (...) Mais, lorsqu'on traite avec un homme qui pense que vous êtes un imbécile, il est bon, de temps en temps, de lui rappeler que vous n'ignorez pas ce qu'il sait, mais que vous avez choisi de paraître imbécile pour avoir la paix. (pp. 116-117)

Cette personne au service de Winterbottom fit donc remarquer à ses camarades que l'Européen disposait de beaucoup plus de pouvoir et que le combat contre lui ressemblerait à celui "contre un léopard les mains nues" (p. 117). Ensuite, il leur signifia qu'ils devaient ajouter à leur attitude de naïveté envers cet opposant, de temps à autres, des remarques intelligentes qui démontreraient que les Africains étaient conscients des changements intervenus, mais qu'ils avaient "(...) choisi de paraître imbécile pour avoir la paix." (p. 117)

3-3.4. LA POLITIQUE ANGLAISE ENVERS LES GROUPES AUTOCHTONES

Lors d'une invitation de Clarke, Winterbottom remarqua : "Et pourtant, nous dépensons des centaines de livres à construire des Tribunaux coutumiers dans toute la division, et personne n'en veut, pour autant que je puisse en juger." (p. 139) Clarke lui répondit : "C'est la politique du Quartier général et il se trouve que je sais que le Capitaine n'est pas tout à fait d'accord." (pp. 139-140)

Achebe nous fait connaître par la voix de ces administrateurs anglais leurs appréciations sur le système colonial. Dans les deux premiers romans de l'auteur, les Africains ne se posaient guère de questions sur cette administration. Ils réagissaient à une politique étrangère en fonction de critères personnels ou en adoptant le point de vue d'un de ces collaborateurs africains. L'administrateur anglais, Winterbottom constate que les tribunaux que les Anglais avaient construits étaient peu appréciés. Dans la suite de l'entretien, Clarke se pose des questions sur les différences entre les administrations britannique et française :

> Peut-être était-ce là la vraie différence entre les administrations coloniales françaises et britanniques? Les Français prenaient une décision ferme sur ce qu'ils voulaient faire et ils le faisaient. Les Britanniques, au contraire, ne faisaient jamais rien sans envoyer d'abord une commission d'enquête pour découvrir tous les éléments, ce qui par la suite les paralysait. (p. 143)

La critique de l'administration anglaise de l'époque ne touche ainsi qu'aux faits relativement connus de ce système, sans aboutir au genre de remarques, parfois très pertinentes, des romanciers de l'Afrique francophone. Lors de cette entrevue, Winterbottom informa Clarke sur son intention de nommer le grand-prêtre "Chef supérieur d'Umuaro" (p. 145). "J'ai parcouru à nouveau les dossiers de ce procès et j'ai découvert que le titre de cet homme est Eze Ulu. Le préfixe *eze* en ibo veut dire roi. Donc cet homme est une sorte de prêtre-roi." (p. 145)

Dans la discussion qui suit, Winterbottom nous apprend quelle est l'attitude anglaise envers les subordonnés africains, qui dès que l'administration leur donna des postes de pouvoir commencèrent à se comporter comme des "tyrans" envers la population autochtone. Ceci signifie que le pouvoir que les Anglais leur conféraient ne leur était pas familier, comme en témoigne également les multiples rapports sur les destitutions dans les territoires de l'Afrique anglophone.[21]

> Bien que je doive dire que je n'ai jamais trouvé d'homme ibo lent à acquérir de nouveaux airs d'autorité. Prenez ce vaurien que nous avons nommé chef ici. Il se fait maintenant appeler "Son Altesse Oki Ikedi 1er d'Okperi". (...) Cet homme était une nullité jusqu'à ce que nous le couronnions. Et maintenant, il se comporte comme s'il n'avait jamais rien

fait d'autre de toute sa vie. C'est la même chose avec les employés du Tribunal et même les plantons. Ils arrivent tous à se transformer en tyrans envers les leurs. (p. 145)

Ensuite, Winterbottom évoqua la différence entre les groupes africains. Il parla de celui d'Abame

(...) où vit un beau troupeau de sauvages, en tout cas. (...) Mais ils sont encore très peu coopératifs. De toute la division, ce sont eux qui coopèrent le moins avec leur Tribunal coutumier. Tout au long de l'année dernière, ce Tribunal a jugé moins d'une douzaine de cas et pas un n'y a été soumis par les indigènes eux-mêmes. (p. 146)

On constate qu'à cette époque de la colonisation anglaise, dans les années 30, une des seules institutions africaines que les Anglais avaient transformées selon leurs buts administratifs, à part la chefferie, rencontrait encore de grandes difficultés. Les autochtones ne coopéraient que rarement avec ces tribunaux, et l'administration anglaise leur soumettait elle même la plupart des cas.

Puis, Clarke fait connaître à Winterbottom son point de vue sur les enquêtes que les Anglais entreprenaient à l'époque sur diverses problématiques :

Vous savez, je songeais l'autre jour à notre amour pour les Commissions d'Enquête. Il me semble que c'est la vraie différence entre nous et les Français. Ils savent ce qu'ils veulent et ils le font. (...) Nous imaginons que plus nous pouvons obtenir d'éléments sur nos Africains, plus il nous sera facile de les gouverner. Mais ces éléments...
- Ces éléments sont importants, interrompit Winterbottom et les Commissions d'Enquêtes peuvent se révéler utiles. Le défaut de notre Administration, c'est qu'on y nomme invariablement les gens qu'il ne faut pas, et qu'on ignore l'avis de ceux d'entre nous qui sommes ici depuis des années. (p. 147)

L'administrateur plus expérimenté qu'il était, apprenait ainsi au plus jeune que les difficultés d'application résultaient de l'utilisation d'un personnel d'expatriés qui ignorait souvent les moeurs locales, et, qui avait ainsi des difficultés à adapter ces enquêtes à leurs régions administratives respectives.

3-3.5. L'EPREUVE DE FORCE ENTRE LE POUVOIR TRADITIONNEL ET L'ADMINIS-TRATION ANGLAISE

Dans la suite du roman, Winterbottom envoie un messager de la cour de justice chez Ezeulu pour lui faire connaître son désir de le rencontrer, chez lui. De plus, ce messager précise à Ezeulu :

> J'ai oublié un petit détail (...). Il y a beaucoup de gens qui attendent de voir l'homme blanc, et il se pourrait que vous ayez à attendre trois ou quatre jours à Okperi avant que votre tour n'arrive. Mais je sais qu'un homme comme vous n'aimerez pas rester trop longtemps hors de son village. Si vous me traitez bien, je m'arrangerai pour que vous le voyiez demain. J'ai le pouvoir entre les mains. Si je dis qu'untel verra l'homme blanc, il le voit. (p. 186)

Il se révèle ainsi comme quelqu'un qui exécute l'ordre de Winterbottom, tout en abusant de sa position privilégiée par rapport à d'autres Africains.
Mais Ezeulu lui répond :

> Cependant, il te faudra repartir et dire à l'homme blanc qu'Euzulu ne quitte pas sa case. S'il veut me voir, il doit venir ici. Le fils de Nwodika, qui t'a montré le chemin, peut tout aussi bien le lui montrer. (p. 186)

Le messager insiste et Ezeulu en vient, finalement, à lui dire qu'il enverra son fils pour chercher le message. Le messager n'est pas content de cette réponse, et Akuebue, un ami d'Ezeulu, lui dit : "Je n'ai jamais vu un messager choisir le message qu'il transmettra. Va dire à l'homme blanc ce que dit Ezeulu. Ou bien es-tu toi-même l'homme blanc?" (p. 187)
Dans la suite du roman, on apprend par une discussion entre Clarke et Winterbottom que ce dernier avait l'intention de le nommer "chef de région" et que c'était pour en discuter avec lui, qu'il l'avait convoqué. "Aux termes de l'entretien, je fixerai une date convenable où on lui donnera les pouvoirs de Chef de canton, en présence du Conseil des anciens et du *ndichié* et de son clan." (p. 199) L'administrateur anglais considérait cette

nomination comme une récompense que l'administration anglaise offrait à Ezeulu et c'est pourquoi, il fut étonné des nouvelles que ses messagers lui apprirent à leur retour. Il interpréta la réponse d'Ezeulu comme "insultante".

> Il signa immédiatement un ordre d'arrêt, en sa qualité de magistrat, pour l'arrestation de ce prêtre, et donna des instructions pour que deux policiers se rendent dès le matin à Umuaro et ramènent l'individu. (p. 199)

On constate l'incompréhension mutuelle lors de cette prise de contact : le grand-prêtre, bien qu'il estime Winterbottom, n'accepte pas que celui-ci envoie un messager pour lui demander de se déplacer jusqu'à chez lui, et, Winterbottom, quant à lui, ne comprend pas que le grand-prêtre possède une position sociale élevée qui implique que ceux qui veulent le voir se déplacent eux-mêmes. Winterbottom réagit donc à la réponse d'Ezeulu comme à celle émanant de n'importe quel Africain. Il décide de le traiter comme tel, malgré la nomination qu'il a l'intention de prononcer. Cette attitude révèle la dualité particulière à l'administration anglaise, en ce qui concerne les interactions entre les deux systèmes sociaux présents : les deux protagonistes agissent en se fondant sur leurs appréciations respectives d'un savoir social, sans se rendre compte des motifs qui ont poussé l'autre côté à agir d'une manière différente de ce qu'ils attendaient.

> Dès qu'il viendra, avait-il dit à Clarke, vous l'enfermez dans la cellule d'arrêt. Je ne veux le voir qu'après mon retour d'Enugu. D'ici là, il aura appris quelques bonnes manières. Je n'accepterai pas que mes indigènes croient qu'ils peuvent avoir une attitude dédaigneuse vis-à-vis de l'administration. (p. 199)

Cette décision s'explique ainsi par les caractéristiques déterminant les rapports entre les Africains et les Européens, à cette époque.[22] L'administration anglaise maintenait une différence, tout en étant consciente qu'il fallait coopérer, au moins sur le plan professionnel, avec les groupes autochtones.[23] Ce constat d'une différence était devenu familier aux messagers. Ils s'étaient habitués au fait que leurs compatriotes devaient être effrayés pour comprendre comment agir face à l'administration anglaise. On constate que ces intermédiaires, en commun avec l'administration, avaient adopté une attitude que la population autochtone comprenait et qui exprimait les rapports de force existants. Les Africains ne pouvaient choisir. Ils devaient obéir aux règles établies par l'administration anglaise. Pourtant, Winterbottom interdisait aux messagers d'utiliser des mesures violentes. Ceux-ci se comportent donc, dans la situation décrite ci-dessous, en fonction de leur position, en tenant compte du fait qu'ils n'étaient pas appréciés par la population autochtone et qu'ils étaient obligés d'en arriver aux menaces pour atteindre leurs buts.

Ils étaient convaincus maintenant, que s'ils ne faisaient pas quelque chose de radical, ils pourraient errer autour d'Umuaro jusqu'au coucher du soleil sans trouver la maison d'Ezeulu. Aussi giflèrent-ils le prochain villageois quand il essaya de donner des réponses évasives. Pour lui faire comprendre la situation, ils montrèrent également les menottes. Cela provoqua l'effet escompté. Il demanda aux hommes de le suivre. Il les conduisit non loin de la concession qu'ils cherchaient et l'indiqua du doigt. (p. 202)

Achebe nous informe, ensuite, sur le point de vue de la population autochtone face à ces menaces. Celle-ci estimait que ces menottes représentaient les armes les plus humiliantes des Européens, car son emploi signifiait qu'un homme n'avait plus aucun pouvoir et qu'il dépendait entièrement de celui qui les lui avait mises.

Aux yeux des villageois, les menottes ou *iga* étaient la plus fatale des armes de l'homme blanc. La vue d'un homme combatif réduit à l'impuissance et à la paralysie par une serrure de fer était la pire des humiliations. Ce n'étaient que les fous furieux qu'on traitait ainsi. (p. 204)

Les messagers apprirent alors qu'Euzulu et son fils étaient partis rejoindre l'administrateur anglais. Entre-temps, Winterbottom était tombé malade. La voix narrative interprète cette maladie en fonction du pouvoir du prêtre.

L'écroulement subit du capitaine Winterbottom, le jour-même où il avait envoyé les policiers arrêter le Grand Prêtre d'Umuaro, était lourd de sens. (...) Le prêtre l'avait frappé de son puissant gri-gri. Cela prouvait que, malgré tout, la puissance traditionnelle restait bien vivante. (p. 206)

Et Achebe continue :

L'histoire des pouvoirs magiques d'Euzulu se répandit dans toute la colline du "gouvernement" en même temps que l'histoire de la maladie mystérieuse du capitaine Winterbottom. (p. 206)

Ensuite, l'auteur nous fait connaître l'attitude d'Ezeulu lors de cette interruption arbitraire de ses fonctions.

Il avait temporairement perdu son statut de Grand Prêtre, et cela était pénible. Mais après dix-huit ans, c'était un soulagement que de vivre un instant sans cette responsabilité. Loin d'Ulu, il se sentait un enfant dont les parents sévères étaient allés en voyage. Mais il ressentit une plus grande joie à l'idée de la vengeance qu'il avait soudain élaborée dans sa pensée (...). (p. 213)

Ezeulu avait ainsi le temps de réfléchir à sa situation et aux mesures à prendre dès son retour. Il constata que la dispute avec Winterbottom n'était en effet que de peu d'importance, face aux problèmes qu'il devait régler avec son peuple. L'auteur nous le fait savoir :

Pendant des années, il avait mis les habitants d'Umuaro en garde pour que ceux-ci ne permettent pas à quelques hommes au coeur plein de jalousie de les guider à travers la brousse. Mais de leurs doigts ils avaient bouché leurs deux oreilles. Ils n'avaient point cessé de se diriger sur un sentier de plus en plus dangereux, et maintenant ils étaient allés trop loin. (...) Maintenant, la bataille était inévitable, car si un homme ne se bat pas contre ceux qui veulent construire un sentier à travers sa maison, ces derniers ne s'arrêteront pas. Les muscles d'Ezeulu se tendirent, prêts pour la lutte. (p. 213)

Ezeulu évoquait les événements des dernières années et surtout ceux concernant le pouvoir européen. Il estimait que l'affrontement était devenu inévitable. Les Européens avaient déjà introduit trop de nouveautés sans même que les habitants d'Umuaro ne commencent à se poser des questions sur leur avenir. La voie que ceux-ci avaient commencée à suivre paraissait dangereuse au grand-prêtre. Il considéra qu'il était temps de s'opposer à ceux qui voulaient détruire son peuple. Achebe utilise une métaphore pour décrire l'appréciation d'Ezeulu de la situation: il lui semblait que les Européens voulaient construire un sentier traversant sa demeure, fait inadmissible et dont la continuation devrait être évitée.

La détention d'Ezeulu chez l'administrateur anglais fournit à l'auteur l'occasion de nous présenter en détail un de ces collaborateurs des Anglais, qui, à ce moment de l'histoire coloniale, essayaient de lier les deux univers sociaux, sans pour autant être intégrés ni à l'un ni à l'autre. Le boy en question nous fait savoir qu'il était attiré par l'argent qu'il pouvait gagner en tant qu'auxiliaire de l'administration anglaise et que c'était l'administrateur lui-même qui lui avait suggéré cette "course à l'argent".

> Il me dit de laisser les danses et de me joindre à la course à l'argent de l'homme blanc. J'étais tout yeux. (...) Il dit que la course à l'argent de l'homme blanc n'attendrait pas le lendemain ni le temps où nous serions prêts à nous y joindre. (...) Il dit que d'autres personnes venaient de tous les petits clans. Certaines personnes que nous méprisions autrefois étaient toutes maintenant en grande estime, alors que les gens de chez nous ne savaient même pas que le jour s'était levé. (p. 224)

L'Européen jouait ainsi sur le sentiment d'envie de ce boy face à des personnes qui, grâce à cet argent, pouvaient se permettre beaucoup plus de choses que celui-ci. Or, le boy justifia sa démarche, tout en soulignant que, malgré tout, il adhérait à certaines valeurs ibo et partageait leur opinion qu'être un "serviteur" n'était pas une profession valorisante. Il fit comprendre à Ezeulu qu'il considérait comme important le fait de posséder de l'argent, car ceci lui permettait d'atteindre une position sociale différente à celle des habitants de son village natal. Il ajouta même que l'évocation de ses origines lui causait des sentiments de honte, car personne dans son village ne figurait parmi les commerçants et les subalternes africains de l'administration anglaise.

> Mes yeux visent un petit commerce de tabac, que je commencerai dès que j'aurai amassé un peu d'argent. Des gens d'ailleurs sont en train d'amasser beaucoup d'argent en faisant ce commerce et le commerce du tissu. (...) Y a-t-il un homme d'Umuaro parmi les gens riches, ici? Pas un seul. (p. 225)

Les pensées d'Ezeulu face à cet aveu étaient partagées. Il savait que les gens de son village n'appartenaient pas aux intermédiaires africains et il l'approuvait. Mais il estimait que les villageois avaient adopté malgré eux une démarche qui les mènerait dans la direction souhaitée par les Européens. Le récit de John Nwodika symbolise ainsi l'écart entre les conceptions de cet intermédiaire africain et celles d'Ezeulu, et les difficultés que celui-ci éprouve face à une situation influencée par deux univers culturels très différents.

Finalement, Clarke fait venir Ezeulu dans son bureau. Lors de cet entretien, Achebe montre les différences d'appréciation de la réalité sociale, de la part des deux protagonistes appartenant chacun à un groupe social différent. Ezeulu reste imperturbable face à ce représentant du pouvoir européen qu'il n'apprécie guère et Clarke, quant à lui, ne peut que s'offusquer de l'attitude de ce prêtre, qu'il considère comme dédaigneuse, et incapable de comprendre la faveur que les administrateurs anglais avaient l'intention de lui accorder.

Confronté à la fière inattention de ce prêtre de fétiches à qui ils étaient sur le point de faire une immense faveur en l'élevant au-dessus de ses frères et qui, au lieu d'être reconnaissant, ne répondait que par le dédain, Clarke ne sut vraiment pas quoi faire d'autre. Plus il parlait, plus il s'énervait. (...) C'est alors qu'il fit la proposition à Ezeulu. L'expression du visage du prêtre ne changea pas quand on lui annonça la nouvelle. Il resta silencieux. Clarke savait qu'il fallait un certain temps pour qu'il saisisse toute la portée de cette proposition. (pp. 229-230)

Et Clarke lui pose alors la question : "Eh bien, acceptes-tu cette offre, oui ou non?" (p. 230) Achebe nous fait savoir que "(...) Clarke rayonnait déjà du sentiment du bienfaiteur qui se dit: Je-sais-que-cela-te-renversera." (p. 230) Mais Ezeulu lui répondit en s'adressant à l'interprète : "Dis à l'homme blanc qu'Euzulu ne sera le chef de personne. Il ne servira qu'Ulu." (p. 230) L'administrateur qui ne s'attendait pas à une réponse de ce genre constata : "Quoi? (...) Ce type est-il fou?" (p. 230) Et l'interprète lui apprit : "Moi, crois bien (...)." (p. 230) Clarke, furieux, ordonna qu'on ramena Ezeulu en prison. Et il exclama : "Le toupet! Un rebouteux, ridiculiser l'Administration britannique en public!" (p. 230)

L'impossibilité de lier les deux tâches qu'Ezeulu était censées exécuter restait incompréhensible à l'administrateur anglais, pour lequel Ezeulu n'était qu'un *prêtre de fétiche* et non pas le serviteur du Dieu Ulu. Clarke considère la proposition de l'administration anglaise comme une possibilité de singulariser cet homme au milieu des siens et de lui donner un autre statut. Il ne comprenait guère que l'office d'Ezeulu représentait déjà la plus haute position dans cette hiérarchie sociale. L'incompatibilité de ces deux rôles était évidente aux yeux d'Ezeulu. Il ne pouvait être l'outil d'un Dieu et exercer une fonction profane dans l'administration anglaise. Le sentiment d'être un bienfaiteur, que Clarke éprouva au moment où il annonça la nouvelle à Ezeulu, s'explique par les buts de l'administration anglaise dans l'Afrique de cette époque. Selon l'administrateur, il s'agissait de récompenser un Africain estimé des Anglais, en lui offrant un poste qui lui permettrait de changer de statut social et de s'élever au-dessus des autres. L'assurance du grand-prêtre et son refus catégorique s'expliquent par sa fonction qui ne lui permettait pas de s'allier à l'administration anglaise et sur laquelle, en outre, il venait de ruminer des idées peu agréables, au sujet de l'avenir des siens.

Winterbottom, encore malade, ne pouvait participer à l'issue du combat entre Ezeulu et l'administration anglaise. Achebe commente ces événements en recourant à la tradition ibo, et, en utilisant encore une fois un proverbe qui résume bien la situation.

Dès lors, la réputation d'Ezeulu connut un sérieux déclin. Maintenant qu'il avait refusé d'être chef dans l'administration de l'homme blanc, il s'était créé une nouvelle forme de popularité. Une telle action n'avait d'égale nulle part en terre igbo. Quand un homme crache un morceau que la fortune place dans sa bouche, ça peut sembler insensé, un tel homme commande le respect. (p. 231)

Ezeulu, quant à lui, avait "(...) marqué son petit point avec l'homme blanc". (p. 231) Il se sentait dorénavant "(...) à égalité avec l'homme blanc" (p. 232) et commençait à considérer qu'il était maintenant de son devoir de combattre les événements qui s'étaient déroulés à l'intérieur de son groupe et qui l'orientaient d'une manière qu'il ne jugea pas appropriée. Son repos forcé auprès de l'administrateur lui permettait ainsi de faire des projets concernant son retour et préparer "la bataille" (p. 232).

Deux semaines après ces événements, Clarke eut la possibilité de rendre visite à Winterbottom. Il lui raconta les derniers événements et le malade lui suggéra de garder Ezeulu "(...) prisonnier jusqu'à ce qu'il apprenne à collaborer avec l'Administration." (p. 233)

Achebe nous informe par la suite qu'"(...) Umuaro avait opposé une plus grande résistance au changement que n'importe lequel des clans de la province. Leur première école n'avait qu'un an environ, et une mission catholique branlante avait été mise sur pied après maints échecs." (p. 234) Clarke se posa donc la question : "Sur un tel district, quel serait l'effet produit par le retour triomphal d'un rebouteux qui avait bravé l'Administration?" (p. 234)

Le lecteur constatera que l'auteur décrit minutieusement les différents événements qui mèneront finalement à la confrontation des deux forces. L'administrateur anglais commençait à être intrigué par la problématique particulière de cette région et par sa résistance au changement. Il s'apercevait que le grand-prêtre pourrait jouer un rôle décisif à son retour. Pourtant, seules des questions d'ordre pratique le préoccupaient en ce moment :

(...) s'il gardait le Grand Prêtre en prison, de quoi l'accuserait-il? Qu'écrirait-il dans le registre? (...) Pour avoir refusé d'être Chef. (...) Il ne pouvait vraiment pas enfermer un vieil homme (...) en prison, sans donner une explication plausible. Maintenant que Winterbottom lui avait donné la réponse, tout cela lui semblait vraiment stupide. La morale en était que si les vieux côtiers comme Winterbottom n'étaient pas plus sages que les plus jeunes, ils avaient au moins une certaine finesse, et cela, on ne pouvait pas en faire fi à la légère. (p. 234)

Clarke se rendait compte que les différentes accusations pouvant justifier son arrestation n'étaient pas pertinentes. Et finalement, après de vaines tentatives de persuader Ezeulu d'accepter l'offre, il le mit en liberté. Achebe nous décrit alors l'attitude d'Ezeulu. Celui-ci éclata de rire et demanda : "Ainsi donc, l'homme blanc est fatigué?" (p. 235)

Nous n'avons pas lutté. Nous avons simplement étudié nos mains respectives. Je reviendrai. Mais auparavant, je veux lutter contre mes propres frères dont je connais la main et qui connaissent ma main. Je rentre pour mettre au défi tous ceux qui ont fourré leurs doigts dans mon visage. Qu'ils sortent de chez eux et me rencontrent dans un combat, alors celui qui jettera l'autre à terre la dépouillera de l'anneau qui lui entoure la cheville. (p. 236)

La mise en liberté d'Ezeulu par l'administration anglaise amenait celui-ci à prendre la décision de continuer ce combat, en luttant contre ses compatriotes dont il connaissait mieux les motifs. Un rapport "(...) écrit par le Secrétaire aux Affaires Indigènes sur l'Administration indirecte dans le Nigéria de l'Est" (p. 238) arriva alors. La note du Gouverneur accompagnant le rapport définissait la politique à suivre en matière de nomination des chefs de région : on devait maintenir les règles établies, et attendre avant de nommer d'autres chefs. Dans cette note, le gouverneur, d'après la voix narrative, signalait à ses subordonnés :

Ce n'était pas par hasard que, dans tout le rapport, on avait choisi le Chef de Canton d'Okperi comme cible de critique. Pour toute conclusion, la lettre demandait à Winterbottom de traiter l'affaire avec tact pour que l'Administration ne crée pas la confusion dans les esprits des indigènes et ne donne pas l'impression qu'elle était très indécise, ou qu'il y avait un manque d'orientation, car une telle impression serait extrêmement néfaste. (p. 238)

3-3.6. L'OPPOSITION AUX CHANGEMENTS A L'INTERIEUR DE LA SOCIETE AUTOCHTONE

Ezeulu, une fois retourné à Umuaro, constata qu'il n'était pas aussi évident de traiter certaines personnes comme des amis, et d'autres comme des ennemis. "Tant qu'il était en exil, il était facile pour Ezeulu de penser à Umuaro comme à une entité hostile." (p. 245) Il distinguait alors entre ceux "(...) qui étaient vraiment pleins de bonnes intentions à son égard et ceux dont l'ambition cherchait à détruire l'unité centrale des six villages." (p. 246) Cette différenciation le satisfaisait et il commençait à avoir des idées de réconciliation. Finalement, il décida d'envoyer Oduche, son fils, à l'école européenne. Ezeulu lui dit :

Je veux que tu apprennes et que tu maîtrises la connaissance des Blancs au point que, brusquement réveillé de ton sommeil, tu puisses répondre à des questions, si l'on t'en posait. Tu dois l'apprendre, cette connaissance, jusqu'à ce que tu sois capable d'écrire de la main gauche. C'est tout ce que je voulais te dire. (p. 249)

Ezeulu continua à réfléchir sur le combat qui allait avoir lieu selon lui. Il évoqua la possibilité d'une entente ou d'une diminution de l'étendue du conflit. Or, "(d)errière ses pensées il y avait la certitude que la bataille ne commencerait pas avant la moisson, c'est-à-dire dans trois lunes. Il restait donc encore beaucoup de temps." (p. 251) Le grand-prêtre considéra cette lutte une "bataille des dieux" (p. 251) où lui-même "(...) n'était rien d'autre qu'une flèche dans l'arc de son dieu." (p. 251)

Achebe nous décrit alors les pensées d'Ezeulu, qui tournent autour de la nouvelle religion et de l'administration anglaise. De nouveau, cette dernière était entrée dans sa vie, et cette fois-ci, "(...) en l'exilant, lui donnant ainsi une arme pour combattre ses ennemis." (p. 252) Son exil, en effet, lui servit de prétexte à déclencher un combat qu'il avait considéré, depuis longtemps, comme nécessaire. La signification de sa situation le tourmente. Il se pose des questions sur une alliance possible entre Ulu et les Européens. Achebe nous communique ses pensées :

Il était à moitié homme, à moitié *mmo*, cette moitié que l'on peignait avec de la chaux blanche pendant les rites religieux importants. Et la moitié des choses qu'il faisait était accomplie par le côté esprit de lui-même. (p. 252)

Cette interprétation mythique révèle les deux faces du comportement d'Ezeulu concernant l'exercice de son office, le caractère particulier de sa position et des décisions qu'il était en train de prendre. Dans la suite du roman, l'auteur nous informe sur la signification de la Fête de la Nouvelle Igname à l'intérieur de la communauté des autochtones. Cette fête sépare l'année passée de l'année à venir :

Elle était, pour les six villages, la réminiscence de leur union dans le temps jadis et de leur dette de toujours envers Ulu qui les avait sauvés des ravages d'Abame. Au cours de la Fête de la Nouvelle Igname, l'union des six villages se reproduisait ; et chaque adulte mâle d'Umuaro amenait un tubercule d'igname de taille respectable au sanctuaire d'Ulu et le déposait sur le tas de son village, après s'en être servi pour décrire un cercle autour de sa tête ; il prenait ensuite un morceau de craie qui était près du tas et se faisait des marques sur le visage. (p. 265)

Pour Ezeulu, le moment de célébrer cette cérémonie n'était pas encore venu. En tant que grand-prêtre, la fixation de cette date lui incombait. On commençait à lui poser des questions, mais il refusait "(...) que l'on (lui) rappelle quels sont les devoirs d'un prêtre." (p. 268) Les autochtones réagirent de manière négative : "D'abord, les gens furent complètement abasourdis. Mais graduellement, ils commencèrent à en saisir toute la portée, car jamais encore une telle chose n'était arrivée." (p. 269) Les chefs des autres villages tentèrent, finalement, de faire changer d'avis Ezeulu. Mais celui-ci leur répondit qu'ils connaissaient tous la coutume : "Je fixe la date de la nouvelle igname quand il ne me reste plus qu'une seule igname de l'année écoulée. Il me reste trois ignames en ce moment, je sais donc qu'il n'est pas encore temps." (p. 271)

Les chefs lui firent savoir qu'ils respectaient la coutume, mais que la récolte devait être faite avant que les ignames ne pourrissent. Ils admirent que l'existence des trois ignames restants était due à l'administrateur européen, et ils demandèrent à Ezeulu de penser aux femmes et aux enfants qui avaient besoin de cette récolte. L'un d'eux lui dit :

Bien que je ne sois pas le prêtre d'Ulu, je peux dire que la divinité ne veut pas qu'Umuaro périsse. Nous l'appelons le sauveur. (...) Si je le pouvais, j'irais immédiatement manger les ignames qui restent. Mais je ne suis pas le prêtre d'Ulu. Ezeulu, c'est à vous qu'il revient de sauver notre récolte. (p. 272)

Un autre, le nommé Anichebe Udeoza, rappela à Ezeulu qu'ils savaient bien que les temps avaient changé et qu'un grand-prêtre n'avait jamais encore été arrêté. Et il suggéra "(...) nous devons nous adapter à notre temps si nous ne voulons pas être roulés dans la poussière." (p. 272)

Mais la réponse d'Ezeulu n'admit aucune réplique :

Je suis le Grand Prêtre d'Ulu et ce que je vous ai dit représente sa volonté et non la mienne. N'oubliez pas que j'ai, moi aussi, des champs d'ignames et que mes enfants, mes frères, mes amis - et vous-même parmi eux - ont aussi planté des ignames. Ca ne peut pas être mon voeu de faire souffrir qui que ce soit à Umuaro. Mais ces actes ne sont pas les miens. Les dieux se servent parfois de nous comme d'un fouet. (p. 273)

Ezeulu ainsi que sa famille devinrent alors la cible d'une critique sévère de la part des habitants des villages. Les chefs partagèrent cette attitude. Ils voyaient la raison de l'attitude d'Ezeulu dans sa séquestration et pensaient que celui-ci voulait prendre sa vengeance. "Il a essayé de chercher comment il pourrait punir Umuaro et il en a maintenant l'occasion. La maison qu'il avait l'intention de démolir a pris feu, si bien qu'il n'a plus rien à faire." (p. 279) Pourtant, les chefs se rendaient compte qu'il s'agissait, en réalité, d'un combat contre un envahisseur plus fort qu'eux, ce qui devait, finalement, aboutir à une crise profonde de la société africaine. La métaphore qu'Achebe utilise, et, notamment, l'incendie d'une maison signale que selon l'opinion des chefs, les Ibo devaient commencer à se plier à la volonté de cette puissance coloniale plus forte qu'eux.

La nouvelle religion profita de cette situation, préoccupante pour la société autochtone. Monsieur Goodcountry, catéchiste de l'Eglise anglicane, accueillit dans son école et son église de plus en plus de convertis ou même des gens qui lui envoyèrent leurs enfants pour qu'ils apprennent une partie du savoir des Européens. "(L)'idée, (...) gagnait du terrain, selon laquelle la meilleure façon de traiter avec l'homme blanc était d'avoir en son sein quelques personnes comme Moïse Unachukwu, qui savaient ce que l'homme blanc savait." (p. 281)

Ensuite, dans le chapitre vingt-cinq, le renversement du pouvoir ancien par la nouvelle religion est annoncé. Monsieur Goodcountry estime que l'attitude de l'église devait se conformer à la renommée de cette fête. Selon lui,

(l)a Fête de la Nouvelle Igname était, pour ces malheureux païens, un moyen de montrer leur gratitude à Dieu, pourvoyeur de toutes les bonnes choses. L'heure de Dieu avait sonné pour les sauver de l'erreur qui menaçait maintenant de les détruire. On devait leur dire que s'ils faisaient leur offrande de gratitude à Dieu, ils pouvaient faire la récolte sans craindre Ulu. (p. 282)

La nouvelle se répandait donc que le Dieu des chrétiens accepterait une offrande et protégerait ainsi les villageois en cas de récolte "(...) contre la colère d'Ulu. En d'autres temps, les gens auraient simplement ri en entendant de tels propos. Mais personne n'avait plus le coeur à rire." (p. 282) Cette épreuve de force d'Ezeulu et de son Dieu face à la religion chrétienne qui invita les villageois à s'adresser à elle, tourmentait le grand-prêtre "(...) au point qu'il eut le désir de sortir de sa concession ou même d'aller sur la place du marché Nkwo, pour s'adresser à Umuaro en criant." (p. 286) Ezeulu commença à se rendre compte que ce combat devait avoir des répercussions sur l'avenir de sa région. Achebe nous informe sur ses réflexions, influencées par son rôle d'intermédiaire entre un Dieu et la population autochtone.

Sous toute la colère qui couvait dans le coeur d'Ezeulu, il y avait une compassion profonde pour Umuaro, un clan qui, il y a longtemps, très longtemps, quand les lézards étaient encore très peu nombreux, choisit son ancêtre pour porter sa divinité et marcher devant lui, défiant tout obstacle et affrontant tout danger pour le clan. (p. 286)

Ezeulu apprit finalement que les chrétiens voulaient organiser la cérémonie de récolte. Et il constata : "Ca m'inquiète, (...), parce que ça ressemble au dicton de nos ancêtres qui disait que lorsque deux frères se battent à mort, c'est un étranger qui hérite des propriétés de leur père." (p. 287)

Avec l'apparition de la nouvelle lune, le grand-prêtre mangea la douzième igname et dit à ses assistants d'annoncer que la Fête serait célébrée après une période de vingt-quatre jours. Pendant la nuit, il eut un cauchemar : un esprit nocturne passa avec violence. Le lendemain, Ezeulu apprit la mort de son fils. Le grand-prêtre, gravement éprouvé, se demanda s'il s'agissait d'une sanction de son Dieu. Encore une fois, Achebe utilise des idées puisées dans la tradition africaine pour symboliser cet événement :

Songez à un homme qui, à la différence des hommes ordinaires, va toujours sur le champ de bataille sans bouclier parce qu'il sait que les balles et les coups de machette n'atteindront pas sa peau rendue invulnérable grâce aux gris-gris ; songer à cet homme qui découvre au plus fort de la bataille que sa puissance l'a soudain déserté sans l'avertir. (p. 297)

Ezeulu s'écroula subitement, fait que la voix narrative explique par la lutte se déroulant à l'intérieur du groupe.

Pourquoi Ulu avait-il choisi d'agir de cette manière contre lui? Pourquoi Ulu avait-il choisi de le terrasser et de le couvrir de boue? Quelle était donc sa faute? (...) Qu'est-ce que cela pouvait présager, sinon la désintégration et la destruction de toutes choses? Un dieu réduit à l'impuissance pouvait donc s'enfuir (...). (p. 298)

Dans ses dernières pensées lucides, Ezeulu évoqua la possibilité que la culture africaine se désintégrerait et subirait une destruction causée par le monde occidental. Ces réflexions contribuèrent à ce que le grand-prêtre perde la raison. Il ne reconnaissait plus son rôle et ne comprenait plus les événements. La mort d'Obika n'était donc que l'ultime déclencheur de sa défaite. Achebe conclut que la maladie "(...) permit à Ezeulu de vivre ses derniers jours dans la splendeur hautaine d'un Grand Prêtre devenu fou et lui évita de connaître le dénouement final." (p. 298)

Selon Achebe, les actes de Winterbottom avaient contribué à ce retournement de la situation contre Ezeulu.

(Pour) les habitants d'Umuaro et leurs chefs (...) la conclusion était simple. (...) Leur dieu avait pris parti pour eux contre son prêtre entêté et ambitieux et avait, ce faisant, confirmé la sagesse des ancêtres qui disaient qu'il n'y avait pas un homme, aussi grand soit-il, qui soit plus grand que son peuple. (p. 299)

La récolte que la nouvelle église organisa quelques jours après la mort d'Obika connut un grand succès. Nombreux étaient ceux qui avaient envoyé leurs fils avec une igname auprès de l'église. Ainsi, la récolte se faisait selon les moeurs chrétiennes et le règne des Dieux africains semblait terminé pour l'instant. Le proverbe ibo, qu'Ezeulu avait évoqué, sur l'issue d'un conflit entre deux frères donnait la réponse à ce dénouement final. En effet, c'était l'étranger qui gagnait cette lutte entre le grand-prêtre et son peuple.

3-3.7. CONCLUSION : LA TRADITION AFRICAINE ET LE CHANGEMENT INTRODUIT PAR LA COLONISATION ANGLAISE

L'ouvrage d'Achebe "La flèche de Dieu" est un excellent exemple, qui démontre le changement ayant eu lieu pendant l'époque coloniale entre un ordre traditionnel, représenté par le personnage principal du roman, le grand-prêtre Ezeulu, dont la tâche était de guider son peuple dans la voie qui l'amenait vers l'avenir, et l'administration anglaise qui, comme Winterbottom avec l'arrestation du grand-prêtre, contribuait à ébranler le fondement de l'univers africain. Le caractère ambigu des deux protagonistes s'explique par une inflexibilité qui ne leur fait admettre que leurs propres points de vue, ce qui mènera finalement à la transformation du système autochtone. La fête de la récolte de l'igname que le grand-prêtre devait annoncer, contribua à sa chute. Son refus de la fixer à temps amena l'église chrétienne à profiter de la situation, en proposant aux villageois de venir consacrer la récolte à l'église chrétienne, sans craindre les réactions négatives de la divinité locale.

L'ouvrage d'Achebe montre la multitude d'éléments ayant contribué au changement de la société africaine sous l'administration coloniale.[24] L'auteur n'épargne pas le monde africain qui, à ce début du siècle, exerçait encore une influence qui lui aurait permis d'orienter ce changement, mais qui sous-estimait le pouvoir de l'administration anglaise et de l'église occidentale. Le personnage d'Ezeulu représente l'image qu'Achebe avait évoquée au début du livre : celui qui mènerait le groupe autochtone par ses actes à un autre stade de l'histoire. Ce prêtre s'obstine à n'accepter que ses principes, sans tenir compte des conseils que d'autres membres de la société autochtone lui donnent. A cette période de la colonisation, des forces à l'intérieur de la société autochtone existaient qui auraient pu contribuer d'une façon ou d'une autre à un genre de transformation différent, ou au moins à un changement moins rapide que celui qui s'est produit. L'inflexibilité du grand-prêtre qui n'admettait que ses principes et ceux d'Ulu - Achebe nous montre d'ailleurs d'une façon admirable ce contact mythique entre Ulu et son grand-prêtre -, menait à un changement de la société autochtone, dont la direction était déterminée par différents facteurs. Si l'on considère le caractère mythique de cette résolution d'un conflit, dans le sens qu'Achebe voulait lui donner, son issue se révèle être problématique : le grand-prêtre avait des cauchemars, il rêvait d'un vent fort et son fils meurt. L'ensemble de ces signes l'avertit, mais ce n'était pas lui qui devait trouver une solution à ce conflit. Il subissait une crise grave après avoir appris la nouvelle de la mort de son fils. C'est ainsi que la proposition de l'église chrétienne remporta la victoire et qu'Ezeulu n'eut plus aucun moyen d'intervenir.[25]

Le mérite d'Achebe est d'avoir décrit cette période de transition que l'Afrique a connue dans la deuxième et troisième décennie de ce siècle, les conflits et les tensions à l'intérieur des groupes africains, la formation de nouveaux rôles sociaux, de nouvelles actions influencées par le contact avec un pouvoir étranger et par la possibilité qu'ont les êtres humains de s'adapter et de changer au sein d'une telle transformation historique. Achebe révèle aux Africains, d'une part, ce qu'ils ne possèdent plus, et, d'autre part, ce qui leur reste à faire.[26] L'auteur se comporte ainsi comme un narrateur-historien, un écrivain engagé[27], qui cherche, à travers son oeuvre, à faire comprendre la complexité de la transformation de l'époque coloniale et la contribution des Africains à ce processus de changement. Achebe témoigne avec une lucidité particulière de cette époque. Il fait revivre ses conflits et ses caractéristiques prédominantes. Il contribue ainsi à ce que son public se rende compte de l'étendue et des implications ultérieures de cette période de transformation.[28] L'auteur nous décrit ce moment difficile pour l'Afrique où l'interaction de deux univers culturels contribua à la disparition de certains éléments des systèmes sociaux africains et à la création d'autres, souvent influencés par le modèle occidental. Les processus de transformation à l'intérieur desquels les acteurs agissent, sont présentés afin que son public les vive et apprenne comment les Africains ont contribué, et contribuent encore, à créer leur avenir. Le roman se termine de manière à ce que le lecteur constate et approuve le réalisme des villageois face au destin de leur guide spirituel. Achebe conseille à son public d'adhérer à ce pragmatisme adapté à une situation nouvelle et d'en tirer les leçons qui conviennent.

3-4. Chinua Achebe : "LE MALAISE"

3-4.1. BUT ET PROPOS DE L'OUVRAGE

Le troisième roman d'Achebe[29] nous amène dans le Nigéria des années 50. Un jeune homme, fils de Nwoyé - maintenant catéchiste retraité -, et petit-fils d'Okonkwo, après avoir séjourné pendant quatre ans en Angleterre pour étudier l'anglais avec une bourse offerte par son village, rentre au Nigéria avec l'héritage culturel anglais qu'il avait acquis entre-temps et dont les valeurs étaient destinées à orienter son avenir professionnel et privé. Comme tous les étudiants africains de l'époque, il apprenait en Angleterre un système culturel très différent du sien. Ces valeurs lui permettaient alors de juger des situations, de critiquer des comportements et ainsi d'avoir un point de vue distancié par rapport à la situation sociale de son pays. A maintes occasions, l'auteur nous montre son protagoniste critiquant les défauts apparents du Nigéria de l'époque. Mais Obi ne réalise pas que son point de vue est aussi et surtout celui du colonisateur. Il l'adopte sans tenir compte du cadre historique et social de son pays. Ses jugements ne concernent pas seulement les événements politiques du pays et son avenir professionnel, mais aussi sa vie privée, au sujet de laquelle il s'oppose à de nombreuses personnes qui attendent de sa part un autre comportement. Ses réflexions n'arrivaient pas toujours à avoir un impact sur sa vie sociale. Elles aboutissaient le plus souvent à des réponses et à des constats qui le mettaient à l'écart de son univers social, tant professionnel que privé. Son éducation européenne le faisait réagir parfois d'une manière peu adaptée au contexte social de l'époque. L'échec de ses actes résulte de l'impossibilité d'intégrer et de concilier ces deux univers culturels et leurs aspects différents. Obi agissait souvent de façon irréfléchie et poussée par les événements du moment. Son refus de s'adapter à l'univers traditionnel africain, le mettait dans une situation d'impasse : il ne peut que choisir des valeurs occidentales, qui l'amènent à l'échec quand celles-ci s'opposent à des valeurs africaines que propagent les personnages l'entourant. Sa situation particulière montre la conciliation difficile de ces deux mondes pour une génération

213

d'étudiants africains qui rentraient dans leur pays après leurs études, et ne possédaient guère de modèles leur permettant d'adapter la culture apprise en Angleterre à celle appartenant à la tradition africaine.

Le roman d'Achebe nous fournit l'image-type d'un personnage caractéristique de cette époque de la colonisation qui, à cause de son adaptation partielle aux valeurs occidentales et de sa négation de nombreuses valeurs africaines, vit une situation hybride. La conciliation de deux univers sociaux n'a pas lieu et notre héros est ainsi placé dans des situations où il n'arrive plus à agir de façon cohérente. Les événements se précipitent alors et le mettent finalement dans une situation où la seule issue possible paraît être l'acceptation des "pots-de-vin" qui contribueront à son échec. Son arrestation le confronte encore une fois à un système de valeurs occidentales, qu'il avait accepté au début du roman, mais qui, faute de fermeté de sa part, lui révèle le sens qu'il donne à ses actes. Il se rend coupable d'une corruption qui pourtant était très répandue au Nigéria de l'époque. Sa seule réponse à cette arrestation est une arrogance, liée à son éducation, qui lui permet de prendre ses distances.

L'incompréhension de cet acte par les différents personnages et groupes qui l'entourent révèle l'incohérence du jugement des Africains de l'époque. Pour les villageois, Obi s'est rendu coupable de quelque chose que pourtant tout le monde accepte ; pour l'administration anglaise, il représente un de ces nombreux Africains qui pratiquent la corruption. Dans ce sens, l'histoire d'Obi rend compte du drame de toute une génération d'intellectuels africains qui avait appris des valeurs occidentales et qui n'arrivait pas à les relier aux valeurs africaines. Son récit relate la difficulté d'insérer un système culturel étranger dans l'univers africain. L'individu concerné est dépassé par cette tâche; le groupe d'origine ne peut guère l'aider et l'administration anglaise ne comprend point l'étendue et la signification de ce conflit entre deux systèmes sociaux. C'est finalement le titre du roman qui nous révèle la signification des actes d'Obi : la voix narrative éprouve un "malaise" devant une situation que l'entourage social de notre protagoniste n'arrive pas à juger. Le roman s'inscrit dans l'histoire familiale que les trois romans d'Achebe représentent, et dans la description d'une transformation historique due à la colonisation anglaise, caractérisée à ce moment spécifique par un sentiment qui exprimait l'incertitude et la gêne par rapport à la difficulté de concilier des valeurs autochtones africaines et celles de provenance occidentale.

Le mérite d'Achebe est de montrer cette difficulté, de permettre aux lecteurs de prendre leurs distances par rapport à ces événements par la réflexion, et de se rendre compte de l'incompréhension des différentes parties engagées dans ces activités. Ainsi, il ne s'agit pas de juger le crime ou les actes d'Obi, mais de comprendre la situation qui mena à ces événements. Seule l'intervention de la police à la fin du roman révèle le caractère dramatique de ce conflit. Les actions d'Obi se comprennent devant cet arrière-plan de tentative de conciliation de deux univers différents. Le moraliste Achebe donne à cette problématique une issue légale. Elle avertit le lecteur, et lui fait comprendre les conséquences d'une action commencée avec une insouciance apparente, malgré la gêne qu'Obi a montrée à plusieurs occasions.

3-4.2. LA DESCRIPTION DE LA DIFFICULTE DE CONCILIER AU NIVEAU INDIVIDUEL L'INTERACTION DE DEUX UNIVERS CULTURELS DIFFERENTS

Le roman commence et se termine par une scène devant un tribunal colonial de l'époque. Notre protagoniste affiche une indifférence complète face à ces événements. Ce n'est qu'au moment où le magistrat dit : "Je n'arrive pas à comprendre comment un jeune homme de votre éducation, promis à un brillant avenir, a pu faire ça" (p. 10), qu'Obi commence à pleurer; mais il essaie de paraître impassible en se frottant le visage comme s'il essuyait de la sueur. Sa réaction révèle une perturbation psychique plutôt qu'une réponse adéquate à cette situation. Achebe nous fait savoir :

Tout ce fatras sur l'éducation, l'avenir prometteur et la trahison ne l'avait pas pris à l'improviste. Il s'y attendait ; et cette scène elle-même, il l'avait répétée une centaine de fois jusqu'à ce qu'elle lui fût devenue aussi familière qu'une amie. (p. 10)

Son patron, Monsieur Green, l'avait compris, lui aussi. Etant donné que notre protagoniste avait perdu sa mère récemment, et que sa meilleure amie était sortie de sa vie, il était devenu insensible à l'égard des événements. Selon Achebe, ces deux pertes "(...) avaient fait de lui un homme différent, capable de regarder des mots comme "éducation" et "prometteur" carrément en face." (p. 10)

Monsieur Green, installé dans son club, remarque que le climat et les maladies contribuent à rendre la vie difficile à l'Africain. Ensuite, il se pose des questions sur l'utilité de l'éducation que l'Occident lui apporte, tout en pensant à Obi : "Mais à quoi cela lui sert-il?" (p. 12) Au même moment, "l'Union Progressive d'Umuofia" tenait une réunion concernant Obi, son boursier. Les villageois commencèrent à se poser des questions sur ses actes et à douter de leur volonté de lui apporter encore de l'aide en payant les services d'un avocat. Ils étaient partagés entre leur habitude d'aider l'un des leurs, et, le fait de ne pas s'occuper des problèmes d'Obi. Achebe mentionne que :

Lors du premier meeting, une poignée de gens avaient exprimé l'avis qu'il n'y avait aucune raison pour que l'Union se préoccupât des difficultés d'un fils prodigue qui lui avait grandement manqué de respect peu de temps auparavant. (p. 13)

Et l'auteur continue :

Nous avons payé huit cents livres pour le faire instruire en Angleterre (...). Mais (...) il nous insulte à cause d'une fille de rien. Et maintenant, on nous rassemble à nouveau pour lui trouver de l'argent. (...) Mon avis à moi est que nous en avons déjà trop fait pour lui.
Ce point de vue ne fut pas pris très au sérieux, et cependant on admettait qu'il fût vraie en grande partie. Mais, comme le souligna le Président, on devait aider un parent en difficulté, non pas le blâmer (...). Aussi l'union décida-t-elle de payer, à même ses fonds, les services d'un avocat. (p. 13)

L'opinion commune était qu'Obi agissait en méconnaissance de cause.

Tout cela est dû au manque d'expérience, fit un autre. Il n'aurait pas dû accepter l'argent lui-même. Les autres vous disent d'aller le remettre à leur boy. Obi a essayé de faire ce qui est pratiqué par tout le monde sans chercher à savoir comment procéder. (p. 14)

Par la voix du père d'Obi, Achebe nous donne des précisions sur Obi.

Six ou sept ans plus tôt, les Umuofias qui se trouvaient à l'étranger avaient fondé leur Union dans le but de ramasser de l'argent pour envoyer étudier quelques-uns de leurs jeunes hommes les plus brillants en Angleterre. (...) La première bourse ainsi constituée, ils l'avaient octroyée à Obi Okonkwo. (...) Dans le cas d'Obi, elle s'élevait à environ huit cents livres qu'il devait rembourser dans les quatre ans suivant son retour. Ils voulaient qu'il étudiât le droit (...). Arrivé en Angleterre, Obi étudia l'anglais au lieu du droit (...). (p. 16)

Avant de l'envoyer en Angleterre, les villageois lui avaient fait des recommandations, et, notamment, d'exceller dans ses études. Lors d'une fête se déroulant avant son départ, ils lui offraient encore un peu d'argent pour qu'il puisse s'acheter de petites choses utiles pour ses études. Et l'auteur signale :

Un shilling par-ci, trois pences par-là : présents substantiels dans un village où l'argent était si rare, et où les hommes et les femmes peinaient d'année en année pour arracher leur maigre subsistance à un sol ingrat et épuisé. (p. 21)

3-4.3. LE PHENOMENE DE LA CORRUPTION

Après son retour au Nigéria, Obi discutait souvent avec des jeunes de son âge sur la situation du pays. Achebe nous révèle le point de vue du protagoniste au sujet de la corruption dans la fonction publique au Nigéria. "La Fonction publique est corrompue à cause des soi-disant hommes d'expérience qui sont à sa tête, dit Obi." (p. 30) Christopher, un ami, lui répondit : "Tu penses qu'on devrait nommer secrétaire permanent un type sortant directement de l'université?" (pp. 30-31) Et Obi répliqua :

"Je n'ai pas dit *directement* de l'université ; mais même cela, ce serait mieux que de confier nos postes-clefs à des vieillards possédant aucun fondement intellectuel sur lequel baser leur expérience." (p. 31)

Christopher lui apprit alors ce qu'il savait sur ces fonctionnaires :

Mais prends l'un ou l'autre de ces vieillards. Il a probablement quitté l'école, il y a trente ans, après la fin de son cours primaire. Il a fait son chemin de façon continue jusqu'au sommet, seulement, il y est arrivé par des moyens corrompus, une ordalie de corruption. Pour lui, les pots-de-vin sont chose naturelle. Il en a donné et il en attend. Nos gens disent que si tu rends hommage à tes supérieurs, les autres te rendront la pareille quand ce sera ton tour d'occuper un poste élevé. (p. 31)

Pour la voix narrative, les jeunes n'ont plus ce problème : "Ils arrivent directement au sommet sans devoir soudoyer personne. Ce n'est pas qu'ils soient nécessairement meilleurs que les autres, c'est simplement qu'ils peuvent se permettre d'être vertueux." (p. 31)

Lors de son voyage de retour au Nigéria, Obi retrouva une jeune fille, Clara, Ibo comme lui, qu'il avait déjà rencontrée plusieurs fois en Angleterre et lia amitié avec elle. A son arrivée au Nigéria, notre héros fut pour la première fois confronté au problème de la corruption qui reviendra maintes fois tout au long du roman. L'auteur nous décrit les formalités des douanes, lors desquelles Obi s'oppose à un jeune douanier qui lui demande cinq livres pour son poste de radio. Quand celui-ci demande au fonctionnaire de lui donner un reçu, le douanier lui propose de baisser le prix sans lui donner un reçu. Obi, interdit, lui dit : "Ne fais pas l'idiot. S'il y avait un policier ici, je te remettrais entre ses mains." (p. 44) Et le douanier s'enfuit.

A l'occasion du retour d'Obi au Nigéria, une cérémonie donnée en son honneur a lieu. Obi se permit d'arriver "à cause de la chaleur (...) en manches de chemise" (p. 45). Les autres personnes portaient des habits traditionnels du pays ou des complets. Et l'auteur constate : "Ce fut la première grande erreur d'Obi. Chacun s'attendait à ce qu'un jeune homme qui rentrait d'Angleterre fût habillé de façon à impressionner le monde." (p. 45)

218

Dans une allocation de bienvenue, le président de l'union parla de l'honneur qu'Obi faisait rejaillir sur Umuofia, "(...) dans leur marche vers l'irrédentisme politique, l'égalité sociale et l'émancipation économique." (p. 45) Et il tient un discours très stylisé et presque caricatural sur cette union villageoise africaine qui vient d'acquérir un autre statut social, grâce au boursier qu'elle avait envoyé en Angleterre :

L'importance de posséder l'un de nos fils à l'avant-garde de cette marche vers le progrès est *seule axiomatique*. (...) A cette époque mémorable de notre évolution politique, chaque ville et chaque village lutte pour posséder ce dont on peut dire : "C'est à moi". Nous sommes heureux, aujourd'hui, de pouvoir disposer d'une aussi inestimable possession en la personne de notre illustre fils et invité d'honneur. (p. 45)

Obi choisit de parler de l'éducation, en réponse à ce discours.

L'éducation pour servir, mais non pour obtenir des postes de cols blancs et des salaires confortables. Dans notre illustre pays, au seuil de l'indépendance, nous avons besoin d'hommes qui soient prêts à le servir comme il faut et véritablement. (p. 46)

Les villageois lui posèrent la question de savoir s'il avait déjà obtenu un poste. Obi leur fit savoir qu'il aurait un rendez-vous prochainement pour discuter de cette possibilité. Il s'ensuivit un petit entretien entre deux membres de l'Union qui évoquèrent l'existence de la corruption. L'un d'eux affirma : "Tu crois que les Blancs n'acceptent pas de pots-de-vin? Viens à notre ministère. Ils en *consomment* de nos jours plus que les Noirs." (p. 47)

Dans la suite du roman, l'auteur nous informe sur l'opinion d'Obi au sujet de la corruption.

Lors d'une conférence devant les membres de l'Union des Etudiants Nigérians (...), Obi avait formulé pour la première fois sa théorie selon laquelle la corruption continuerait à régner au sein de la Fonction Publique du Nigéria tant qu'on n'aurait pas remplacé les vieux Africains au pouvoir par des jeunes hommes possédant une formation universitaire. Or, contrairement à la plupart des théories échafaudées à Londres par des étudiants, celle-ci résista au premier impact du retour au bercail. Moins d'un mois après son retour, il se trouva en face de deux spécimens de "son" vieil Africain. (p.

Pendant l'entretien qu'Obi eut pour obtenir un poste, on lui parla de la corruption. On lui demanda s'il voulait entrer dans la fonction publique pour recevoir des "pots-de-vin" (cf. p. 54). Obi répliqua en insistant sur l'inutilité de cette question (cf. p. 54). Les membres de la commission mirent fin alors à l'entretien.

Lors d'un voyage au village de ses parents, le camion fut arrêté par des policiers. L'aide-chauffeur s'approchait déjà de l'un d'eux, mais Obi, à ce moment-ci, les regarda. "Le policier n'était pas prêt à courir de risque. D'ailleurs, Obi pouvait fort bien être un agent du C.I.D. Aussi renvoya-t-il le compagnon du chauffeur avec de grands éclats d'indignation morale." (p. 57) Quelques minutes après, le camion s'arrêta de nouveau, et l'aide-chauffeur disparut pour donner de l'argent aux policiers. Entre-temps, le prix avait augmenté. Obi donna alors son point de vue, en disant que les policiers n'avaient pas le droit de demander de l'argent.

Pendant un entretien qu'Obi mena dans la suite du roman avec son père et plusieurs de ses amis, quelqu'un constata que, maintenant, la grandeur d'une personne ne dépendait plus des titres, ni du nombre de femmes et d'enfants. Et il souligna : "La grandeur réside maintenant dans ce que nous a apporté le Blanc. Et nous avons donc, nous aussi, changé de refrain." (p. 70) C'était pour cette raison qu'ils avaient envoyé Obi poursuivre des études en Angleterre.

Quant aux parents d'Obi

(...) ils n'avaient pas assez de bonne nourriture à se mettre sous la dent: Il était scandaleux, pensa-t-il, qu'après avoir consacré près de trente ans au service de l'Eglise, son père dût prendre sa retraite avec un salaire de deux livres par mois, dont une bonne part retournait à la même Eglise sous forme de taxes scolaires et autres contributions. De plus, ses deux derniers enfants allaient encore à l'école, et chacun avait des frais de scolarité et des droits d'Eglise à payer. (p. 71)

Obi décida donc de les aider sur le plan financier. La première journée d'Obi dans la Fonction Publique arriva. On le conduisit au bureau de Monsieur Green, son patron, qui lui dit qu'il apprécierait son emploi s'il travaillait bien. Il fut installé dans le bureau de Monsieur Omo, assistant-administrateur qui avait pour tâche de le familiariser avec ses nouvelles fonctions. Ainsi, Obi occupait un poste de secrétaire au Comité des Bourses. C'est là qu'il se rendit compte de la mentalité de Monsieur Green par rapport aux Africains. Lors d'un entretien entre celui-ci et Monsieur Omo, l'Anglais remarqua : "Vous n'êtes pas payé pour penser, M. Omo, mais pour faire ce qu'on vous demande." (p. 83) L'attitude d'Obi se précisa : "Dès ce moment, Obi décida fermement qu'il n'aimait pas M. Green, et que M. Omo appartenait à la catégorie des vieux Africains." (p. 83)

Après avoir reçu sa lettre de nomination, Obi s'acheta une voiture. Quelques temps après, il emménagea dans un appartement de haut fonctionnaire dans un quartier résidentiel de Lagos, à Ikoyi. Ses rapports avec Clara, ayant obtenu, quant à elle, un poste d'infirmière-assistante, s'améliorèrent et il décida de se marier avec elle. Elle lui révéla alors qu'elle était une "osu", et que, de ce fait, il ne pourrait l'épouser. Sa réaction s'explique une autre fois par son éducation occidentale.

Il trouvait scandaleux qu'au milieu du vingtième siècle l'on puisse empêcher un homme d'épouser une fille sous l'unique prétexte que son arrière, arrière, arrière grand-père avait été consacré au service d'un dieu, ce qui, par conséquent, la mettait à part et faisait de ses descendants une caste interdite jusqu'à la fin des temps. Tout à fait incroyable. (p. 90)

Or, un de ses amis l'avertit :

Ce que tu vas faire, (...) ne concerne pas que toi, mais toute ta famille et les générations futures de ta famille. Si un doigt est taché d'huile, il salira les autres. Dans l'avenir, quand nous serons tous civilisés, n'importe qui pourra épouser qui il voudra. Mais ce temps-là n'est pas encore arrivé. Nous, de cette génération, nous sommes seulement des pionniers. (pp. 93-94)

Obi voulait donner à son acte la signification suivante : il avait l'intention de montrer la voie, tout en sachant que son entourage était contre une telle alliance. Notre protagoniste en tant qu'unique ressortissant d'Umuofia ayant étudié en Angleterre s'estima capable de se comporter ainsi, bien qu'il sût que sa famille s'opposerait à ce mariage.

Lors d'une rencontre avec l'Union d'Umuofia qui lui attribua sa bourse, il demanda de pouvoir reporter, à cause de problèmes personnels, la date de son remboursement. L'Union lui donna son accord, mais, en même temps, le président de l'Union l'avertit en disant que "Lagos est un mauvais lieu pour un jeune homme. Si tu succombes à son charme, tu périras." (p. 102) Cet homme se permit, en outre, de lui poser des questions sur ses rapports avec Clara. Obi refusa que les membres de l'Union se mêlent de ses affaires "privées" et leur interdit de ne plus jamais le faire. Puis, il prit la décision de commencer le remboursement du prêt à la fin du mois. Il est tellement embarrassé qu'il dit en ibo : "Et si c'est pour des choses comme ça que vous vous réunissez, (...) vous pouvez me couper les deux jambes si jamais vous me les revoyez à nouveau ici." (p. 103)

Il continuait à travailler pour Monsieur Green, qui le plaça dans un bureau qu'il partageait avec la secrétaire anglaise de celui-ci. Un jour quelqu'un vint le voir pour lui demander une faveur. Mais Obi refusa de façon catégorique. "Il avait gagné sa première bataille haut la main." (p. 108) L'auteur nous fait savoir que "(t)out le monde prétendait vraiment qu'elle était impossible à gagner" (p. 108) et que "(r)efuser un pot-de-vin pouvait créer plus de difficultés que d'en accepter un." (p. 108)

Obi constata alors qu' "(i)l était facile de garder les mains propres. Pour cela, il suffisait d'être assez habile pour dire : "Je regrette, M. Untel, mais il m'est impossible de poursuivre cette discussion. Au revoir." (p. 109)

3-4.4. LES DIFFICULTES FINANCIERES DU JEUNE FONCTIONNAIRE

Obi commençait à se dire que son salaire de 47 livres dix, après le remboursement mensuel de son prêt et l'envoi d'argent à ses parents, n'allait pas très loin (cf. p. 109). Achebe profite de l'occasion pour nous informer sur les possibilités qu'un diplôme universitaire ouvrait à son détenteur, dans un pays où les diplômés étaient encore rares :

Un diplôme universitaire était la pierre philosophale qui métamorphosait un commis de troisième classe, à cent cinquante livres par an, en haut fonctionnaire, à cinq cent soixante-dix livres, avec voiture et logement luxueusement meublé à loyer symbolique. Et la disparité dans les salaires et les commodités n'expliquaient même pas la moitié de l'histoire. Occuper un "poste-européen" venait immédiatement après être soi-même un Européen. Cela tirait quelqu'un de la masse pour l'élever jusqu'à l'élite dont les commérages aux cocktails se résumaient à des : "Et comment va la voiture?" (p. 113)

Monsieur Green commença alors à se préoccuper de la situation financière d'Obi et l'avertit qu'il devait payer tous les ans quarante livres pour l'assurance de sa voiture. Il estima "(é)videmment, ce ne sont pas là mes affaires. Mais dans un pays où même les gens éduqués n'ont pas encore appris à prévoir le lendemain, l'on a un devoir précis." (p. 117)

Finalement, le jour arriva où Obi décida de demander un prêt à sa banque. Il considéra qu'il n'avait pas été dépensier, car il avait dû envoyer trente-cinq livres pour payer les soins de sa mère. Il devait admettre que les membres de l'Union ne se rendaient pas compte des dépenses liées à son style de vie de haut fonctionnaire et que le remboursement de sa dette représentait une part importante de son salaire. En retournant à son bureau, il y trouva une facture d'électricité qui s'élevait à cinq livres. Il savait, en plus, qu'à la fin du mois, il devait renouveler la vignette de sa voiture. Toutes ces dépenses l'obligèrent à faire des économies pour son appartement. Achebe nous montre l'aspect ridicule de ces tentatives d'économiser sur l'électricité, en enlevant des ampoules, ou bien sur la nourriture, en évitant de manger trop de viande (cf. p. 123). L'auteur nous informe, ensuite, que selon Monsieur Green, les difficultés que rencontraient les Nigérians dans des positions élevées consistaient dans le fait qu'ils n'étaient pas prêts à renoncer au moindre privilège (cf. pp. 182-183).

Achebe nous fait également le portrait de Monsieur Green :

. Oui, un personnage très intéressant. Il était évident qu'il adorait l'Afrique, mais uniquement une certaine Afrique : l'Afrique de Charles, le messager (...). Il avait dû d'abord venir avec un idéal : amener la lumière au coeur des ténèbres (...). Mais à son arrivée, l'Afrique l'avait trahi. Où était sa brousse bien aimée (...)? On retrouvait en lui un Saint Georges à cheval (...). En 1900, M. Green aurait pu figurer parmi les grands missionnaires. En 1935, il aurait réussi à se tirer d'affaires en giflant des directeurs d'école en présence de leurs élèves ; mais en 1957, il ne pouvait que maudire et jurer. (p. 129)

Vers cette fin de la période coloniale, Monsieur Green ne se sentait donc plus à l'aise. Après avoir vécu quinze ans au Nigéria, il n'était "(...) pas encore parvenu à comprendre la mentalité des soi-disant Nigérians instruits." (p. 140) Et il se lamenta : "Education pour faire quoi? Pour obtenir le plus possible, pour eux-mêmes et leur famille. Pas le moins du monde intéressés par les millions de compatriotes qui meurent chaque jour de faim et de maladies!" (pp. 140-141)

Le mérite d'Achebe dans cette description de l'administrateur anglais est d'avoir montré certains points faibles des Nigérians instruits. Par la voix de Monsieur Green, l'auteur arrive à attirer l'attention du lecteur sur certains comportements de ses compatriotes, qu'il n'approuvait guère.

3-4.5. LE PROJET DE MARIAGE D'OBI ET L'OPPOSITION DES AFRICAINS FACE AUX VALEURS APPARTENANT A DES SYSTEMES SOCIAUX DIFFERENTS

Dans la suite du livre, Obi rendit visite à ses parents et discuta avec eux ses projets de mariage. Son père lui dit : "Tu ne peux pas épouser cette fille. (...) ils sont *Osu* !" (p. 159) Mais Obi répliqua : "Je ne pense pas que cela ait de l'importance. Nous sommes chrétiens." Son père continua à dire que "(...) ce n'est pas une raison pour épouser une *Osu*. " (p. 159) Obi essaya alors de le faire changer d'avis :

Nos pères, dans leurs ténèbres et leur ignorance, appelaient *Osu* un homme innocent, une chose donnée aux idoles, et à partir de ce moment celui-ci devenait paria, et avec lui ses enfants et les enfants de ses enfants à tout jamais. Mais n'avons-nous pas vu la lumière de l'Evangile? (p. 159)

Et Nwoyé répliqua :

Etre *Osu*, dans l'esprit de nos gens, c'est comme avoir la lèpre. Je te supplie, mon fils, de ne pas faire entrer la marque de la honte et de la lèpre dans ta famille. Si tu le fais, tes enfants et les enfants de tes enfants jusqu'à

224

la troisième et quatrième génération maudiront ton souvenir. Ce n'est pas en mon nom propre que je parle ; mes jours sont comptés. Tu apporteras le chagrin sur ta tête et sur celles de tes enfants. Qui épousera tes filles? Les filles de qui tes fils épouseront-ils? Pense à cela, mon fils. Nous sommes chrétiens, mais nous ne pouvons pas épouser nos propres filles. (p. 160)

Sa mère exerça un chantage sur lui :

Je n'ai rien à te dire en cette affaire, excepté une chose. Si tu veux épouser cette fille, tu dois attendre que je ne sois plus. Si Dieu entend mes prières, tu n'attendras pas longtemps. (...) Mais si tu fais cette chose pendant que je suis encore vivante, mon sang retombera sur ta tête, car je me tuerai. (p. 162)

Son père refusa le combat. Il lui fit part de son expérience personnelle.

Je n'étais qu'un enfant quand j'ai quitté la maison de mon père pour aller vivre avec les missionnaires. Il jeta sa malédiction sur moi. Je n'étais pas là ; mais mes frères m'ont rapporté que c'était la vérité. Quand un homme maudit son propre fils, c'est une chose terrible, et j'étais son premier fils. (pp. 164-165)

Et il continua : "Quand ils m'apportèrent la nouvelle qu'il s'était pendu, (...), le Blanc qui nous enseignait (...) me conseilla d'aller chez moi pour l'enterrement. J'ai refusé d'y aller." (p. 165)

Les trois protagonistes des romans que nous avons présentés affrontent ainsi un même destin. Tous s'opposent à un père dont ils ne comprennent pas le comportement et contre lequel ils se révoltent. Ce choix ne doit pas être compris comme un destin familial, mais plutôt comme une caractérisation de chaque personnage principal qui osa faire un pas de plus dans l'univers changeant du Nigéria colonial. Que cette action se fasse toujours contre un père qui défendait des valeurs que la nouvelle génération ne voulait plus accepter, se comprend par le rôle particulier de chaque protagoniste. Ceux-ci avaient besoin d'adversaires et ils les trouvaient entre autres dans la personne de leur père, garant d'un univers social traditionnel.

Nwoyé, dans le roman "Le malaise", représente donc celui qui, tout en acceptant d'être chrétien et de suivre la tradition chrétienne dans sa maison, s'oppose avec véhémence au

225

mariage de son fils avec une fille qui, selon la tradition ibo, est une "osu". Bien que chrétien, il n'accepte pas une pratique considérée comme négative par son groupe d'origine, tout en étant conscient que le christianisme ne s'opposerait pas à cette alliance. Son fils ne parvint donc pas à le faire changer d'opinion.

3-4.6. LA MULTIPLICATION DES CONFLITS SOCIAUX ET LE DENOUEMENT FINAL

Achebe nous informe ensuite sur les divers conflits qui apparaîtront et qui contribueront finalement au "malaise" d'Obi.

> La principale conséquence de la crise que traversait Obi fut que, pour la première fois de sa vie, il fut porté à examiner le mobile essentiel de ses actions. Et il découvrit une grande quantité de choses qu'il pouvait uniquement considérer comme de pures balivernes. (p. 185)

Il décida d'arrêter les remboursements de sa dette auprès des villageois. D'autres dépenses inattendues arrivèrent : Obi devait payer les impôts qui s'élevaient à 32 livres ; sa mère étant morte, il envoya de l'argent pour ses funérailles.

Puis, Clara tomba enceinte. Les deux jeunes gens décidèrent d'interrompre la grossesse. A la suite de l'avortement, Clara fut hospitalisée pendant plusieurs semaines et refusa dorénavant de voir Obi. On conseilla à celui-ci de ne plus essayer de la revoir. C'est ainsi que la jeune femme sortit de sa vie.

De nouveau, la période de l'attribution des bourses arriva. "Il y avait maintenant tellement de travail qu'Obi devait apporter des dossiers chez lui chaque jour." (p. 198) Un jour, Obi reçut la visite d'une personne qui lui demanda de faire en sorte que son fils reçoive une bourse. Il lui donna cinquante livres, en lui disant que tout ce qu'il voulait était qu'Obi recommande son fils pour l'obtention d'une bourse. Le nom de ce garçon figurait déjà sur la liste. Obi fit donc un dernier effort pour changer l'opinion de son visiteur.

""Pourquoi ne payez-vous pas pour lui? Vous avez de l'argent. La bourse est pour les gens sans moyen." L'homme rit. "Personne n'a d'argent en ce bas monde."" (pp. 199-200) Son visiteur lui donna la liasse d'argent et s'en alla. Obi se dit à haute voix : "C'est terrible!" (p. 200) Comme l'on pouvait s'y attendre, d'autres vinrent. Obi accepta l'argent, mais refusait de recommander des personnes qui ne possédaient pas le minimum de scolarité requise (cf. p. 201). Cet argent lui permettait de rembourser son prêt bancaire et d'autres dettes qu'il avait accumulées. Enfin, il constata que cette situation devenait insupportable pour lui. Après une autre visite de ce genre,

> Obi se rendit compte qu'il ne pouvait pas supporter cela plus longtemps. On prétend qu'on s'habitue à ces sortes de choses, il n'avait pas du tout trouvé qu'il en était ainsi. Chaque incident lui avait semblé cent fois pire que le précédent. L'argent reposait sur la table. Il aurait préféré ne pas regarder dans sa direction, mais il semblait ne pas avoir le choix. Il restait assis à le regarder, paralysé par ses pensées. (p. 201)

Or, cette visite était un piège. Son visiteur revint avec une personne qui fouilla Obi et retrouva l'argent. "Il recommença à parler, invoquant le nom de la Reine, comme un Commandant de Cercle dans la brousse lisant la loi contre les attroupements à une populace en délire qui n'y comprendrait rien." (p. 202) Comme une ironie du sort, Obi voulait changer ce comportement qu'il n'arrivait plus à supporter, au moment où ses actes furent révélés au grand jour.

L'auteur nous fait savoir que :

> (t)out le monde se demanda pourquoi. Le savant juge, comme nous l'avons vu, ne parvenait pas à comprendre comment un jeune homme instruit, etc., etc. L'homme du *British Council*, même les gens d'Umuofia ne comprenaient pas. Et nous devons présumer que, malgré sa certitude, M. Green ne le savait pas lui non plus. (p. 202)

L'ensemble de l'entourage d'Obi prétendit donc ne pas comprendre ses actes. Or, il faudra admettre que cette résolution d'un conflit au niveau personnel ne pouvait présenter une offense à une réglementation émanant de l'administration anglaise. L'attitude de l'auteur oblige son public à en chercher la cause. Ses dépenses multiples et ostentatoires, son incapacité à gérer un budget feront apparaître la véritable raison de son échec : ses obligations financières par rapport à son milieu d'origine et la nécessité de vivre conformément à un statut social dépassent de loin ce qu'il pouvait se permettre avec son salaire. L'auteur tout au long du roman préparait ainsi une conclusion qui montre les difficultés de l'Africain face à un style de vie qu'il ne maîtrisait plus.[30]

3-4.7. CONCLUSION : UNE REPONSE INDIVIDUELLE A LA DIFFICULTE DE CONCILIER LES VALEURS AFRICAINES ET OCCIDENTALES

Obi, instable comme il était, et ceci conséquence d'une éducation dans deux systèmes culturels différents, s'oppose à maintes occasions à des faits qui, selon lui, appartiennent à la culture et la tradition africaine. La totalité de ces affrontements se résout de manière identique : notre protagoniste ne cherche pas à trouver une issue qui reliera les deux systèmes sociaux, mais préfère une solution qui lui permettra d'éviter une problématique sociale, sans prendre de décision : Clara sort de sa vie, sa mère meurt et, quant à l'Union, il refuse de continuer à la fréquenter. En ce qui concerne l'acceptation de l'argent, Obi suit également une attitude passive : il prend l'argent tout en se donnant des règles de conduite. Or, cette attitude le met en opposition avec ses conceptions sur la corruption, décrites au début du livre. Son besoin d'argent est alors invoqué comme le principal motif lui permettant d'admettre cette issue. Obi ne se rend même pas compte, tant il a besoin de l'argent, de ce que peuvent signifier ses actes d'un point de vue occidental et légal. Ses hésitations du début avaient changé de telle sorte qu'il accepte l'argent offert. Au moment où il se rendit compte que son salaire suffisait, il avait l'intention d'abandonner cette solution. Or, il était trop tard!

Le mérite d'Achebe est de décrire dans le roman "Le malaise" une problématique liée au point de vue africain sur le principe de l'entraide. Le mélange particulier des éléments appartenant à la culture africaine et à la culture anglaise fait apparaître l'incohérence de ce principe qui régit la communauté africaine. Les Umuofians sont prêts à aider Obi même lors de son arrestation. Ils considèrent ses actes, non du point de vue légal et occidental que les Anglais leur donnent, mais selon le principe d'entraide africain qui s'adapte pourtant difficilement à ce mode de vie différent. Les deux dictons qu'Achebe met en opposition dans ce livre concernent ainsi, d'une part, l'entraide, et, d'autre part, l'individualisme naissant au Nigéria. "Si tous les serpents vivaient ensemble dans un même lieu, qui approcherait d'eux?" (pp. 100-101) "Ce qui est à nous est à nous, mais ce qui est à moi est à moi." (p. 45) L'orateur lors de la fête du retour d'Obi avait prononcé ce dernier, et voulait dire que les villages africains avaient besoin de personnalités pouvant agir en leur faveur. De manière différente, ces dictons expriment l'opposition des deux valeurs.

Ainsi, Obi représente un de ces protagonistes-types de l'Afrique où le clientélisme prime sur les intérêts des fonctionnaires. Le système d'entraide africain est en accord avec les comportements d'Obi.[31] Pourtant, selon la conception anglaise, et non pas uniquement de l'époque concernée, il s'agit d'un acte illégal. Achebe n'a pas l'intention d'insister sur ce fait. Son but est plutôt de décrire le rôle d'un jeune intellectuel qui n'arrive pas à intégrer des éléments venant de deux systèmes sociaux dans un comportement cohérent, face aux problèmes que la vie quotidienne lui pose.[32] La faiblesse d'Obi résulte moins d'un défaut personnel[33] que d'une rupture, d'une différence fondamentale entre ces deux mondes, en l'occurrence, celui de la culture africaine et celui de la culture européenne.[34] L'Africain anglophone, encore moins que l'Africain francophone, n'était pas préparé à vivre ces situations. Le destin banal d'Obi révèle ainsi qu'il s'agit d'une situation vécue par beaucoup d'Africains instruits de l'époque, auxquels le livre est destiné.

3-5. CONCLUSION : ACHEBE ET LA COLONISATION ANGLAISE

Nous avons montré, tout au long des pages précédentes, comment Achebe a évoqué ce passé récent de son pays qu'était la colonisation. L'auteur a dépeint la société dont il fait partie, de l'intérieur. C'est ainsi qu'il est arrivé à explorer cette opposition entre l'Afrique et l'Europe tout au long de la période de la colonisation anglaise au Nigéria. Achebe nous fait comprendre le phénomène colonial à partir des années 50 du siècle dernier, quand les missionnaires anglais établirent les premiers contacts avec les Ibo. Ces premiers affrontements entre la société autochtone et l'église chrétienne montrent les enjeux liés à la conversion de la population autochtone. L'influence de l'église sur cette société qui, bien qu'elle se débarrasse des éléments non-estimés, permettait à ceux-ci d'atteindre un pouvoir qu'ils pouvaient par la suite utiliser en collaboration avec l'administration anglaise contre les membres de leur société d'origine. Les premiers convertis, ayant appris à manier la langue anglaise servaient ainsi dans les services de l'administration anglaise et de l'église, et ceci, avec pour fonction de jouer un rôle d'intermédiaire, souvent ambigu, entre ces deux univers en interaction ; univers séparés pourtant, l'un de l'autre, par la différence des structures sociales pendant cette première phase de la colonisation au Nigéria.

Achebe nous indique, ensuite, que la lutte contre l'"envahisseur" anglais s'est affaibli de plus en plus, étant donné que la population autochtone commençait à se rendre compte qu'elle se trouvait face à un conquérant plus fort qu'elle, et qui disposait de moyens lui permettant d'agir contre elle. La lutte d'Okonkwo dans le roman "Le monde s'effondre" symbolise l'échec d'une opposition qui devient de plus en plus irréalisable devant l'essor de la colonisation anglaise. Quant au deuxième roman, "La flèche de Dieu", il nous montre le déroulement ultérieur de ces contacts, et, notamment, la confrontation entre le plus haut dignitaire de la société autochtone, le grand-prêtre Ezeulu, guide spirituel de son peuple, et l'administration anglaise, dont le représentant, Winterbottom, s'oppose à la société autochtone. Les tensions à l'intérieur de la société ibo, dans cette lutte inégale, nous sont présentées en détail. Achebe montre que cette société possédait une certaine marge de manoeuvre dans cette lutte entre deux systèmes sociaux. Or, les dignitaires autochtones sous-estimaient le pouvoir de l'administration anglaise et ne se rendaient pas compte du danger que représentait pour eux le refus du grand-prêtre d'annoncer la récolte. Cette attitude a contribué à la perte du pouvoir d'Ezeulu, face à une religion qui se comportait de façon à mettre les autochtones en confiance, en leur demandant d'apporter les fruits de leur récolte pour que la religion chrétienne les bénisse à la place d'Ezeulu, le représentant d'Ulu, la divinité locale. Ce deuxième roman a le mérite de démontrer cette déstructuration lente du pouvoir africain, face à la proposition de l'église et à l'adhésion massive d'une population qui craignait pour sa récolte. Les quelques convertis du premier roman ayant abandonné leur culture d'origine, seront ainsi suivis par la majorité des autochtones, et, également par leurs chefs qui commençaient, de plus en plus, à envoyer leurs enfants dans les écoles des missionnaires afin de les faire participer à ce savoir nouveau devenu, semblait-il, indispensable pour la survie du groupe.

Le troisième roman "Le Malaise" nous confronte aux événements du Nigéria des années 50. Le principal protagoniste Obi retourne dans son pays, après ses études en Angleterre, pour y occuper un poste de haut fonctionnaire. Comme dans les romans précédents, le héros intègre un principe qui sera montré selon plusieurs perspectives. Il s'oppose à ce qu'il appelle, non sans en être influencé par la conception anglaise, "la corruption". Obi est décrit comme quelqu'un de faible qui, contrairement à Okonkwo et Ezeulu, oscille dans un univers social et culturel qu'il a des difficultés à comprendre. Son éducation anglaise le met en opposition avec les valeurs africaines et il ne cherche pas à concilier les deux systèmes de valeurs. Finalement, cette difficulté de lier deux points de vue différents lui causera des problèmes financiers, dus, d'une part, aux dépenses ostentatoires liées à son statut social, et, d'autre part, aux obligations envers son groupe d'origine et sa famille. La proposition d'accepter de l'argent afin de recommander des personnes pour l'obtention de bourses d'études en Angleterre devient une solution à ce besoin d'argent. Non sans hésitations, il se décide à agir en suivant le principe de l'entraide africaine, malgré le fait que l'administration anglaise considère cet acte comme illégal. Le dénouement final permet à Achebe de démontrer l'incompréhension de l'ensemble des personnes entourant Obi face à l'arrestation de celui-ci. La difficulté de lier ces deux principes, jugés de manière différente par les deux systèmes sociaux en interaction, contribue à son échec. Achebe nous révèle ainsi la perception ambiguë, de toute une génération d'Africains instruits, des valeurs occidentales par rapport aux valeurs africaines.

L'auteur nigérian se révèle un chroniqueur de la colonisation anglaise, qui nous fournit à travers ces trois romans un panorama de l'ensemble des éléments contribuant à la transformation de la société autochtone. Ceux-ci sont présentés, d'une part, en tant qu'éléments appartenant à la société autochtone et, d'autre part, en tant que facteurs venant d'un monde extérieur, celui de la colonisation anglaise. Cette chronique d'une transformation globale de la société africaine permet de percevoir la contribution spécifique des systèmes sociaux africains à ce changement sous le régime colonial ; les contraintes, les enjeux et les difficultés liés à cette opposition à un changement impulsé par l'Angleterre. Achebe évoque le vécu quotidien, la conception de la transformation du point de vue des Africains, et, donc, la spécificité de la colonisation en Afrique que seul le *colonisé* peut nous faire comprendre. L'auteur montre de façon exemplaire ce contact entre deux mondes, ses enjeux, ses contraintes et leur dénouement final. La distance temporelle entre les différents romans laisse penser que le changement social avait, entre-temps, pris la tendance décrite par Achebe, et dont peu d'Africains de l'époque imaginaient l'impact sur l'avenir de leurs sociétés.

Les situations que les protagonistes d'Achebe vivent, forment des scènes nous apportant des détails sur les différents aspects de la colonisation anglaise, vue du point de vue de l'Africain. L'évolution personnelle des héros joue ainsi un rôle de catalyseur, celui qui permet de montrer certains aspects du monde colonial. Le vécu quotidien de ces protagonistes nous informe sur les rapports de force prévalants, le changement de la perception de la chefferie, l'appréciation de l'Européen par l'Africain, le fonctionnement de l'administration anglaise, selon un point de vue africain, et dont - grâce aux informations détaillées que l'auteur possède - plusieurs aspects sont présentés. Les personnages - représentant des périodes de transition et ainsi de multiples facettes de ce changement que l'Afrique a connu - ont tous un caractère singulier. Ils symbolisent chacun une période décisive de la colonisation anglaise en Afrique : Okonkwo est celui qui défend les traditions africaines au commencement des contacts entre les deux univers culturels ; Ezeulu représente un personnage qui contribue, tout en s'opposant à sa propre société, au changement de celle-ci ; Obi incarne le protagoniste le plus faible, celui qui oscille entre un univers africain et une éducation anglaise sans trouver une attitude cohérente et une conciliation de ces deux mondes, au niveau du vécu quotidien.

L'approche particulière d'Achebe nous semble non seulement typique de l'auteur, mais aussi d'une conception du développement, spécifique à l'Angleterre, qui met les acteurs sociaux dans des situations conflictuelles qu'ils doivent résoudre. La politique d'administration indirecte, menée par les Anglais, semble avoir eu pour corollaire une perception du changement non pas des structures, mais des individus, étant donné que la transformation de la société autochtone, à l'exception des institutions politiques, était niée par le discours colonial. Le fait de singulariser ces acteurs sociaux exprime cette conception anglaise de ne mettre l'accent que sur le changement de la chefferie et de la législation. Ce genre de colonisation commençait, dès le début, par choisir des personnes-clefs, qui représentaient, ensuite, des individus particuliers évoquant l'ensemble de la problématique du changement de l'époque. Leur évolution personnelle ne se comprend qu'en fonction de cette approche de la colonisation. Ces personnages et leur entourage symbolisent les réponses possibles à ce contact de deux systèmes sociaux différents. L'ensemble des situations que ces individus vivent montre l'étendue des thématiques. La différence par rapport aux romanciers de l'Afrique francophone se révèle dans le choix de ces derniers de décrire des situations, et souvent celles concernant l'ensemble d'un groupe social, contrairement à Achebe qui situe ses individus à l'intérieur des processus de changement qui font apparaître, quant à eux, l'ensemble de la problématique de la colonisation anglaise. Coussy nous signale : "Il fut donc possible au romancier de retrouver, sans trop de peine, cette époque à peine révolue et encore présente, en tout cas, dans la mémoire collective." (1985 - p. 25) L'oeuvre d'Achebe exprime ainsi la volonté de faire revivre ces conflits du passé récent, et ses influences sur le présent et l'avenir du Nigéria et du groupe ibo, qui représentait pour l'auteur le cadre à l'intérieur duquel cette interaction, conçue et élaborée par la colonisation anglaise, avec la société autochtone africaine se déroulait.

NOTES

[1]Cf., en ce qui concerne la vie de l'écrivain, Moriceau/Rouch-1983-5/6 et Innes-1990-xv-xvii et le premier chapitre du livre (4/20).

[2]Cité selon Coussy-1985-21 (Afrique, 27, oct. 62).

[3] Selon Innes (1990-32) : "The narrative voice (...) represents a collective voice through which the artist speaks *for* his society, not as an individual apart from it".

[4]La terminologie "tradition-traditionnel" est employée ici dans la mesure où il s'agit des usages connus, des coutumes et des rapports sociaux.

[5]Les citations de l'ouvrage de Chinua Achebe "Le monde s'effondre" ont été faites selon l'édition de Présence africaine, Paris, 1975.

[6]Cf. en ce qui concerne l'utilisation des termes "féminin" et "masculin" dans ce roman, Ackley-1974.

[7]Cf. à ce propos, Coussy-1985-36.

[8]Ce fait permet à Coussy (1985-37/38) de présumer que l'action se déroule durant une période qu'elle situe entre 1857 et 1920. La transposition des événements évoqués démontre l'aspect littéraire de l'ouvrage qui permet à Achebe de disposer de manière flexible du cadre historique décrit dans les différents romans. Moriceau/Rouch (1983-19) situent le début de l'action vers 1862/1867 et la fin du roman vers 1872/1877. Ils attribuent ainsi à la première partie du roman (128 pages) trois ans, à la deuxième partie (quarante pages) sept ans, et à la troisième partie (trente-huit pages) six à sept mois. Ils parlent d'une durée totale de l'action de 11 ans.

[9]Cf. Coussy-1985-37.

[10]Cf. à ce propos et en ce qui concerne la caractérisation de ces différents personnages, Moriceau/Rouch-1983-32 à 52.

[11]Cf. par exemple l'article d'Ackley-1974.

[12]Cf. dans ce sens, Moriceau/Rouch-1983-12/17 et, en particulier, la page 16.

[13]Les *Egwugwus* sont considérés dans la tradition ibo comme les plus grands esprits masqués du clan appartenant au culte le plus secret.

[14]Moriceau/Rouch-1983-69 évoquent à cette occasion "(...) le *péché mortel* de la colonisation : raser tout ce qui existe et imposer son modèle."

[15]Turkington-1977-25 remarque : "When the traditional values of his society are withdrawn from him, he finds death with dishonour more acceptable than a life without honours."

[16]Cf., en ce qui concerne la description de l'histoire et du changement chez Achebe, l'étude de Stock-1968 sur Yeats et Achebe ou bien Coussy-1985-33 qui reprend les arguments de l'écrivain irlandais Yeats en ce qui concerne la conception de l'histoire et de son déroulement.

[17]Cf. en ce qui concerne la colonisation, Moriceau/Rouch-1983-67 et suite.

[18]Les citations de l'ouvrage de Chinua Achebe "La flèche de Dieu" ont été faites selon l'édition de Présence Africaine, Paris, 1978.

[19]Nous avons préféré démontrer la particularité de l'appréciation de l'auteur sur cette situation de conflit entre un ordre sacral et la colonisation anglaise, en présentant des citations sans toujours tenter de les paraphraser.

[20]Cf. à ce propos, Coussy-1985-26.

[21]Cf. dans ce sens, les rapports que Metcalfe-1964 publiait sur cette problématique.

[22]Cf. à ce sujet aussi notre chapitre 4-3.6. (1993) traitant la question des rapports entre les Anglais et les Africains de l'époque.

[23]Cf. notre chapitre 4-2.2. (1993) sur les administrateurs anglais en Côte d'Or.

[24]Coussy-1985-81 mentionne : "Sur le plan critique, elles (les conclusions, US) permettent d'abord d'éliminer tout de suite les simplifications excessives qui tendent à présenter les romans d'Achebe comme des récits linéaires qui décriraient la chute du monde traditionnel sous les seuls coups de l'envahisseur, alors que le propos essentiel du romancier est de mettre en place tout un réseau de forces concomitantes dont l'existence remonte bien au-delà de la colonisation."

[25]Innes-1990-81 constate : "Moreover, man's necessary attempt to control his own destiny is frequently overthrown by forces outside his control, by change, by nature, and by events and peoples of which he can have no knowledge."

[26]Cf. à ce propos aussi, Coussy-1985-150/151 et Innes-1990-167.

[27]Innes-1990-168 remarque : "(...) his reiterated concern with social commitment and analysis, his depiction of crucial historical periods which are moments of transition in African history, no doubt account for the general assumption that his novels fit readily into the category of realism or "critical realism"."

[28]Innes-1990-74 écrit que ce roman d'Achebe nous fait comprendre la difficulté de contrôler et de prévoir le changement sous l'administration coloniale.

[29]Les citations de l'ouvrage de Chinua Achebe "Le malaise" ont été faites selon l'édition de Présence africaine, Paris, 1974.

[30]En effet, il s'agit, dans ce style de vie, d'une adaptation d'un comportement européen, qui ne tient pas compte que ces dépenses ostentatoires dépassent de loin ce que les Africains instruits de l'époque pouvaient se permettre. Cf. sur le caractère ostentatoire de ce genre de comportement : Dahmani-1983.

[31]Cf. dans ce sens, le livre de Lautier et al.-1991 sur le secteur informel, qui décrit ces pratiques en précisant que, malgré son caractère illégal par rapport à la législation en vigueur, ces activités se retrouvent dans de nombreuses sociétés. Néanmoins, les auteurs concèdent que ces pratiques portent en elles-mêmes les germes d'une auto-destruction des systèmes sociaux.

[32]Cf. dans ce sens, Coussy-1985-104 : "(Ils) sont incapables de manipuler efficacement leur héritage culturel et ne parviennent à émerger ni en tant qu'individus ni en tant que membres du groupe car leur formation occidentale est par trop artificielle, par trop rapportée pour leur donner le courage de réaliser leur idéal individualiste.

Cette difficulté supplémentaire les porte alors à mettre globalement tout en question puisqu'ils sentent qu'ils ne peuvent pas faire les distinctions essentielles qui leur permettraient de survivre en harmonie avec le nouveau monde."

[33]Cf. dans ce sens, les différentes interprétations d'Innes : "Obi's tragedy is that he recognizes the inadequacy of both attitudes ; there is no one authoritative voice which can speak for him, and the two voices which coexist in his consciousness are flattered voices without moral or emotional depth." (Innes-1986-701) "It is Obi's perception of himself and the situation which may be the real problem, and insofar as the novel is addressed to readers who are rather like Obi - the young educated elite, new graduates of British and Nigerian universities and high schools, the Nigerians who might be expected to read novels like *No Longer at Ease* and recognize the literary allusions as well as the worlds portrayed - it seeks to enlarge their understanding of the limitations and blind spots in Obi's perception of his predicament and Nigeria's. Obi's concern with self-image and his lack of self-knowledge are suggested in the trial scene discussed above." (Innes-1990-44)

[34]Cf. dans ce sens, également Coussy-1985-96/97 : "Une des difficultés majeures que rencontrent les héros modernes est leur inaptitude à trouver un point de vue stable : ballottés par des événements qui les dépassent, ils changent sans cesse d'avis, se parjurent ou renoncent tout simplement à la moindre analyse. (...) (M)ais les revirements d'opinion du héros sont rarement accompagnés de réactions logiques qui les excuseraient, car le jeune homme ne parvient pratiquement jamais à tirer une conclusion valable de ses mouvements d'humeur et se contente, la plupart du temps, de s'éloigner en maugréant ou, dans le meilleur de cas, de se mettre à penser dans le vide. (...) Cette nonchalance et cette paresse d'analyse conduisent très vite Obi à une véritable paralysie mentale."

4. CONCLUSION : L'ANALYSE DES TRANS-FORMATIONS SOCIALES EN AFRIQUE NOIRE A TRAVERS LA LITTERATURE FRANCOPHONE ET ANGLOPHONE

Nous avons vu, tout au long des pages précédentes, que la description de la réalité coloniale, dans la fiction, révèle un passé historique qui montre les multiples facettes d'une vie sociale sous l'administration coloniale et les transformations apparues. Les auteurs nous font découvrir cet univers social, la manière de voir ce passé et les particularités qu'eux seuls étaient capables d'exprimer. Les transformations décrites sont considérées comme imposées de l'extérieur aux sociétés africaines, et ceci, par les puissances coloniales européennes. L'unité relative que ces écrivains évoquent - au moins en ce qui concerne l'Afrique francophone - fait apparaître une expérience commune, face aux puissances coloniales et à leurs efforts pour *développer* ces territoires. Cette reconstruction d'un passé historique révèle les caractéristiques de ces contacts interculturels : un ensemble d'actions et de réactions, dont ces auteurs témoignent. L'auteur anglophone est le seul à décrire la particularité de l'approche coloniale anglaise face à sa culture d'origine. Dans les trois romans analysés, Achebe nous fait découvrir les différences et similitudes de cette colonisation par rapport aux descriptions des auteurs francophones.

La littérature nous révèle la perception africaine de ce changement, et ceci, des premiers contacts à la période de l'indépendance. En comparant ces descriptions d'un passé récent à des travaux d'historiens ou d'anthropologues, les oeuvres littéraires montrent le point de vue de l'autochtone, ses douleurs, ses souffrances, ses difficultés d'adaptation, mais aussi l'acceptation de plus en plus consciente d'un système de valeurs différentes. Les écrivains décrivent un univers social en transformation, des choix compatibles et incompatibles avec un autre système social, ainsi que des heurts, des ruptures et des symbioses. Ils nous font voir ce processus de changement dans le temps, et, selon les fonctions occupées par les Africains : chef, travailleur, "évolué", étudiant, prêtre ou autres. Les auteurs qui étaient, de par leur fréquentation de l'école européenne, sensibilisés à des situations de contact arrivent à relier les deux univers sociaux, à montrer les rapports sociaux selon un point de vue qui véhicule à la fois un savoir africain et des critères empruntés aux univers sociaux occidentaux. Le public ressent l'ensemble de ces transformations, car ces écrivains lui font comprendre ces événements, et par là-même, des aspects issus de la fusion avec une tradition différente et d'une insertion dans une Histoire **autre**. Dans ce sens, ces romans transcendent la particularité d'une culture autochtone et visent à témoigner d'une transformation qui, dans un laps de temps de quelques décades, a confronté l'Africain à des cultures très différentes de celles qu'il connaissait.

Nous avons montré les difficultés de compréhension entre ces sociétés dès les premiers contacts, et les changements de l'univers africain dus en grande partie à des systèmes sociaux occidentaux qui arrivaient à manipuler des mécanismes de transformation que l'Africain ne connaissait pas. Nous avons cerné la perception d'une différenciation tout au long de la colonisation européenne. Cette description nous fait découvrir l'étendue des processus de développement, et ceci, en discernant un changement qui imposait des normes particulières, des valeurs sociales différentes, en un mot, l'ensemble d'un univers social occidental que ces sociétés étaient censées accepter d'une manière ou d'une autre. Les romans révèlent l'insertion dans une Histoire différente, déterminée dorénavant par des éléments inconnus de la tradition africaine. L'analyse de la littérature nous fait voir qu'une compréhension de ces sociétés limitée à leurs caractéristiques "traditionnelles" ne suffit plus. L'anthropologie est appelée à inclure, dans ses approches théorique et méthodologique des sociétés africaines, l'influence venant du monde occidental. Elle est obligée de prendre en compte la logique coloniale et néocoloniale qui a influencé ces sociétés, si elle veut rendre compte des phénomènes sociaux récents qui s'expliquent souvent par la fusion entre deux cultures. L'ethnologue ne peut donc continuer à s'intéresser seulement à une culture particulière différente de la sienne. Dorénavant, il est appelé à repérer à l'intérieur des sociétés africaines les éléments que ces situations de contact ont fait surgir depuis plusieurs décennies.

Dans ce sens, l'analyse des romans fait apparaître, au delà des contacts difficiles du début, qu'à partir des années 40 et 50 de ce siècle, de plus en plus d'éléments de systèmes sociaux extérieurs aux sociétés africaines ont dû être acceptés. Les auteurs révèlent cette symbiose particulière en utilisant la forme littéraire de l'ironie ou en décrivant des situations grotesques qui évoquent le caractère particulier de ce mélange entre deux types de société. Ils témoignent d'une transformation que les sciences sociales perçoivent difficilement.

Les procédures littéraires utilisées dans les romans ont été démontrées tout au long de ce livre. Nous avons dit que la littérature africaine est l'expression d'une sorte de révolte des auteurs contre des abus de la société coloniale. A cause d'une sensibilité souvent aiguë, ils ressentent les contradictions de ce vécu social sous le régime colonial, que d'autres personnes n'arrivent pas à cerner. Ils ont choisi la littérature pour entreprendre une critique sociale qu'eux seuls étaient capables d'exprimer. Les procédures littéraires employées démontrent l'engagement des auteurs devant des situations conflictuelles. Même si les protagonistes des romans se caractérisent souvent par la passivité, ce sont eux qui perçoivent les aspects incompatibles de deux univers sociaux et qui vivent des situations ambivalentes. Les auteurs, en utilisant la forme narrative et en s'identifiant avec le protagoniste principal, montrent les tensions que ces individus ressentent et qu'ils n'arrivent que rarement à dépasser. Le but des auteurs est de faire apparaître cette ambiguïté de la situation coloniale, de faire comprendre au public que la solution que les protagonistes trouvent est la seule possible à ce moment de l'histoire coloniale. La description détaillée des actions et réactions permet de comprendre la vie des individus de l'époque. Les issues que les héros adoptent sont conçues de manière à inciter le lecteur à la réflexion. Son implication dans le récit est assurée par l'utilisation de la première personne du singulier, le moi narratif. L'Africain lisant ces livres arrive à revivre les conflits vécus par ces personnages et à se sentir concerné par les événements. La passivité apparente des protagonistes peut être transcendée par un public comprenant le message de l'auteur : celui de l'incohérence du monde colonial. Les auteurs ne cherchent pas l'entendement dans le sens de

241

l'historien. Ils veulent communiquer un message qui arrive à dépasser la situation. Ces romans, bien que décrivant des réalités sociales, ont une signification littéraire, et ceci, pour le lecteur qui, par la réflexion, arrive à ne pas en rester à la simple situation décrite et à chercher des issues à l'impasse ressentie par l'auteur. L'objectif de l'ensemble des romans analysés est de chercher une cohérence entre ce qui était, ce qui est et ce qui sera : la réconciliation de deux traditions, celle de la culture occidentale et celle appartenant aux sociétés africaines. Les épisodes témoignent de l'étendue des transformations introduites par la colonisation européenne et des possibilités d'agir dans cette situation historique particulière. Les messages que ces auteurs communiquent incitent à l'action et non pas au refuge dans le silence, l'humour ou la passivité.

L'approche proposée permet de démontrer le caractère spécifique du processus de changement introduit par la colonisation européenne en Afrique. Cette transformation doit être vue comme une interaction de plus en plus significative entre les sociétés autochtones et les différentes sociétés occidentales, et ceci, non seulement sur un plan économique, mais sur celui de l'ensemble des rapports sociaux, culturels et politiques des populations autochtones d'Afrique noire. Notre démarche - en insistant sur cette transformation mise en place par les différentes puissances coloniales - indique qu'il s'agissait en réalité d'un projet de développement ayant des conséquences immenses pour l'avenir des sociétés autochtones qui, au moins, en ce qui concerne l'Afrique noire, avaient peu de contacts, avant la colonisation européenne, avec des sociétés situées à l'extérieur de leurs horizons culturels. L'analyse de la littérature francophone et anglophone montre les caractéristiques particulières de ces processus de changement et leur évolution dans le temps. L'approche adoptée contribue ainsi à préciser les spécificités de chaque style colonial et leurs influences sur les sociétés autochtones.

Nous avons montré que les pays occidentaux, malgré leur but commun qui était de *civiliser* ces sociétés, ont adopté des démarches plus ou moins différentes qui ont marqué le développement ultérieur de ces pays. De plus, nous avons fait ressortir que les objectifs se différenciaient selon chaque pays européen, et ceci, du fait d'une conception spécifique du développement, et des rapports sociaux, politiques et économiques à établir avec les groupes autochtones. L'ensemble de ces tentatives de transformation révèle un projet d'une étendue inimaginable au début de ce processus de contact. La méconnaissance réciproque se transforme peu à peu en une collaboration plus ou moins obligatoire des populations autochtones avec les différentes puissances occidentales. Dans une deuxième phase, ces interactions provoquèrent une transformation structurelle des sociétés africaines. Les principaux éléments structurant leurs rapports sociaux devinrent ainsi des choix qui n'étaient plus acceptables pour une fraction de plus en plus importante de ces populations. Les territoires de l'Afrique noire francophone avaient la possibilité d'adopter des modèles français à côté ou à la place des modèles autochtones. L'Angleterre, en insistant plus sur les institutions politiques - la chefferie et les juridictions autochtones - dans ce processus de changement laissait souvent un vide à remplir par la politique concrète des pays. Etant donné que la politique coloniale anglaise mettait l'accent sur la différence entre les institutions anglaises et africaines, cette séparation conceptuelle se reflétait dans l'ensemble des rapports sociaux et créait des frictions entre ces deux types de société, qui s'avéraient difficiles à éviter.

L'utilisation des textes écrits - non pas en tant qu'objet d'une analyse historique d'un processus de développement, mais en tant que représentation d'une logique sociale et ainsi d'une reconstruction anthropologique d'un processus de transformation ayant pour but de discerner la particularité des approches occidentales du développement de l'Afrique durant ce siècle - nous a permis d'indiquer les caractéristiques du développement que ces sociétés africaines ont vécues. Nous avons démontré les forces prévalantes, les buts différents, bref, l'ensemble d'une transformation sociale, et ceci, en mettant l'accent sur la reconstruction d'une réalité sociale et non sur une analyse de la réalité sociale objectivée. Ainsi, la colonisation, bien que phénomène historique, devient un champ privilégié de l'analyse des transformations des sociétés autochtones africaines, et ceci, non seulement par les enjeux liés à ces processus de changement, mais également par son objet même. Notre démarche en soulignant les particularités anthropologiques à déceler dans cette littérature démontre que la colonisation installait les bases d'une restructuration profonde de ces sociétés, et, permet de révéler le caractère spécifique d'un changement que les pays africains vivent encore actuellement.

L'analyse de la littérature apporte une vision africaine des approches coloniales : ces écrivains se comprennent en tant que témoins d'un processus de transformation que l'anthropologie avait tendance à ne pas prendre en considération, tout du moins en ce qui concerne l'africanisme. Leurs écrits présentait la complexité de cette transformation et des multiples situations créées par ce contact, ainsi que la nature du changement introduit. L'analyse des romans démontre la spécificité de l'influence de chaque administration coloniale sur les sociétés autochtones. On y discerne la réaction de l'Africain face au contact avec la puissance coloniale, et ceci, en fonction d'un répertoire d'actions proposées. Le vécu quotidien que ces écrivains décrivent fait apparaître la particularité de cette influence au niveau individuel et du groupe. Ainsi, ces témoignages arrivent à situer l'Africain dans l'ensemble des processus de transformation que le continent a entamé pendant ce siècle et révèlent des aspects inconnus jusqu'alors.

L'analyse de ces processus ne permet pas seulement de comprendre **l'autre**, l'inconnu dans sa particularité, et, la transformation introduite depuis le début de ce siècle, mais également nos sociétés et leurs fonctionnements qui, de façon plus ou moins implicite, ont favorisé cette restructuration de la société africaine. On arrive à lire cette littérature comme la perception d'un passé historique que la fiction évoque. A l'époque, les chercheurs en sciences humaines, et, en particulier, les sociologues, les anthropologues et les historiens étaient rares. Cette description ne montre pas seulement ce qui s'est passé, mais également ce qui aurait pu advenir, et, ainsi, une réalité vécue et une potentialité restée dans le domaine de l'irréel.

Notre analyse des oeuvres littéraires permet de repérer les traits particuliers de cette transformation historique récente, ses conflits et ses implications pour l'avenir de ces sociétés. Or, l'ensemble de ces processus de transformation nécessite des analyses plus détaillées, et ceci, non seulement du point de vue des *colonisateurs*, mais aussi des *colonisés*. L'analyse des textes écrits nous permet de retracer un schéma général de ces processus de changement. Des recherches sur ces processus de transformation du point de vue des acteurs, et principalement des Africains en contact avec les Européens, devront s'ajouter à nos investigations. C'est ainsi que le point de vue du *colonisé* pourra être exploré en recourant aux méthodes classiques de l'anthropologie.

Notre démarche, en mettant l'accent sur le facteur de contact, de fusion entre deux cultures différentes, d'insertion dans une Histoire autre, redéfinit l'objet de l'anthropologie, notamment, en ouvrant des possibilités de recherche à des chercheurs connaissant bien ces deux conceptions de société. La discipline, avec son savoir particulier concernant les sociétés pré-coloniales et ses connaissances des approches coloniales, aura ainsi la possibilité de s'approprier le champ de l'analyse des transformations en Afrique qui ont des conséquences immédiates et significatives. Cet ouvrage atteindra son but au moment où il fera comprendre la nécessité d'analyser la logique coloniale à laquelle ces sociétés étaient confrontées.

5. REFERENCES BIBLIOGRAPHIQUES

5.1. REFERENCES BIBLIOGRAPHIQUES CONCERNANT DES ASPECTS THEORIQUES ET METHODOLOGIQUES

BALANDIER, Georges. 1951. "La situation coloniale : Approche théorique". *Cahiers Internationaux de Sociologie*, XI, 44-79.

BALANDIER, Georges. 1967. Anthropologie politique. Paris, Presses Universitaires de France, 244 p.

BALANDIER, Georges. 1974. Anthropo-logiques. Paris, Presses Universitaires de France, 279 p.

BALANDIER, Georges. 1976. "Tradition, conformité, historicité." *L'autre et l'ailleurs* . Hommage à Roger Bastide. Pp. 15-38. Présenté par Jean POIRIER et François RAVEAU. Paris, Berger-Levrault, 511 p.

BALANDIER, Georges. 1985. Sociologie des Brazzavilles noires. Paris, Presse de la Fondation des Sciences politiques, 2ème éd. augm., xviii-306 p.

BARDIN, Laurence. 1977. L'analyse de contenu. Paris, Presses Universitaires de France, 233 p.

BITTERLI, Urs. 1976. Die *Wilden* und die *Zivilisierten*. Grundzüge einer Geistes- und Kulturgeschichte der europäisch-überseeischen Begegnung. München, C.H. Beck, 494 p.

CESANA, Andreas. 1988. Geschichte als Entwicklung? Zur Kritik des geschichtsphilosophischen Entwicklungsdenkens. Berlin, W. de Gruyter, xi-405 p.

COHEN, William Benjamin. 1981. Français et Africains. Les Noirs dans le regard des Blancs 1530-1880. Paris, Gallimard, 409 p.

DAVIS, Natalie Z. 1981. "Anthropology and History in the 1980s : The Possibilities of the Past". *Journal of Interdisciplinary History*, XII, 2, 267-275.

DIACHRONIA. 1984. Zum Verhältnis von Ethnologie, Geschichte und Geschichtswissenschaft. *Ethnologica Helvetica* 8, 298 p.

ENCYCLOPAEDIA UNIVERSALIS. 1980. "Sociologie de la littérature". Vol. 10, 7-10.

GOLDMANN, Lucien. 1986. Pour une sociologie du roman. Paris, Gallimard, 372 p.

GRANA, César. 1989. Meaning and Authenticity : further Essays on the Sociology of Art. New Brunswick, New York et Oxford, Transaction, xxiii-188 p.

GÖRÖG-KARADY, Veronika. 1976. Noirs et Blancs : leur image dans la littérature orale africaine. Paris, SELAF, 427 p.

GURVITCH, Georges (sous la direction de). 1968. Traité de sociologie. Vol. 2, Paris, Presses Universitaires de France. 3ème éd., revue et mise à jour, 466 p.

HALBWACHS, Maurice. 1968. La mémoire collective. Paris, Presses Universitaires de France, 2 éd. rev. et augm., xxii-204 p.

HELBING, Jürg. 1984. "Evolutionismus, Struktur-funktionalismus und die Analyse von Geschichte in der Ethnologie". In : Diachronia... 83-102.

HILL, Jonathan D. 1988 (ed.). Rethinking History and Myth. Urbana et Chicago, University of Illinois Press, 337 p.

KILANI, Mondher. 1992. Introduction à l'anthropologie. Lausanne, Payot, 2ème éd. rev. et augm., 368 p.

KOLOSS, H.-J. 1986. "Der ethnologische Evolutionismus im 19. Jahrhundert. Darstellung und Kritik seiner theoretischen Grundlagen". *Zeitschrift für Ethnologie*, 111, 1, 15-46.

KUMERAN, K. P. et K. C. ALEXANDER. 1992. Culture and Development. Cultural Patterns in Areas of Uneven Development. London, Sage, 204 p.

LASZLO, Ervin. 1989. La cohérence du réel. Evolution, coeur du savoir. Paris, Gauthiers-Villars, xvii-230 p.

LEWIS, Ioan Myrddin (ed.). 1968. History and social Anthropology. London, New York, Sydney, Tovistock Publications, xxviii, 307 p.

LEWIS, Ioan Myrddin. 1968. "Introduction : History and Social Anthropology." In : LEWIS, I. M. (ed.) ... ix-xxviii.

LUKACS, Georges. 1965. Le roman historique. Traduit de l'allemand (Der historische Roman) par Robert Sailley. Paris, Payot, 407 p.

LUKACS, Georges. 1989. La théorie du roman. Traduit de l'allemand (Die Theorie des Romans) par Jean Clairevoye. Paris, Gallimard, 196 p.

MALINOWSKI, Bronislaw. 1970. Les dynamiques de l'évolution culturelle. Paris, Payot, 239 p.

MEMMI, Albert. 1957. "Sociologie des rapports entre colonisateurs et colonisés". Cahiers Internationaux de Sociologie, XIII, 85-96.

MEMMI, Albert. 1968. "Problèmes de la sociologie de la littérature." In : GURVITCH, G. ... 299-314.

NECKER, Louis. 1984. "Procédures de recherche en ethno-histoire : l'exemple d'études sur le passé colonial et précolonial de l'Amérique du Sud". In : Diachronia... 269-279.

OLIVIER de SARDAN, Jean-Pierre. 1988. "Jeu de la croyance et 'je' ethnologique : exotisme religieux et ethno-égo-centrisme". Cahiers d'Etudes Africaines, XXVIII, 111-112, 3-4, 527-540.

OLIVIER de SARDAN, Jean-Pierre. 1989. "Le réel des Autres". Cahiers d'Etudes Africaines, XXIX, 113, 1, 127-135.

ROSELLO, Mireille. 1992. Littérature et identité créole aux Antilles. Paris, Khartala, 202 p.

SAHLINS, Marshall David. 1960. "Evolution : Specific and General". In : SAHLINS, M. D. ... 12-44.

SAHLINS, Marshall David. 1983. "Other Times, other Customs : The Anthropology of History". American Anthropologist, 85, 3, 517-544.

SAHLINS, Marshall David. 1985. Islands of History. Chicago, University of Chicago Press, xix-180 p.

SAHLINS, Marshall David et Elman Rogers SERVICE. 1960. Evolution and Culture. Ann Arbor, Michigan, University of Michigan Press, xii-131 p.

SANDERSON, Stephen K. 1990. Social Evolutionism. A critical History. Oxford, Cambridge (Mass.), B. Blackwell, xviii-251 p.

SAYAD, Abdelmalek. 1991. L'immigration ou les paradoxes de l'altérité. Bruxelles, De Boeck-Wesmael, 331 p.

SCHUERKENS, Ulrike. 1990. "Débat théorique et travaux empiriques : Le développement du Tiers Monde". Communication présentée lors de la Sixième Conférence

Générale de l'Association des Instituts de recherche et de formation en matière de développement. Oslo, 27-30 Juin 1990, 23 p., Pré-rapport.

SCHUERKENS, Ulrike. 1992. "Le changement social : structure et temps". Paris, 27 p., (manuscrit).

SCHUERKENS, Ulrike. 1993. L'évolution sociale : problématique théorique et portée empirique. Thèse (nouveau régime) E.H.E.S.S., ronéo., x-945 p. + 351 p. annexes.

SERVICE, Elman Rogers. 1960. "The Law of Evolutionary Potential". In : SAHLINS, M. D. ... 93-122.

SERVICE, Elman Rogers. 1971. Primitive Social Organization : An Evolutionary Perspective. 2ème éd., New York, Harper et Row, xvii-221p.

SERVICE, Elman Rogers. 1975. Origins of the State and Civilization. The Process of cultural Evolution. New York, Norton, xix-361 p.

SOCIOLOGIE ET SOCIETES. 1990. Numéro spécial consacré à la "Théorie sociologique de la Transition". XXII, 1, 216 p.

SZALAY, Miklos. 1983. Ethnologie und Geschichte. Zur Grundlegung einer ethnologischen Geschichtsschreibung. Berlin, D. Reimer Verlag, 292 p.

TESTART, Alain. 1992. "La question de l'évolutionnisme dans l'anthropologie sociale." Revue française de sociologie, XXXIII, 2, 155-187.

TODOROV, Tzvetan. 1989. Nous et les autres. La réflexion française sur la diversité humaine. Paris, Seuil, 452 p.

TOFFIN, Gérard. 1989. "Ecriture romanesque et écriture de l'ethnologie". L'Homme, Numéro spécial : Littérature et anthropologie, XXIX, 111/112, 3-4, 34-49.

VANSINA, Jan. 1961. De la tradition orale. Essai de méthode historique. Tervuren, Annales du Musée Royal de l'Afrique Centrale, x-179 p.

VANSINA, Jan. 1985. Oral Tradition as History. Madison, University of Wisconsin Press, xvi-258 p.

WEBER, Robert Philip. 1985. Basic Content Analysis. Beverly Hills, London, New Delhi, Sage, 95 p.

5-2. REFERENCES BIBLIOGRAPHIQUES CONCERNANT LA LITTERATURE DE L'AFRIQUE FRANCOPHONE

ABASTADO, Claude. 1984. Les bouts de bois de Dieu de Sembène OUSMANE. Abidjan, Nouvelles Editions Africaines, 83 p.

ANOZIE, Sunday O. 1970. Sociologie du roman africain. Réalisme, structure et détermination dans le roman moderne ouest-africain. Paris, Aubier-Montaigne, 269 p.

BATTESTINI, Monique et Simone, et Roger MERCIER. 1964. Olympe BHELY-QUENUM. Ecrivain dahoméen. Paris, Nathan, Collection Littérature africaine, 4, 64 p.

BATTESTINI, Monique et Simone, et Roger MERCIER. 1964. Mongo BETI. Ecrivain camerounais. Paris, Nathan, Collection Littérature africaine, 5, 64 p.

BATTESTINI, Monique et Simone, et Roger MERCIER. 1964. Bernard DADIE. Ecrivain ivoirien. Paris, Nathan, Collection Littérature africaine, 7, 64 p.

BEBEY, Francis. 1976. Le roi d'Albert d'Effidi. Yaoundé, Editions CLE, 183 p.

BEHOUNDE, Ekitike. 1983. Dialectique de la ville et de la campagne chez Gabrielle ROY et Mongo BETI. Montréal, Québec, Ed. Qui, 94 p.

BESTMAN, Martin T. 1981. Sembène OUSMANE et l'esthétique du roman négro-africain. Sherbrooke, Canada, Ed. Naaman, 349 p.

BETI, Mongo. 1971. Ville cruelle. Paris, Présence africaine, 222 p.

BETI, Mongo. 1978. "Identité et tradition". In : MICHAUD, G. ... 9-26.

BHELY-QUENUM, Olympe. 1960. Un piège sans fin. Paris, E. Grevin et Fils, 255 p.

CHEMAIN, Roger. 1986. L'imaginaire dans le roman africain. Paris, L'Harmattan, 422 p.

CHEVRIER, Jacques. 1988. Littérature africaine : Histoire et grands thèmes. Paris, Hatier, 447 p.

DADIE, Bernard Binlin. 1967. "Le conte, l'élément de

solidarité et d'universalité." In : QUILLATEAU, C. ... 99-117.

DADIE, Bernard Binlin. 1967. "Le rôle de la légende dans la culture populaire des Noirs d'Afrique." In : QUILLATEAU, C. ... 118-133.

DADIE, Bernard Binlin. 1980. Les jambes du fils de Dieu. Abidjan, CEDA ; Kinshasa, CECAF ; Paris, Hatier ; 159 p.

GÖRÖG, Veronika. 1981. Littérature orale d'Afrique Noire. Bibliographie analytique. Paris, G.-P. Maisonneuve et Larose, 394 p.

IKELLE-MATIBA, Jean. 1963. Cette Afrique-là. Paris, Présence africaine, 245 p.

KANE, Cheikh Hamidou. 1961. L'aventure ambiguë. Paris, Julliard, 165 p.

KANE, Mohamadou. 1983. Roman africain et tradition. Paris, Dakar, Nouvelles Editions Africaines, 519 p.

KESTELOOT, Lilyan. 1987. Anthologie négro-africaine : panorama critique des prosateurs, poètes et dramaturges noirs du XXe siècle. Paris, Marabout, Alleur, Belgique, nouv. éd. rev. et augm., 478 p.

KESTELOOT, Lilyan. 1988. Négritude et situation coloniale. Paris, Silex, vii-93 p.

KIMONI, Iyay. 1975. Destin de la littérature négro-africaine ou problématique d'une culture. Kinshasa, Presses Universitaires du Zaïre ; Sherbrooke, Naaman ; 273 p.

KOM, Ambroise (sous la direction de). 1983. Dictionnaire des Oeuvres littéraires négro-africaines de langue française, des origines à 1978. Sherbrooke, Canada, Paris, Naaman-ACCT, 671 p.

LEUSSE, Hubert de. 1971. Afrique et Occident, heurs et malheurs d'une rencontre, les romanciers du pays noir. Paris, Ed. de l'Orante, 303 p.

LEZOU, Gérard Dago. 1977. La création romanesque devant les transformations culturelles en Côte d'Ivoire. Abidjan, Dakar, Nouvelles Editions Africaines, 259 p.

MAKONDA, Antoine. 1985. Les Bouts de Bois de Dieu de S. OUSMANE. Etude critique. Une oeuvre, un auteur. Paris, F. Nathan, Nouvelles Editions Africaines, 79 p.

MANGA MADO, Henri-Richard. 1970. Complaintes d'un forçat. Yaoundé, Ed. CLE, 123 p.

MARTINKUS-ZEMP, Ada. 1975. Le Blanc et le Noir. Essai d'une description de la vision du Noir par le Blanc dans la littérature française de l'entre-deux-guerres. Paris, Nizet, 229 p.

MATESO, Locha E. 1986. La littérature africaine et sa critique. Paris, ACCT-Khartala, 399 p.

MBOCK, Charly Gabriel. 1981. Comprendre "Ville cruelle" d'Eza Boto. Les classiques africaines. Issy-les-Moulineaux, Ed. St. Paul, 95 p.

MELANGES AFRICAINS. 1973. Equipe de Recherches en littérature africaine comparée. Sous la direction de Thomas MELONE. Yaoundé, Ed. pédagogiques Afrique-Contact, 366 p.

MELONE, Thomas. 1971. Mongo BETI : l'homme et le destin. Paris, Présence africaine, 281 p.

MERAND, Patrick. 1984. La vie quotidienne en Afrique Noire : à travers la littérature africaine d'expression française. Paris, L'Harmattan, 239 p.

MERAND, Patrick et Sewano Jean-Jacques DABLA. 1979. Guide de littérature africaine de langue française. Paris, ACCT-L'Harmattan, 219 p.

MICHAUD, Guy (sous la direction de). 1978. NEGRITUDE: traditions et développement. Paris, Bruxelles, Ed. Complexe, 184 p.

MINYONO-NKODO, Mathieu-François. 1979. "Les bouts de bois de Dieu" de Sembène OUSMANE. Les classiques africaines. Paris, Issy-les-Moulineaux, 95 p.

MOUKOKO, Henri Gobina. 1973. La cruauté de la ville et le destin du héros dans "Ville cruelle". In : Mélanges africains... 111-127.

MOURALIS, Bernard. 1969. Individu et collectivité dans le roman africain d'expression française. *Annales de l'Université d'Abidjan*, Série D, Lettres, 2, 167 p.

MOURALIS, Bernard. 1981. L'oeuvre de Mongo BETI. St. Paul, Issy-les-Moulineaux, 127 p.

MOURALIS, Bernard. 1984. Littérature et développement : essai sur le statut, la fonction et la représentation de la littérature négro-africaine d'expression française. Paris, Silex, 572 p.

NDACHI TAGNE, David. 1986. Roman et réalités camerounaises : 1960-1985. Paris, L'Harmattan, 301 p.

OUSMANE, Sembène. 1971. Les Bouts de bois de Dieu.

Paris, Presses Pocket, 383 p.

PARMELLI, Jean-Paul. 1990. Lettres Noires, Afrique, Caraïbes, Océan indien : écrivains d'expression française. Association pour le développement de la lecture publique en Essone (A.D.E.L.P.E.), Bib. centrale de prêt de l'Essonne, 158 p.

PHILOMBE, René. 1984. Le livre camerounais et ses auteurs. Yaoundé, Semences africaines, 302 p.

QUILLATEAU, Claude. 1967. Bernard Binlin DADIE, l'homme et l'oeuvre. Paris, Présence africaine, 172 p.

RIAL, Jacques. 1972. Littérature camerounaise de langue française. Lausanne, Payot, xvi-95 p.

ROUCH, Alain et Gérard CLAVREUIL. 1986. Littératures nationales d'écriture française : Afrique Noire, Caraïbes, Océan indien : histoire littéraire et anthologie. Paris, Bordas, 511 p.

SAMMY, Pierre. 1977. L'Odyssée de Mongou. Paris, Hatier, 127 p.

THOUNGUI, Pierre. 1973. "Survivances ethniques et mouvance moderne. Le Cameroun dans le miroir de ses écrivains." In : Mélanges africains... 329-362.

UMEZINWA, Willy A. 1975. "Révolte et création artistique dans l'oeuvre de Mongo BETI." In : *Présence francophone*, 10, 35-48.

5-3. REFERENCES BIBLIOGRAPHIQUES CONCERNANT LA LITTERATURE DE L'AFRIQUE ANGLOPHONE

ABRAHAMS, Cécil. 1978. "African Writing and Themes of Colonialism and Post-Independence Disillusionment." *Canadian Journal of African Studies*, 12, 119-125.

ACHEBE, Chinua. 1974. Le malaise. Traduit de l'anglais (No longer at ease) par Jocelyn Robert Duclos. Paris, Présence africaine, 202 p.

ACHEBE, Chinua. 1975. Le Monde s'effondre. Traduit de l'anglais (Things fall apart) par Michel Ligny. Paris, Présence africaine, 254 p.

ACHEBE, Chinua. 1978. La flèche de Dieu. Traduit de l'anglais (Arrow of God) par Irène Assiba d'Almeida et Olga Makougbé Simpson. Paris, Présence africaine, 299 p.

ACKLEY, Donald. 1974. "The male-female Motif in "Things fall apart"." *Studies in Black Literature*, 5, 1, 1-6.

ADOTEVI, Jonan Massan. 1981. De la vie villageoise à la vie urbaine : problèmes d'identité personnelle et sociale dans les romans de Chinua Achebe. 3e cycle, Toulouse II, 247 p.

ARMAH, Ayi Kwei. 1975. The beautiful ones are not yet born. London, Ibadan, Nairobi, Heinemann, 183 p.

BABINDAMANA, Joseph. 1979. Critique du colonialisme et de l'Afrique des indépendances chez Chinua Achebe. 3e cycle, Paris VII, 408 p.

BISHOP, Rand. 1988. African Literature, African Critics : The Forming of critical Standards, 1947-1966. New York, Westport, Connecticut, London, Greenwood Press, xii-213 p.

BOCK, Hedwig et Albert WERTHEIM (eds.). 1986. Essays on contemporary post-colonial Fiction. München, Hueber, 447 p.

COUSSY, Denise. 1985. L'oeuvre de Chinua Achebe. Paris, Dakar, Présence africaine, 151 p.

FIEBACH, Joachim. 1976. "Chinua ACHEBE : Der Pfeil Gottes." *Weimarer Beiträge*, 22, 3, 152-160.

GERARD, Albert S. (ed.). 1986. European-language Writing in Sub-Saharan Africa. Budapest, Akadémiai Kiado, 2 vol.,

1289 p.

GRESILLON, Marie. 1986. "Le monde s'effondre" de Chinua Achebe : étude. Issy-les-Moulineaux, Les Classiques Africaines, 95 p.

HEAD, Bessie. 1979. A Question of Power. London, Nairobi, Ibadan, Heinemann, 206 p.

INNES, Catherine Lynette. 1986. Chinua ACHEBE. In : GERARD, A. S. (ed.)... chapt. IX , 4, 698-704.

INNES, Catherine Lynette. 1990. Chinua ACHEBE. Cambridge, New York, Port Cluster, Melbourne, Sydney, Cambridge University Press, xvii-199 p.

INNES, Catherine Lynette et Bernth LINDFORS (eds.). 1978. Critical Perspectives on Chinua Achebe. Washington, D.C., Three Continents Press, 315 p.

JAN MOHAMED, Abdul R. 1983. Manichean Aesthetics : The Politics of Literature in colonial Africa. Armhoerst, M.A., University of Massachusetts Press, 312 p.

KILLAM, Gordon Douglas. 1973. The Novels of Chinua Achebe : A Commentary. London, Heinemann, 106 p.

KILLAM, Gordon Douglas (ed.). 1984. The Writing of East and Central Africa. London, Nairobi, Ibadan, Heinemann, x-274 p.

KLOOSS, Wolfgang. 1986. "Chinua ACHEBE : A Chronicler of historical Change in Africa." In : BOCK, H. et A. WERTHEIM (eds.)... 23-45.

LINDFORS, Bernth. 1980. "Negritude and after : Responses to Colonialism and Independence in African Literatures." In : PAOLUCCI, A. (ed.)... 29-37.

M'BAKIA, Kouassi Konan Camuth. 1983. Le refus de la colonisation dans les romans de Chinua Achebe et de Ferdinand Oyono. 3e cycle, Paris III, 279 p.

MAHOOD, Molly Maureen. 1977. The colonial Encounter : A Reading of six Novels. London, Collings, 211 p.

MELONE, Thomas. 1962. De la négritude dans la littérature négro-africaine. Paris, Présence africaine, 137 p.

MELONE, Thomas. 1973. Chinua Achebe et la tragédie de l'histoire. Paris, Présence africaine, 310 p.

MOORE, Gérard. 1980. Twelve African Writers. London, Hutchinson, Bloomington, Indiana University Press, 327 p.

MORICEAU, Annie et Alain ROUCH. 1983. "Le Monde s'effondre" de Chinua ACHEBE : étude critique. Paris, F. Nathan, Nouvelles Editions Africaines, 96 p.

MOWELLE, Michel. 1976. Ordre ancien et ordre nouveau au Nigéria dans l'oeuvre romanesque de Chinua Achebe. 3e cycle, Paris III, 430 p.

NGUGI WA THIONG'O, James. 1983. Enfant ne pleure pas. Traduit de l'anglais (Weep not, Child) par Yvon Rivière. Abidjan, CEDA ; Kinshasa, ECA ; Paris, Hatier ; 159 p.

NJOKU, Benedict Chiaka. 1984. The four Novels of Chinua Achebe : A critical Study. New York, Bern, Frankfurt a.M., Nancy, Lang, 200 p.

OKAFOR, Raymond Nnadozié. 1972. "Individual and Society in Chinua Achebe's Novels." *Annales de l'Université d'Abidjan*. Série D, Lettres, 5, 219-243.

OKAFOR, Raymond Nnadozié. 1976. "Aspects du monde colonial dans le roman africain." *Annales de l'Université d'Abidjan*. Série D, Lettres, 9, 355-379.

OKO, Emilie A. 1974. "The historical Novel of Africa : A sociological Approach to Achebe's "Things fall apart" and "Arrow of God"." *Conch*, 6, 1/2, 15-46.

PAOLUCCI, Anne (ed.). 1980. Problems in national Literary Identity and the Writer as a social Critic. Whitestone, New York, Griffon House for the Council on National Literatures, 66 p.

SAINT-ANDRE-UTUDJIAN, E. 1977. "Chinua Achebe : A Bibliography." *Annales de l'Université de Bénin*. Togo. Série Lettres, 4, 1, 91-103.

STEWART, Danièle. 1988. Le roman africain anglophone depuis 1965. D'Achebe à Soyinka. Paris, L'Harmattan, 231 p.

STOCK, A. G. 1968. "Yeats and Achebe". *The Journal of Commonwealth Literature*, 5, 105-111.

TURKINGTON, Kathleen Phyllis. 1977. Chinua ACHEBE. "Things fall Apart." London, E. Arnold, 64 p.

WANJALA, Chris Lukorito. 1980. For Home and Freedom. Nairobi, Kenyan Literature Bureau, xvii-217 p.

WREN, Robert. 1981. Achebe's World : The historical and cultural Context of the Novels of Chinua Achebe. London, Longman, xxv-166 p.

5-4. REFERENCES BIBLIOGRAPHIQUES SUR LA COLONISATION ET LE NEOCOLONIALISME EN AFRIQUE

AGERON, Charles-Robert, Catherine COQUERY-VIDROVITCH et al. 1991. Histoire de la France coloniale 1914-1990. Paris, A. Colin, vol. 2, 654 p.

BAYART, Jean-François. 1989. L'Etat en Afrique. La politique du ventre. Paris, Fayard, 439 p.

BOUCHE, Denise. 1991. Histoire de la colonisation française. Flux et reflux (1815-1962). Paris, Fayard, vol. 2, 607 p.

DAHMANI, Mohamed. 1983. L'occidentalisation des pays du Tiers Monde. Mythes et réalités. Economia, Alger, 217 p.

HOPKINS, Antony G. 1973. An economic History of West Africa. London, Longman, x-337 p.

ISICHEI, Elizabeth Allo. 1973. The Ibo People and the Europeans : the Genesis of a Relationship to 1906. London, Faber & Faber, 207 p.

JOSEPH, Richard A. 1986. Le mouvement nationaliste au Cameroun. Paris, Khartala, 414 p.

KAPTUE, Léon. 1986. Travail et main-d'oeuvre au Cameroun sous régime français, 1916-1952. Paris, L'Harmattan, 282 p.

LAUTIER, Bruno, Claude de MIRAS et Alain MORICE. 1991. L'Etat et l'informel. Paris, L'Harmattan, 211 p.

LECLERC, Gérard. 1972. Anthropologie et colonialisme. Paris, Fayard, 256 p.

M'BOKOLO, Elikia. 1992. Afrique noire : histoire et civilisations. XIXe et XXe siècles. Tome 2, Paris, Hatier, AUPELF, 576 p.

METCALFE, George Edgar. 1964. Great Britain and Ghana. Documents of Ghana History, 1807-1957. London, T. Nelson, vii-779 p.

METEGUE, N'Nah Nicolas. 1981. L'implantation coloniale au Gabon. La résistance d'un peuple, 1839-1960. Paris, L'Harmattan, 120 p.

NAFZIGER, E. Wayne. 1988. Inequality in Africa. Political Elites, Proletariat, Peasants and the Poor. Cambridge, Cambridge University Press, xii-204 p.

NWABARA, S. N. 1977. Iboland : A Century of Contact with Britain, 1860 - 1960. London, Sydney, Auckland, Toronto, Hodder & Stoughton, 251 p.

PIAULT, Marc-Henri (ed.). 1987. La Colonisation, rupture ou parenthèse. Paris, L'Harmattan, 326 p.

SCHUERKENS, Ulrike. 1991a. "L'évolution des sociétés occidentales et le système-monde, XIXe au XXIe siècle : Le cas de la France". Communication présentée au Colloque "L'évolution des sociétés occidentales et le système-monde, XIXe au XXIe siècle". Maison des Sciences de l'Homme, Paris, 10-12 janvier 1991, 23 p.

SCHUERKENS, Ulrike. 1991b. "La problématique de la communication interculturelle en Afrique Noire francophone : "Chemin d'Europe" de F. OYONO". Paris, 16 p., (manuscrit).

SCHUERKENS, Ulrike. 1992a. "Le travail au Togo sous mandat de la France, 1919-1940". Revue française d'Histoire d'Outre-Mer, LXXIX, 295, 227-240.

SCHUERKENS, Ulrike. 1992b. "L'Africain : une image créée par le monde occidental". INTERCULTURE, XXV, 3, 116, 15-25.

SCHUERKENS, Ulrike. 1992c. "L'administration française au Togo et l'utilisation de la notion de coutume". Droit et cultures, 23, 213-230.

SCHUERKENS, Ulrike. 1992d. "The Notion of Development in Great-Britain in the XXth Century and some Aspects of its Application in Togoland under British Mandate and Trusteeship." 26 p., (manuscrit).

STOECKER, Helmuth (ed.). 1960. Kamerun unter deutscher Kolonialherrschaft. Berlin, Ruetten et Loening, 288 p.

SURET-CANALE, Jean. 1972. Afrique Noire occidentale et centrale. De la colonisation aux indépendances (1945-1960). Paris, Ed. sociales, 430 p.

SURET-CANALE, Jean. 1978. "La grève des cheminots africains d'A.O.F. (1947-1948). Cahiers d'histoire de l'Institut Maurice Thorez, 28, 82-122.

6. INDEX

Administrateur 61; 62; 69; 70; 73; 76; 81; 117; 119; 141; 161; 178; 179; 185; 187; 195; 200; 202; 203; 206; 221
- **allemand** 54; 60; 63; 65; 67
- **anglais** 176; 179; 187; 188; 194; 196; 198; 200; 201; 203; 224
- **français** 71; 72; 76; 81; 86; 89; 120

Administration 15; 20; 21; 23; 25; 38; 39; 41; 42; 43; 44; 47; 49; 50; 53; 54; 56; 60; 61; 62; 64; 65; 66; 69; 73; 75; 76; 77; 78; 89; 93; 94; 103; 104; 105; 110; 112; 114; 115; 118; 120; 122; 123; 128; 132; 134; 147; 151; 159; 176; 177; 179; 184; 186; 190; 193; 194; 197; 202; 203; 204; 210; 239
- **allemande** 54; 56; 57; 65; 69; 73; 74; 77
- **anglaise** 22; 172; 176; 180; 181; 183; 184; 185; 186; 188; 190; 194; 195; 196; 197; 198; 200; 202; 204; 210; 227; 230; 231; 232
- **autochtone** 55
- **britannique** 186; 194; 201; 204; 214
- **européenne** 25; 45; 151; 180
- **française** 53; 69; 71; 72; 74; 75; 76; 77; 79; 80; 84; 85; 87; 100; 101; 102; 105; 108; 109; 112; 118; 119; 120; 122; 123; 137; 143; 147; 148; 149; 150; 194
- **indirecte** 204; 233

Africain 10; 15; 16; 20; 21; 22; 23; 25; 36; 38; 40; 42; 44; 47; 50; 56; 57; 58; 60; 64; 66; 67; 68; 70; 71; 72; 74; 75; 78; 81; 82; 83; 86; 87; 89; 92; 93; 94; 96; 104; 105; 108; 112; 113; 114; 115; 129; 130; 133; 135; 137; 138; 139; 140; 141; 142; 145; 146; 147; 148; 149; 150; 160; 161; 163; 165; 166; 176; 180; 181; 184; 188; 191; 192; 193; 194; 195; 196; 197; 202; 211; 214; 219; 221; 228; 229; 232; 241; 244; 245

Allemand 53; 54; 55; 56; 57; 58; 59; 60; 61; 63; 64; 66; 67; 68; 69; 74; 78; 81

Anglais 22; 63; 68; 80; 161; 179; 180; 181; 194; 195; 200; 202; 229

Anthropologie 9; 17; 23; 53; 151; 240; 244; 245

Autochtone 37; 42; 45; 47; 49; 56; 93; 118; 149; 160; 169; 174; 176; 180; 184; 185; 195; 204; 206; 231; 239

Changement 9; 10; 15; 25; 26; 33; 41; 43; 44; 45; 46; 47; 48; 49; 50; 75; 96; 104; 107; 108; 112; 113; 114; 116; 117; 124; 125; 126; 127; 128; 130; 132; 134; 137; 138; 147; 148; 150; 151; 159; 161; 162; 163; 164; 165; 167; 172; 173; 174; 178; 180; 181; 182; 183; 184; 188; 193; 203; 204; 210; 211; 232; 233; 239; 240; 242; 243; 244; 245

Chefferie 25; 33; 48; 55; 56; 72; 150; 188; 190; 195; 232; 233; 243

Civilisation 10; 25; 36; 39; 67; 92; 118; 121; 143; 179; 186; 188; 192

Civilisé 62; 221

Colonisateur 245

Colonisé 225

Colonisation 3; 5; 9; 10; 15; 16; 20; 21; 23; 24; 25; 26; 27; 31; 47; 52; 61; 77; 80; 86; 106; 112; 124; 145; 146; 148; 157; 210; 214; 230; 232; 233; 239; 242; 243; 244
    - **allemande** 53; 55; 60; 67; 73; 74; 77; 80; 81
    - **anglaise** 22; 23; 159; 160; 162; 163; 180; 195; 210; 215; 230; 232; 233; 234
    - **européenne** 151; 185; 240; 242
    - **française** 23; 53; 68; 72; 75; 79; 101; 113; 146; 150; 151

Coutume 22; 26; 36; 45; 87; 142; 161; 169; 170; 172; 173; 174; 175; 176; 177; 178; 180; 181; 192; 193; 206

Développement 9; 11; 15; 17; 38; 50; 51; 106; 107; 115;

128; 148; 149; 150; 164; 233; 240; 242; 243

Employé 41; 44; 61; 110; 117; 134; 135; 137; 140; 141; 142; 144; 146; 195

Employeur 137; 139; 142; 146

Ethnologie 16

Européen 19; 23; 25; 33; 34; 36; 38; 39; 40; 41; 42; 44; 45; 46; 48; 49; 50; 53; 65; 66; 70; 72; 75; 84; 94; 95; 96; 104; 105; 106; 108; 114; 115; 116; 117; 121; 123; 124; 127; 129; 133; 134; 137; 138; 139; 140; 141; 142; 145; 146; 159; 161; 164; 165; 166; 168; 173; 174; 176; 180; 181; 182; 184; 186; 188; 191; 192; 193; 197; 198; 199; 200; 201; 204; 207; 223; 232; 245

Evolué 118; 239

Evolution 9; 17; 44; 72; 162; 219; 232; 233

Français 62; 68; 70; 71; 74; 80; 106; 118; 125; 141; 147; 149

Groupe africain 51; 53; 58; 66; 67; 70; 146; 195
  - autochtone 9; 22; 25; 26; 34; 36; 41; 45; 46; 47; 48; 53; 56; 57; 58; 60; 66; 118; 123; 124; 127; 128; 131; 150; 180; 190; 193; 197; 210; 243

Histoire 20; 22; 33; 40; 42; 52; 53; 64; 67; 73; 76; 78; 86; 88; 92; 98; 104; 107; 108; 109; 111; 112; 113; 115; 116; 117; 118; 119; 122; 123; 124; 125; 127; 129; 130; 135; 149; 150; 151; 165; 166; 167; 173; 179; 183; 199; 200; 210; 214; 223; 240; 245

Justice 25; 66; 81; 121; 134; 177; 178; 196

Législation 39; 233

Mariage 43; 104; 112; 221; 224; 225

Mission civilisatrice 129; 193

Oeuvre civilisatrice 59; 60; 61; 148

Politique d'association 120

Population africaine 25; 26; 75; 110; 112; 148; 166; 183
    - **autochtone** 9; 25; 27; 34; 42; 47; 50; 53; 54; 57; 71; 118; 120; 122; 134; 171; 178; 183; 184; 190; 194; 198; 208; 230; 242; 243
    - **européenne** 26; 42; 108; 166

Salaire 84; 85; 88; 108; 111; 125; 133; 134; 141; 142; 219; 223; 239; 243; 244

Société africaine 58; 102; 104; 148; 161; 169; 170; 181; 185; 207; 210; 240
    - **autochtone** 11; 33; 41; 44; 45; 58; 96; 100; 101; 102; 121; 149; 160; 164; 167; 170; 171; 174; 181; 182; 204; 207; 210; 211; 230; 232; 234; 242; 243; 244

Sociologie 16; 17; 23; 53; 151; 240

Transformation 9; 15; 17; 20; 22; 24; 25; 27; 36; 44; 46; 47; 49; 51; 58; 60; 102; 111; 112; 113; 114; 116; 125; 126; 132; 146; 148; 149; 150; 160; 162; 163; 164; 169; 170; 171; 173; 174; 175; 176; 178; 179; 180; 181; 184; 185; 190; 210; 211; 215; 232; 239; 240; 241; 242; 243; 244; 245

Travail 25; 36; 43; 49; 52; 63; 65; 69; 70; 71; 73; 74; 75; 79; 80; 81; 82; 83; 85; 86; 87; 88; 90; 91; 92; 93; 94; 95; 97; 98; 100; 101; 105; 116; 117; 121; 126; 132; 133; 135; 136; 138; 146; 150; 190; 191; 192; 224

Travailleur 79; 80; 82; 83; 84; 85; 87; 88; 89; 90; 91; 94; 97; 98; 99; 100; 129; 130; 131; 133; 134; 136; 139; 142; 144; 145; 146; 147; 191; 239

7. TABLE DES MATIERES

Achevé d'imprimer en octobre 1994
sur les presses de la Nouvelle Imprimerie Laballery – 58500 Clamecy
Dépôt légal : octobre 1994   Numéro d'impression : 410016